Reading

GERMAN

Fluently

ROBERT L. POLITZER

Stanford University

Reading

GERMAN

Fluently

PRENTICE-HALL, INC.

Englewood Cliffs, New Jersey

Library of Congress Catalog Card No. 69–10283

Printed in the United States of America

Current Printing (last digit):

10 9 8 7 6 5 4 3 2 1

13-753541-4

PRENTICE-HALL INTERNATIONAL, INC., *London*
PRENTICE-HALL OF AUSTRALIA, PTY. LTD., *Sydney*
PRENTICE-HALL OF CANADA, LTD., *Toronto*
PRENTICE-HALL OF INDIA PRIVATE LTD., *New Delhi*
PRENTICE-HALL OF JAPAN, INC., *Tokyo*

Preface

Reading German Fluently is based on the conviction that there is an essential difference between the slow, deliberate process of translation and the process of rapid recognition of structures necessary for fluent reading. This book attempts to give the student practice in high-speed recognition of structures.

The pattern practice for recognition employed here takes the form of completion exercises that contain the essential elements of grammar. The process of completion resembles the process of intelligent guessing, which is a prerequisite for reading fluently. The exercises focus the student's attention on the essential grammar signals and show immediately whether these signals have indeed been recognized and understood.

Each of the thirty lessons consists basically of five sections: (1) a short reading which introduces new material and provides a frame of reference for the grammar discussion; (2) grammar explanations and illustrations; (3) a supplemental reading illustrating the new grammatical principles; (4) practice exercises with answers provided immediately; and (5) additional exercises without answers. The book also includes an introductory chapter on pronunciation featuring practice with numerals, and two review lessons.

The reading and exercise materials start on an extremely simple level. Each lesson introduces only one or at most two new points of grammar, until, at the end of the book, all essential elements have been covered and the student should be capable of reading very complex German. Moreover, in lessons 26–29, the supplemental reading sections are devoted to a discussion of Lessing, Schiller, and Goethe, and are followed by a brief excerpt from an outstanding work by each author. This limited sampling, hopefully, will make even the beginning student realize that direct contact with the great classics of German literature is within his reach.

The companion volume of *Reading German Fluently* is *Speaking German*. The two volumes are basically identical in the first three sections of each lesson, but the exercises in sections 4 and 5 of each lesson are quite different. Because *Reading German Fluently* seeks to develop rapid-reading knowledge, the emphasis here is on written recognition rather than on oral production.

I wish to express my gratitude to Professor Conrad Borovski of San Jose State College for his valuable suggestions and careful reading of the manuscript.

R.L.P.

Contents

Pronunciation Lesson

In this introductory pronunciation lesson we present the various sounds of the German language along with their most frequent orthographic appearance (spelling). Since the beginner has little or no German vocabulary to draw upon, we illustrate the sounds by listing German geographic and family names that are likely to be familiar to the student. Using these proper names as examples has the further advantage of underlining the difference between the anglicized pronunciation (to be avoided from now on!) and the correct German pronunciation which the student must strive to acquire.

Although German spelling is not perfectly regular, it is more regular than English in that there are usually only a few typical ways in which a sound is represented orthographically.

Consonants

In the pronunciation and spelling of German consonants the following general rules should be kept in mind.

(1) Most German consonants (as in English) come in pairs: voiced and unvoiced, the latter being produced without vibration of the vocal cords. Thus [t] as in English *time* is unvoiced. The corresponding voiced member of the pair is [d] as in *dime*. Unlike English, German words and most syllables do not end in a voiced consonant. Even if the German word is *spelled* with what appears to be a voiced sound, if the sound is at the end of the word it is pronounced unvoiced. Thus the final sound of *Rat* (counsel) and *Rad* (wheel) is identical: [t].

(2) German spelling uses the doubling of the consonant (and sometimes a variation such as *ck* rather than *kk*) to indicate that the vowel preceding the consonant is lax and usually

short. However, the pronunciation of the consonant sound is not affected by such orthographic changes.

The following is a list of the German consonant sounds and their most frequent orthographic equivalents (italicized in each example).

*[p]   Potsdam, Wuppertal, Raabs, Selb.

[b]   Berlin, Bonn.

[t]   Tübingen, Stuttgart, Wittenberg, Göttingen, Landshut, Radstadt.

        Note the careful t pronunciation of -tt- between vowels. Do not imitate the pronunciation of -tt- in American English latter!

[d]   Düsseldorf, Landau, Paderborn, Wiesbaden.

[k]   Koblenz, Köln, Saarbrücken, Heidelberg, Braunschweig.

[g]   Göttingen, Klagenfurt.

[f]   Klagenfurt, Sankt Veit.

[v]   Wien, Wuppertal, Wittenberg.

[s]   Kassel, Düsseldorf, Wiesbaden.

[z]   Selb, Saarbrücken, Rosenheim.

Note that unvoiced [s] is not used in German at the beginning of a word. But in intervocalic position both [s] and [z] are possible, e.g., see Kassel and Rosenheim above. Since the orthography ss may indicate a preceding short vowel as well as the unvoiced s, a special symbol ß, or the combination sz, is frequently used to indicate the unvoiced s after a long vowel: thus Masse (mass) is pronounced with unvoiced [s] and short a and Maße (measures) is pronounced also with unvoiced [s] but with long a.

[ʃ]   Schwenningen, Schaffhausen, Stuttgart, Spanien.

        Note that initial s before p, t, k is pronounced with the same [ʃ] sound that normally corresponds to sch in orthography.

[ʒ]   This sound is rare in German and restricted to loan words—usually of French origin: Genie (genius), Bandage.

---

* The conventional phonetic symbols are introduced for the purpose of identifying the sounds. Since phonetic symbols are used in several standard dictionaries, the student may wish to learn to *identify* the symbols. Active use of the symbols by the beginning student is not recommended.

2

[ç] München, Friedrichshafen, Ludwigsburg.
This is one of the most difficult sounds for the native English speaker. There are various ways of approaching its pronunciation: (1) pronounce [k] as in di*ck*, then "release" the [k] sound to get to the pronunciation [ç]. Compare di*ck*/di*ch*, sti*ck*/sti*ch*, etc. (2) Pronounce the sound [ʃ] as in German mi*sch*, then flatten the tongue to get to the [ç] sound as in mi*ch*. Compare mi*sch*/mi*ch*, ni*sch*/ni*ch*, etc. (3) Say English words like *h*uge, *h*ue, *h*umor, blowing the breath strongly through the speech organs while uttering the [hj] sound combination. The sound thus produced is nearly identical with the German [ç]. The sound [ç] normally occurs only after *e, i, eu, ä, ö, ü*. Note that in standard German the ending -*ig* (as in the name Ludwi*g*) is pronounced with the [ç] sound. However, in large parts of Southern Germany and Austria the pronunciation [ik] is used instead.

[x] Offenba*ch*, Bru*ch*sal, Bo*ch*um.
The [x] sound normally occurs only after *a, o, u, au*. It is best approached from the sound [k] as in *Block*. Instead of closing the air passage completely as in the production of [k] let the breath go through the point of obstruction created for the production of the [k] sound. Compare Blo*ck*/Blo*ch*, Sa*ck*/Sa*ch*, na*ckt*/Na*ch*t. Note that when *ch* stands before *s* it is pronounced [k] rather than [x] or [ç]: La*ch*s [laks].

[m] and [n] Correspond to English both in sound as well as orthography: Potsda*m*, Berli*n*, *M*ünchen.

[ŋ] Tübi*ng*en. Same sound as in English si*ng*, walki*ng*, si*ng*er (not as in si*ng*le).

[l] *L*udwig; So*l*bad Ha*ll*, U*l*m, Sa*l*zburg. Note that the German [l] is produced with the tip of the tongue held against the upper teeth while the rest of the tongue remains flat. In English the position of the tongue is somewhat different and the [l] sound produced is somewhat different. Thus a special effort must be made to produce the correct German sound, not an English approximation. Compare the [l] sound in these pairs of English and German words: ba*ll*/Ba*ll*, fa*ll*/Fa*ll*, te*ll*/Te*ll*.

[r] German *r* has two distinctly different pronunciations. Before a vowel it is produced by vibration of the uvula (like the sound produced when gargling): The symbol [R] will be used for this sound. After a vowel the German *r* resembles the unstressed vowel sound in the English word *sofa*. The symbol [ʌ] will be used for this sound. Thus we have the [R] sound in *R*udolf, F*r*anken, K*r*efeld and the [ʌ] in Da*r*mstadt, Ga*r*misch, Düsseldo*r*f. An exception to the rule is the pronunciation of *r* after a short vowel in a word like *irr* (disturbed, insane) which is pronounced [iR] while *ihr* (her) is pronounced [i:ʌ].

[j] *J*äger, *J*agd. Like the *y* in *yes*.

[h] *H*annover, Schaff*h*ausen. Same as in English *house*.

The following German consonant sound combinations are sometimes mispronounced by English speakers:

[pf] *Pf*arrkirchen, *Pf*orzheim. Pronounce [p] + [f] as in English *cupful*.

[kn] *Kn*ittelfeld. Pronounce [k] + [n] as in English *canoe*, *canary* (not as in English *knee*).

[ts] *Z*ürich, Main*z*, K*r*euznach.

Remember that the German [ts] sound combination is usually represented by *z* in orthography. Do not be mislead by the spelling: the German letter *z* is pronounced like [ts] in be*ts* and never like [z] in *z*eal. Pronounce in German: Lu*z*ern, Sal*z*burg, Lin*z*, Bau*tz*en, Bo*z*en.

Vowels

German vowels may also be grouped in pairs. One member of the pair is produced with tenser speech organs than the other. In accented position the tenser vowel is also longer, and—with the exception of the pair a:/ą where the relation is reversed—the tenser vowel is also somewhat higher than its counterpart, i.e., the tongue is at a somewhat lower point in the oral cavity.

Traditionally the members of each pair are distinguished as

"short" or "long." We shall use this same distinction in our discussion and transcriptions. We shall employ the sign (:) to indicate length.

[i:] Wien, Berlin, Wiesbaden.
      The usual orthographic presentation is *ie* or *ih* (as in *ihn*). The German vowel is not produced with an upglide as the English [i] sound of l*ea*n, b*ea*n, b*ee*, etc. Compare German with English in *Wien/bean*, *Sie/sea*, *Vieh/fee*, etc.

[ɪ] *I*nnsbruck, Witt*e*nberg, *I*nn.

[e:] W*e*ser, Spr*ee*, R*e*gensburg.
      The sound is presented by *e*, sometimes by *eh*, e.g., s*eh*r. Unlike the corresponding English the German sound does *not* end in an upglide. Compare the following: *say/See*, *way/Weh*, *gay/geh*.

[ę] *E*ßlingen, Schw*e*nningen. In addition to the e:/ę pair, some speakers use a pair of open sounds [ɛ] and [ę̣] spelled *ä*, and make a slight distinction between *Ehre* and *Ähre*, *Becher* and *Dächer*, etc.

[u:] Bl*u*denz, *U*hrfahrt, Z*u*gspitze.
      The [u:] sound, usually presented *u* or *uh*, is not produced with a final glide like the comparable English sound of *food* or *do*. Compare: *do/du*, *too/tu*.

[ʉ] Hamb*u*rg, L*u*dwigsburg, L*u*dwig, St*u*ttgart

[o:] B*o*zen, Le*o*ben.
      Presented by *o* or *oh* the German sound again does not end in the glide characteristic of its English counterpart. Compare the English and German: *toe/tot*, *row/roh*, *Moses/Moses*.

[ǫ] P*o*tsdam, Düsseld*o*rf. Note that most speakers of American English have no comparable sound. The vowel of *cop* is usually pronounced like *a*—the one of *bought* is too long and drawn out.

[a:] B*a*den-B*a*den, Kl*a*genfurt, P*a*derborn, R*aa*bs. Somewhat like *a* in English *father*.

[ạ] Neust*a*dt, L*a*ndau. Somewhat like the sound in English *but*, *nut*, but with the mouth slightly more open. Since English has no pair of sounds comparable to a:/ạ, it may be difficult for some to distinguish this German pair. Contrast *Staat/Stadt*, *Saat/satt*.

[ü:] Zürich, Lübeck. The [ü] sound (spelling *ü*, *üh*) is produced with the tongue position of [i] and the lip
rounding of [u]. The easiest way to produce this
sound is to start with the sound [i] as in English *bee*
or German *Sie*; now while continuing to say [i] round
the lips as if going to say the vowel of English *do*,
but without shifting the position of the tongue.

[ÿ] München, Württemberg, Münster, Nürnberg. This
sound is distinguished from [u:] by being somewhat
shorter and by the tongue being somewhat lower
in the mouth cavity during its production. It is produced with the tongue position of *i* as in English *bit*,
German *bitte*, and the lip rounding of [u].

[ö:] Goethe, Schönbach.

[ǫ̈] Göttingen, Köln. The pronunciation of the pair ö:/ǫ̈
may be approached from the pronunciation of e:/ę.
The tongue position is like the one for the latter
sounds but the lip rounding is like the one for o:/ǫ.
Thus we can learn to say the ö:/ǫ̈ sounds by starting
to say [e:] or [ę] and by rounding the lips as we say
these sounds—but again without changing the position of the tongue.

[ə] Bettelheim, Wiesbaden, Klagenfurt. This German
vowel (spelled *e*) exists only in unstressed position.
It is very much like the unstressed vowel in the
English words *matter* or *sofa*. The unstressed vowel
sound in the latter word is thus at times pronounced
like the variant of German *r* [ʌ], at times like the
German unstressed [ə]. German, however, distinguishes between unstressed [ə] and the post vocalic
variant of *r* [ʌ]. This distinction may at times not be
clear to (or be made clearly by) the native speaker of
English. Distinguish between the German *bitte* [bi̥tə]
and *bitter* [bi̥tʌ]; between *Spitze* [ʃpi̥tsə] and *Spitzer*
[ʃpi̥tsʌ].

Diphthongs

German has the following diphthongs.

[ai] Heilbronn, Freiburg, Rosenheim. In a few rare in-

stances the spelling *ai* rather than *ei* is used: L*ai*bach.

[ǫi] Kr*eu*znach, N*eu*stadt, N*eu*ruppin. Sometimes the orthography *äu* is used, as in H*äu*ser.

[au] *Au*gsburg, Str*au*bing.

One German sound that has no counterpart in orthography is the glottal stop [ʔ]. The sound is produced by the air stream coming up against the closed vocal cords which are then suddenly opened. This sound is also used in American English to mark the beginning of words or word groups within the sentence; e.g., *This is* [ʔ]*utter nonsense*. In German the glottal stop occurs quite regularly at the beginning of words (and often syllables within the word) that begin with a vowel: Augsburg [ʔauksbu̯ʌk], Offenbach [ʔǫfənbạx], Oberammergau [ʔobʌʔạmʌgau], Amberg [ʔạmbę̣ʌk].

Just like English, German has different degrees of stress. Compare for example the differences in stress in the first and last syllables of English words like *animal*, and the verb or adjective *animate*, etc. In every word one syllable receives the main stress. We shall mark this stress by a stress sign [ˈ] preceding the stressed syllable. Except for words beginning with an unstressed prefix, the vast majority of German words (those of Germanic origin) are normally stressed on the first syllable.

Reading pronunciation practice

Read aloud the names of the following German, Austrian, and Swiss cities. Check your pronunciation with the phonetic transcription.

Siegen [ˈziːgən]	Schönebeck [ˈʃöːnəbę̣k]
Seeburg [ˈzeːbuʌk]	Köthen [ˈköːtən]
Stolberg [ˈʃtǫlbę̣ʌk]	Halle [ˈhạlə]
Speyer [ˈʃpạiʌ]	Dessau [ˈdę̣sạu]
Neustadt [ˈnǫiʃtạt]	Mittelland [ˈmitəllạnt]
Halberstadt [ˈhạlbʌʃtạt]	Pforzheim [ˈpfǫʌtshaim]
Darmstadt [ˈdạʌmʃtạt]	Luzern [lu̯ˈtsę̣ʌn]
Erlangen [ˈę̣ʌlaŋən]	Leipzig [ˈlạiptsiç]
Bayreuth [ˈbaiRǫit]	Bautzen [ˈbautsən]
Nürnberg [ˈnü̯ʌnbę̣ʌk]	Zittau [ˈtsi̥tau]
Schwandorf	Aschaffenburg [ʔạˈʃafənbu̯ʌk]
[ˈʃvạːndǫʌf]	Offenburg [ˈʔǫfənbu̯ʌk]

7

Stuttgart ['ʃtʊtgaʌt]   Appenzell ['ʔapəntsel̩]
Reutlingen ['ʀɔitli̥ŋən]   Graz ['gʀaːts]
Göppingen ['gøpi̥ŋən]   Hof ['hoːf]
Gmünd ['gmy̥nt]   Bad Kissingen ['baːt 'ki̥si̥ŋən]
Nördlingen [nø̊ʌtli̥ŋən]   Karlsbad ['kaːʌlsbaːt]
Schönebeck ['ʃöːnəbe̥k]   Bad Kreuznach
Jüterbog ['jüːtʌbo̥k]   ['baːt 'krɔitsnax]
Mödling ['möːdli̥ŋ]   Heiligenkreuz
Sankt Pölten   ['hailigənkʀɔits]
        ['zankt 'pöltən]   Rottweil ['ʀɔtvail]
Schönbach ['ʃöːnbax]   Würzburg ['vüʌtsbʊʌk]
Göttingen ['gøti̥ŋən]   Aachen ['aːxən]
Lüdenscheid ['lüːdənʃait]   Lichtenstein ['li̥çtənʃtain]

Pronounce the names of the following German composers:

Richard Wagner ['ʀi̥çaʌt 'vaːgnʌ]
Wolfgang Amadeus Mozart ['vɔlfgaŋ ama'deːus 'moːtsaʌt]
Johann Sebastian Bach ['joham̩ ze'bastjan bax]
Ludwig van Beethoven ['lʊdvi̥ç 'faːn 'beːtoːvən]
Ferdinand Bruckner ['feʌdinam̩t bʀʊknʌ]
Johannes Brahms [jo'hanəs 'bʀaːms]
Franz Liszt ['fʀants 'li̥st]
Jakob Meyerbeer ['jaːkɔp 'maɪʌbeːʌ]
Alban Berg ['alban 'beʌk]

Pronounce the names of the following German writers:

Johann Wolfgang von Goethe ['joːham̩ vɔlfgaŋ fɔn göːtə]
Friedrich Schiller ['fʀiːdri̥ç ʃi̥lʌ]
Gottfried August Bürger ['gɔtfʀiːt augʊst büʌgʌ]
Emanuel Geibel [e'maːnʊəl gaibəl]
Salomon Gessner ['zaːlomɔn 'gesnʌ]
Christian Dietrich Grabbe ['kʀi̥stjan 'diːtʀi̥ç 'gʀabə]
Heinrich Heine ['hainʀi̥ç 'hainə]
Albrecht von Haller ['albʀeçt fɔn 'halʌ]
Friedrich Hebbel [fʀiːdri̥ç 'hebəl]
Nikolaus Lenau ['nikɔlaus 'leːnau]
Heinrich von Kleist ['hainri̥ç fɔn klaist]
Eduard Mörike ['eːduaʌt 'möːri̥kə]
Karl von Münchhausen ['kaʌl fɔn 'mü̥nç'hauzən]

Rainer Maria Rilke [ˈRainʌ ˈmaˈRiːa ˈRɪlkə]
Friedrich Rückert [ˈfRiːdRiç ˈRÿkəʌt]
Hans Sachs [ˈhạns zạks]

Cardinal numbers

1 eins [ˈʔains]		11 elf [ˈʔẹlf]	
2 zwei [ˈtsvai]		12 zwölf [ˈtsvọ̈lf]	
3 drei [ˈdRai]		13 dreizehn [ˈdRạitsen]	
4 vier [ˈfiːʌ]		14 vierzehn [ˈfiːʌtsen]	
5 fünf [ˈfÿnf]		15 fünfzehn [ˈfÿnftsen]	
6 sechs [ˈzẹks]		16 sechzehn [ˈzẹçtsen]	
7 sieben [ˈziːbən]		17 siebzehn [ˈziːptsen]	
8 acht [ˈʔạxt]		18 achtzehn [ˈʔạxtsen]	
9 neun [ˈnọin]		19 neunzehn [ˈnọintsen]	
10 zehn [ˈtseːn]		20 zwanzig [ˈtsvạntsịç]	

21 einundzwanzig [ˈainụnˈtsvạntsịç]
22 zweiundzwanzig [ˈtsvaiụnˈtsvạntsịç]
30 dreißig [ˈdRaisịç]
40 vierzig [ˈfiːʌtsịç]
50 fünfzig [ˈfÿnftsịç]
60 sechzig [zẹçtsịç]
70 siebzig [ˈziːptsịç]
80 achtzig [ˈʔạxtsịç]
90 neunzig [ˈnọintsịç]
100 hundert [ˈhụndəʌt]
1000 tausend [ˈtɑuzənt]
1,000,000 eine Million [ˈʔainə miljoːn]

Say: 776 siebenhundertsechsundsiebzig
1785 tausendsiebenhundertfünfundachtzig
6421 sechstausendvierhunderteinundzwanzig
86311 sechsundachtzigtausenddreihundertelf.
Say the following numbers in German:
541, 113, 1447, 67, 103, 511, 112, 1776, 1812, 10761.

Ordinal numbers

1. der (die, das) erste [ˈeːʌstə]	4. vierte [ˈfiːʌtə]
2. zweite [ˈtsvaitə]	5. fünfte [ˈfÿnftə]
3. dritte [ˈdRɪtə]	6. sechste [ˈzẹkstə]

Note that the ordinals: *2nd* and from *4th* to *19th* are formed by adding *-te* to the cardinal number. From the 20th on the ordinals are formed by adding *-ste* to the cardinal number.

> 20. zwanzigste [ˈtsvɑ̨ntsi̧çstə]
> 100. hundertste [ˈhu̧ndəʌtstə]

But if a compound number ends in a numeral from 1 to 19, we add *-te* to form the ordinal. Thus *119th* would be hundertneunzehnte [ˈhu̧ndəʌtˈnọintse:ntə].

Practice with numerals:*

> Wieviel ist 1 + 4 ? [ˈviːfiːl i̧st ˈʔains u̧nt ˈfiːʌ]
> 1 + 4 = 5. [ˈʔains u̧nt ˈfiːʌ i̧st ˈfünf]
> Wieviel ist 10 − 4 ? [ˈviːfiːl i̧st ˈtseːn ˈveːni̧gʌ ˈfiːʌ]
> 10 − 4 = 6. [ˈtseːn ˈveːni̧gʌ ˈfiːʌ i̧st zęks]
> Wieviel ist 3 × 5 ? [ˈviːfiːl i̧st dʀai ˈma:l fünf?]
> 3 × 5 = 15. [ˈdʀai ˈma:l fünf i̧st ˈfünftsen]
> Wieviel ist 18 : 6 ? [ˈviːfiːl i̧st ˈʔaxtsen (ˈgętailt) du̧ʌç zęks]
> 18 : 6 = 3. [ˈʔaxtsen gɛˈtailt du̧ʌç zęks i̧st dʀai]

The names of the months:

Januar [ˈja̧nua:ʌ]	Juli [ˈju:li]
Februar [ˈfe:bʀua:ʌ]	August [auˈgu̧st]
März [ˈmɛʌts]	September [zępˈtęmbʌ]
April [a̧ˈpʀi̧l]	Oktober [ọkˈto:bʌ]
Mai [ˈmai]	November [nọˈvęmbʌ]
Juni [ˈju:ni]	Dezember [deˈtsęmbʌ]

Days of the week:

> Sonntag [ˈzọnta:k]
> Montag [ˈmo:nta:k]
> Dienstag [ˈdi:nsta:k]

---

* + = und; − = weniger; × = mal; : = geteilt durch.

Mittwoch [ˈmɪtvɔx]
Donnerstag [ˈdɔnəʌstaːk]
Freitag [ˈfʀaitaːk]
Samstag [ˈzamstaːk] or Sonnabend [ˈzɔnaːbənt]

Welcher Tag ist heute? [ˈvɛlçʌ ˈtaːk ˈɪst ˈhɔitə]
(What day is it today?)
Heute ist der 28. September.
  [ˈhɔitə ɪst deːʌ ˈaxtʊntˈtsvantsɪçstə zɛpˈtɛmbʌ]
(Today is the 28th of September.)
Wann sind Sie geboren? [ˈvan ˈzɪnt ˈziː geˈboːʀən]
(When were you born?)
Ich bin am 21. (einundzwanzigsten) März geboren.
  [iç bɪn ˈʔam ˈʔainʊnttsvantsiçtən ˈmɛʌts geˈboːʀən]
(I was born on the 21st of March.)

Some useful expressions:

Guten Tag. [ˈguːtən ˈtaːk]
(Hello, good day.)
Guten Abend. [ˈguːtən ˈʔaːbənt]
(Good evening.)
Wie geht es Ihnen? [ˈviː ˈgeːt ɛs ˈʔiːnən]
(How are you?)
Bitte! [ˈbɪtə]
(Please.)
Wie heißen Sie? [ˈviː ˈhaisən ˈziː]
(What's your name?)
Ich heiße ... [iç ˈhaisə ...]
(My name is ...)
Auf Wiedersehen. [ˈʔauf ˈviːdʌ ˈzeːn]
(Good-bye.)
Sprechen Sie lauter, bitte. [ˈʃpʀɛçən ˈziː ˈlautʌ, bɪtə]
(Speak louder, please.)
Wiederholen Sie, bitte. [ˈviːdʌˈhoːlən ˈziː bɪtə]
(Please repeat.)
Verstehen Sie mich? [feʌˈʃteːʔən ˈziː ˈmɪç]
(Do you understand me?)
Nein, ich verstehe Sie nicht. [ˈnain, iç feʌˈʃteːʔə ˈziː nɪçt]
(No, I do not understand you.)
Wir verstehen Sie sehr gut. [ˈviːʌ feʌˈʃteːn ˈziː ˈzeːʌ ˈguːt]
(We understand you very well.)

Note on German orthography: In German *all nouns*—not just proper names—are capitalized as part of their spelling. Also the pronoun *Sie* (polite form of *you*) and its derived forms are capitalized. But *sie*, meaning *they* or *she*, is written with a small letter. The same applies for the pronoun *du* (*you*, familiar) and its plural *ihr*, although in correspondence they are generally capitalized.

1. Masculine, Feminine, Neuter Gender

1.1

Wo ist der Bleistift? Er ist hier.	Where *is the* pencil? *It is* here.
Wo ist der Füller? Er ist dort.	Where *is the* fountain pen? *It is there.*
Wo ist die Zeitung? Sie ist dort.	Where *is the* newspaper? *It is there.*
Wo ist das Buch? Es ist hier.	Where *is the* book? *It is here.*
Wo ist das Löschblatt? Es ist hier.	Where *is the* blotting paper? *It is here.*
Wo ist der Lehrer? Er ist hier.	Where *is the* teacher? *He is* here.
Wo ist die Lehrerin? Sie ist hier.	Where *is the* teacher? *She is* here.
Wo ist das Mädchen? Es ist dort.	Where *is the* girl? *She is there.*
Wo steht die Lampe? Sie steht dort.	Where *is* (lit., *stands) the* lamp? *It is there.*
Wo liegt das Buch? Es liegt dort.	Where *is* (lit., *lies) the* book? *It is there.*

1.2 German nouns can be of masculine, feminine, or neuter gender. In the nominative (subject) case the forms of the definite article for these three genders are der, die, das. The forms for the personal pronouns referring to masculine, feminine, and neuter nouns are in the nominative er, sie, es. Double underlining will be used to indicate forms characteristic for the nominative. Note that the *gender* of German nouns is not necessarily related to *sex*. Thus, inanimate objects are either *masculine, feminine,* or *neuter* and female persons may be of neuter gender: das Mädchen (*the girl*), das Weib (*the wench*), etc.

1.3   Wo ist das Mädchen? Es ist nicht[1] hier. Es ist krank.[2]

Wo ist der Lehrer? Er ist hier. Er ist nicht krank. Ist Karl hier?

Nein, er ist heute[3] nicht hier. Er ist zu Hause.[4] Er ist heute krank.

Warum[5] ist Karl nicht hier? Karl ist zu Hause. Er ist krank.

Warum ist Liselotte nicht hier? Sie ist auch[6] zu Hause. Sie ist krank.

Warum ist das Mädchen zu Hause? Es ist heute krank.

Warum ist Johann heute hier? Johann ist nicht krank. Er ist gesund.[7]

Warum ist Franz heute hier? Er ist nicht mehr[8] krank. Er ist schon wieder[9] gesund.

Ist Liselotte heute hier? Nein, Liselotte ist heute nicht hier.

Sie ist noch[10] krank.

Ist Karl noch krank? Nein, er ist nicht mehr krank. Er ist schon wieder gesund.

Ist Liselotte heute hier? Nein, Liselotte ist noch nicht hier. Sie ist noch zu Hause. Sie ist noch krank.

1.4 Replace the blanks by words from the following choice:

nein, nicht, wieder, krank, zu Hause.

The correct answers appear in the column at the right. To do these exercises properly, first cover the answer column, then supply your answer and check it before proceeding to the next sentence.

1. Das Mädchen ist noch immer _____.	krank, zu Hause
2. Karl ist heute _____ krank.	nicht, wieder
3. Warum ist Karl _____ zu Hause?	wieder, nicht
4. Ist Karl gesund? _____, er ist krank.	Nein
5. Warum ist Lieselotte heute _____?	krank, zu Hause
6. Robert ist krank. Er ist _____.	zu Hause

---

[1] **nicht** = not.
[2] **krank** = sick.
[3] **heute** = today.
[4] **zu Haus(e)** = at home.
[5] **warum** = why.
[6] **auch** = also.
[7] **gesund** = healthy.
[8] **nicht mehr** = no longer.
[9] **wieder** = again.
[10] **noch** = yet, still.

1.5 Replace the blanks by words of your own free choice:

1. Warum ist der _____ heute nicht hier?
2. Die Lehrerin ist heute noch _____.
3. Das _____ ist wieder gesund. Es ist heute wieder _____.
4. Das _____ ist nicht hier. _____ ist zu Haus.
5. Wo ist der _____? _____ ist heute nicht hier.
6. Die _____ ist nicht mehr hier. Sie ist _____.
7. Wo ist das _____? Es ist noch _____.
8. Ist _____ gesund? Nein, er ist _____.
9. Ist _____ hier? Nein, sie ist noch _____.
10. Ist _____ heute noch _____? Nein, er ist wieder _____.

2. *Ein* and "*Ein*-words" (Possessive Adjectives)

2.1

Was ist das? Das ist ein Kugelschreiber.

What is this? This is a ball point pen.

Was ist das? Das ist eine Zeitung.

What is this? This is a newspaper.

Was ist das? Das ist ein Buch.

What is this? This is a book.

Ist das mein Kugelschreiber? Nein, das ist Karls Kugelschreiber.

Is this my ball point pen? No, this is Karl's ball point pen.

Ist das meine Zeitung? Ja, das ist deine Zeitung.

Is this my newspaper? Yes, it is your newspaper.

Ist das seine Zeitung? Nein, das ist unsere (eure, ihre) Zeitung.

Is this his newspaper? No, this is our (your, their) newspaper.

Ist das meine Zeitung? Ja, das ist Ihre Zeitung.

Is this my newspaper? Yes, it is your newspaper.

2.2 Observe how the endings of the definite article differ in the nominative singular from the endings of the indefinite article and the "*ein*-words" (the possessive adjectives).

der	Kugelschreiber	die	Zeitung	das	Buch	the
ein	//	eine	//	ein	//	a
mein	//	meine	//	mein	//	my
dein	//	deine	//	dein	//	your
sein	//	seine	//	sein	//	his, its
ihr	//	ihre	//	ihr	//	her
unser	//	unsere	//	unser	//	our

euer Kugelschreiber	eure Zeitung	euer Buch	*your*
ihr (Ihr)* //	ihre (Ihre) //	ihr (Ihr) //	*their* (*your*)

Note the following:

(1) The forms for the masculine and neuter are identical. The feminine form ends in an *e* which is absent in the masculine and neuter.

(2) There are three forms corresponding to English *your*:
   1. **Dein:** The possessor is a single person addressed in the informal way.
   2. **Euer:** The possessors are several persons addressed in the informal way.
   3. **Ihr:** The possessor(s) is (are) one (or several) person(s) addressed in the formal way.

German uses a formal way of address as opposed to an informal one. The informal way is used in addressing children up to the age of 14, members of one's family, close friends, objects, animals, etc.

2.3
Wer¹ ist unser Lehrer? Unser Lehrer ist Herr² Schmidt.

Wer ist Ihr Deutschlehrer?³ Mein Deutschlehrer ist Herr Schmidt.

Wer ist Ihre Deutschlehrerin?⁴ Meine Deutschlehrerin ist Frau⁵ Schmidt.

Wer ist Karls Deutschlehrer? Seine Deutschlehrerin ist auch Frau Schmidt.

Wer ist unser Englischlehrer?⁶ Unser Englischlehrer ist nicht Herr Schmidt, unser Englischlehrer ist Herr Jones.

Wo ist Ihr Deutschlehrer? Mein Deutschlehrer ist hier.

Wo ist Karls Englischlehrer? Sein Englischlehrer ist zu Hause. Er ist heute nicht hier. Er ist leider⁷ krank.

---

* **Ihr** with a capital letter denotes *your*.

¹ **wer** = who.

² **der Herr** = Mr., sir, gentleman.

³ **der Deutschlehrer** = German teacher (i.e. one who teaches German).

⁴ **die Deutschlehrerin** = woman German teacher (note that German distinguishes between a male and female teacher).

⁵ **die Frau** = Mrs., woman, wife.

⁶ **der Englischlehrer** = English teacher.

⁷ **leider** = unfortunately.

Ist das eine Tür?[8] Nein, das ist keine[9] Tür. Das ist ein Fenster.

Ist das ein Buch? Nein, das its kein Buch. Das ist eine Zeitung.

Ist das eine Zeitung? Nein, das ist keine Zeitung. Das ist mein Heft.[10]

Ist die Tür offen?[11] Nein, sie ist geschlossen.[12]

2.4 Replace the blanks by words from the following vocabulary:

> der Deutschlehrer   leider
> die Deutschlehrerin   kein, keine
> das Buch   wer
> die Tür

1. Meine _____ ist heute nicht hier.	Deutschlehrerin
2. Wo ist Ihr _____?	Deutschlehrer
3. Mein Lehrer ist heute _____ nicht hier.	leider
4. Das ist _____ Deutschlehrerin.	keine
5. Das ist kein _____. Das ist eine _____.	Deutschlehrer Deutschlehrerin
6. Unser _____ ist immer noch krank.	Deutschlehrer
7. Ist Ihre _____ schon wieder gesund?	Deutschlehrerin
8. Ist die _____ offen?	Tür
9. Mein _____ ist geschlossen.	Buch
10. Euer _____ ist immer noch geschlossen.	Buch
11. _____ ist unser Lehrer?	wer

2.5 Replace the blanks by words of your own free choice:

> 1. Ist das Karls _____? Nein das ist kein _____. Das ist _____e Zeitung.

---

[8] **die Tür** = door.

[9] **kein, keine, kein** *negative adjective belonging to the group of "ein-words"* (**mein, dein,** *etc.*) **das ist keine Tür** = *literally*, this is no door.

[10] **das Heft** = notebook.

[11] **offen** = open.

[12] **geschlossen** = closed.

2. Wo ist unser _____? _____ Buch ist hier.

3. Wo ist _____e Deutschlehrerin? Sie ist zu Hause; _____ Deutschlehrer ist heute wieder _____.

4. Die _____ ist heute wieder krank.

5. Die _____ ist noch offen.

6. Ihr _____ ist heute nicht hier.

7. Wo ist die _____? Warum ist _____ Deutschlehrer nicht hier?

8. Das ist _____ Heft. Das ist eine _____.

9. Die _____ist noch nicht geschlossen. Sie ist noch _____.

10. Wo ist der _____? Sein _____ ist noch hier.

11. Wo ist _____? Sie ist noch nicht hier.

12. Wo ist _____? Er ist heute zu Hause. Er ist _____.

13. Wo ist das _____? Es ist _____. Es ist noch krank.

14. Warum ist _____ nicht hier? Er ist _____, seine _____ ist krank.

15. Wo ist dein _____? Es ist _____.

16. Wo ist Ihre _____? Sie ist noch _____.

17. Warum ist die _____ nicht hier? Sie ist _____.

18. Wo ist Ihr _____? Er ist _____, er ist auch noch _____.

19. _____ ist unsere Lehrerin?

20. Wer ist die _____?

21. Wer ist unser _____?

22. Das ist _____ Zeitung.

3. Nominative Plural of Nouns
Present Tense of *sein*

3.1

Wo sind die Bleistifte?	*Where are the pencils?*
Wo sind die Löschblätter?	*Where are the blotters?*
Wo sind die Bücher?	*Where are the books?*
Wo sind unsere Bücher?	*Where are our books?*
Sie sind hier.	*They are here.*
Wo sind Ihre Hefte?	*Where are your notebooks?*
Sie sind auch hier.	*They are also here.*
Wo sind Ihre Bleistifte?	*Where are your pencils?*
Sie sind auch hier.	*They are also here.*
Wer bin ich?	*Who am I?*
Sie sind unser Professor.	*You are our professor.*
Wer sind Sie?	*Who are you?*
Ich bin Ihr Schüler.	*I am your student.*
Wo sind wir?	*Where are we?*
Wir sind in der Schule.	*We are in school.*
Wo bist du?	*Where are you?* (familiar form sing.)
Wo seid ihr?	*Where are you?* (familiar form pl.)
Bist du gesund?	*Are you in good health?*
Ja, ich bin heute wieder gesund, aber mein Freund Karl ist krank.	*Yes, today I am well again, but my friend Karl is sick.*

3.2 The nominative plural definite article for *all* nouns, masculine, feminine, or neuter is *die*. Note that some nouns change the stem vowel in the plural by the so-called umlaut: *a* becomes *ä*, *o* becomes *ö*, *u* becomes *ü*, etc. Some also add a plural ending (*e*)*n, e, er.*

Singular	Plural
der Füller	die Füller
der Schüler	die Schüler
die Schülerin	die Schülerin**nen**
der Bleistift	die Bleistift**e**
das Buch	die B**üch**er
der Kugelschreiber	die Kugelschreiber
der Lehrer	die Lehrer
die Lehrerin	die Lehrerin**nen**
das Löschblatt	die Löschbl**ätt**er
die Zeitung	die Zeitung**en**

3.21 All of the *ein*-words (*mein, dein, sein, unser, euer, ihr*) add *e* as a nominative plural ending.

Singular	Plural
mein Buch	mein**e** B**üch**er
unser Lehrer	unser**e** Lehrer

3.22 The forms of the verb *sein* (to be) in the present tense are:

1st person	ich **bin**	wir **sind**
2nd person	du **bist** (Sie sind)	ihr **seid** (Sie sind)
3rd person	er, sie, es **ist**	sie **sind**

Note that the third person plural (**Sie sind**) is the form used for formal address (for one or several persons).

3.3
Wo ist Ihr Vater?[1] Mein Vater ist jetzt zu Haus. Er ist leider krank.

Wo ist Ihre Mutter?[2] Sie ist heute nicht zu Haus. Sie ist in Frankfurt.

Was ist das? Ist das ein[3] Buch? Nein, das sind ja[4] zwei[5] Bücher.

---

[1] **der Vater** (*pl.* **Väter**) = father.

[2] **die Mutter** (*pl.* **Mütter**) = mother.

[3] **ein** = one. When not stressed it means *a* (indefinite article); when stressed it means *one*.

[4] **ja** = yes. Note that when used within the sentence *ja* means something like *indeed, in fact*.

[5] **zwei** = two. For the numbers from 1 to 12, see Pronunciation Lesson.

Wo sind meine Schuhe?[6] Meine Schuhe sind hier.

Wieviele[7] Hefte sind das? Das sind sechs Hefte.

Wieviel[7] ist drei und vier? Drei und vier ist sieben.

Wieviel ist fünf und fünf? Fünf und fünf ist zehn.

Wieviel Uhr[8] ist es? Es ist jetzt[9] zehn Uhr.

Wir sind um zehn Uhr immer in der Schule. Wo sind Sie um acht Uhr? Ich bin um acht Uhr immer zu Haus.

Wo ist Ihr Bruder[10] um zehn Uhr? Er ist zu Haus. Wo ist Ihre Schwester?[11] Sie ist in der Schule, Sie ist sehr[12] fleißig,[13] aber mein Bruder ist leider sehr faul.[14]

3.4 Replace the blanks by the required form of the personal pronoun, the definite article, or the verb *sein*:

1.	_____ sind in der Schule.	wir, sie (Sie)*
2.	Meine Bücher _____ nicht hier.	sind
3.	Mein Bruder _____ zu Hause.	ist
4.	Unsere Schwester _____ in der Schule.	ist
5.	Meine Schuhe _____ dort.	sind
6.	Wo _____ unsere Lehrerin?	ist
7.	_____ Bleistifte sind nicht hier.	die
8.	_____ Zeitungen sind dort.	die
9.	Unsere Lehrer _____ heute krank.	sind
10.	Unser Lehrer _____ in der Schule.	ist
11.	_____ Mädchen ist sehr fleißig.	das
12.	_____ Mädchen sind heute hier.	die
13.	_____ Väter _____ heute krank.	die / sind
14.	_____ Füller sind hier.	die
15.	_____ Bleistift _____ hier.	der / ist
16.	Bist _____ heute krank?	du
17.	Wo bin _____?	ich

---

* Since the third person plural *sie* meaning "they" and *Sie* meaning "you" (polite or formal) differ merely in the use of an initial capital (see note on p. 12), only one form will be shown in the answers hereafter.

[6] **der Schuh** (*pl.* **Schuhe**) = shoe.

[7] **wieviel** = how much, **wieviele** = how many.

[8] **die Uhr** = (*pl.* **Uhren**) watch, clock. **Wieviel Uhr ist es?** = What time is it?

[9] **jetzt** = now.

[10] **der Bruder** (*pl.* **Brüder**) = brother.

[11] **die Schwester** (*pl.* **Schwestern**) = sister.

[12] **sehr** = very.

[13] **fleißig** = diligent, industrious.

[14] **faul** = lazy.

3.5 Replace the blanks by words of your own free choice:

1. Wo sind Karls _____? Seine _____ sind heute nicht hier.
2. Ist Karl noch immer krank? _____ ist heute wieder in der Schule.
3. Unsere _____ sind sehr fleißig, aber unser _____ ist sehr faul.
4. Unsere _____ sind immer sehr fleißig.
5. Wo _____ deine Bücher?
6. Ich bin _____ in der Schule.
7. Wieviel Uhr ist es _____?
8. Drei und sieben ist _____.
9. Karls _____ ist heute nicht hier. _____ ist noch in der Schule.
10. Meine _____ sind noch _____. Sind Ihre _____ auch noch _____?
11. Wieviele _____ sind dort.
12. Ich bin um _____ Uhr immer _____.
13. _____ sind um _____ Uhr in der Schule.
14. Meine Mutter ist jetzt nicht _____. Sie ist in _____.
15. Euer _____ ist sehr _____. Eure _____ sind sehr faul.
16. Du bist noch _____. Deine _____ ist wieder in der Schule.
17. Wo sind deine _____? Warum sind sie nicht _____?
18. Meine Freunde sind leider sehr _____.
19. Unsere Lehrerin ist ja noch in _____.
20. Wer ist Karls _____? Sein _____ ist Herr Fuchs.
21. Wo sind Karls _____?
22. Warum bist du jetzt _____?
23. Wo seid _____ heute?
24. Unsere _____ sind noch nicht hier?
25. Sind das _____? Nein, das sind keine _____. Das sind _____.

4. The Accusative (Direct Object)
Present Tense
Position of the Verb

4.1

Wo ist der Bleistift? Da ist er! Ich nehme den Bleistift und lege ihn auf den Tisch.

Where is the pencil? There it is! I take* the pencil and put it on the table.

Wo ist die Zeitung? Da ist sie.

Ich nehme die Zeitung und lege sie auf den Tisch.

Wo ist das Buch? Da ist es.

Ich nehme das Buch und lege es auf den Tisch.

Wo sind die Bleistifte (Zeitungen, Bücher)? Da sind sie.

Ich nehme die Bleistifte (Zeitungen, Bücher) und lege sie auf den Tisch.

Was tue ich?   What am I doing?
Ich nehme den Bleistift und lege ihn auf den Tisch.
Was tust du?   What are you doing?
Du nimmst den Bleistift und legst ihn auf den Tisch.
Was tut er?   What is he doing?
Er nimmt den Bleistift und legt ihn auf den Tisch.
Was tun wir?   What are we doing?
Wir nehmen die Bleistifte und legen sie auf den Tisch.
Was tut ihr?   What are you doing?
Ihr nehmt die Bleistifte und legt sie auf den Tisch.
Was tun sie (Sie)?   What are they (you) doing?
Sie nehmen die Bleistifte und legen sie auf den Tisch.
Was tun Sie jetzt?   Jetzt lege ich den Bleistift auf den Tisch.
Wo ist Ihr Lehrer heute? Heute ist er nicht hier.

---

*Note that German has no "progressive tense." *Ich nehme* corresponds to *I take*, *I am taking*.

4.2 The *accusative* (*direct object*) *form* of the *articles*, the *noun*, and the *third person pronoun* is identical with the nominative (subject) form except in the masculine. singular (Note that in tables and in exercises <u>double underlining</u> will be used for nominative forms and <u>single underlining</u> for accusative forms.)

> Die Zeitung ist hier. Ich nehme die Zeitung und lege sie auf den Tisch.
> Das Buch ist hier. Ich nehme das Buch und lege es auf den Tisch.

But:

> Der Bleistift ist hier. Ich nehme den Bleistift und lege ihn auf den Tisch.
> Das ist mein Bleistift. Ich nehme meinen Bleistift.
> Das ist ein Bleistift. Ich nehme einen Bleistift.

Note that the definite article for the masculine singular accusative (direct object) is *den*. The accusative ending of the masculine "*ein*-words" is -*en*.

4.21 Note that the accusative is used after prepositions indicating *direction toward*.

> Ich lege das Buch *auf* den Tisch.
> Ich gehe *in* die Schule (*I am going to school*).

4.22 Observe the conjugation of the following verbs in the present tense.

> leg**en** (*to lay, put*)
> ich leg**e**, du leg**st**, er leg**t**, wir leg**en**, ihr leg**t**, sie leg**en**
>
> geh**en** (*to go*)
> ich geh**e**, du geh**st**, er geh**t**, wir geh**en**, ihr geh**t**, sie geh**en**
>
> mach**en** (*to make, do*)
> ich mach**e**, du mach**st**, er mach**t**, wir mach**en**, ihr mach**t**, sie mach**en**

The infinitive ending is -*en*. This is also the ending of the verb form with *wir*, *sie* (plural) and *Sie* (polite). The regular endings of the present tense are:

ich ... **(e)**	wir ...**(en)**
du ... **(st)**	ihr ... **(t)**
er, sie, es ...**(t)**	sie (Sie) ...**(en)**

These endings are sometimes slightly modified.

(a) If the stem of the verb (infinitive minus the -*en*) ends in a
   d or *t*:

   reden

   ich rede, du red est , er red et , wir red**en**, ihr red et , sie
   red**en**

(b) If the ending of the infinitive is -*n* instead of -*en*:

   bewundern

   ich bewunder**e**, du bewunder**st**, er bewunder**t**, wir bewunder n ,

   ihr bewunder**t**, sie bewunder n

(c) If the stem ends in *s*, *ss*, or *z*, the second person singular
   ending is -*t* instead of -*st*:

   küssen

   ich küss**e**, du küss t , er küss**t**, wir küss**en**, ihr küss**t**, sie küss**en**

German has a fairly large number of so-called strong verbs
that change the stem vowel in the second and third person
singular. Note the conjugation of the following irregular verbs
in the present tense:

   nehmen (*to take*)
   ich nehme, du nimmst, er nimmt, wir nehmen, ihr nehmt, sie nehmen

   fahren (*to go, ride, travel*)
   ich fahre, du fährst, er fährt, wir fahren, ihr fahrt, sie fahren

   lesen (*to read*)
   ich lese, du liest, er liest, wir lesen, ihr lest, sie lesen

4.23 In German the so-called finite verb—i.e., the verb that has
a personal ending—is always the second element of the main
clause. The main exception to this rule occurs in questions
that do not begin with a question word (*why, what, where,*
etc.).

   Ist er hier?   *Is he here?*

Legen Sie das Buch auf den Tisch?	Are you putting the book on the table?

But:

Heute *bin* ich hier.	I am here today.
Das Buch *lege* ich auf den Tisch.	I put the book on the table.

In other words, if a sentence element other than the subject is put into initial position (usually for emphasis), the verb retains its position as second element, and the subject moves into third position.

4.3 Kennen[1] Sie Herrn Schmidt? Nein, ich kenne ihn leider nicht.

Kennen Sie Frau[2] Schmidt? Ja, ich kenne sie sehr gut.[3]

Kennt Ihr Vater Herrn Schmidt? Nein, er kennt ihn sicher[4] nicht.

Was tun wir denn[5] jetzt? Wir sprechen[6] Deutsch. Wir lernen[7] Deutsch.

Spricht Ihr Onkel[8] auch Deutsch? Nein, mein Onkel spricht leider nicht Deutsch. Meine Tante[9] spricht Französisch![10]

Wieso spricht Ihre Tante Französisch? Sie wohnt[11] ja jetzt in Frankreich.

Was sagen[12] Sie? Ich verstehe[13] Sie nicht!

Warum verstehen Sie nicht? Ich spreche leider nicht sehr gut Deutsch. Englisch verstehe ich natürlich[14] besser.[15]

---

[1] **kennen** = to know.

[2] **die Frau** (*pl.* **Frauen**) = woman; Mrs.

[3] **gut** = well, good.

[4] **sicher** = certainly.

[5] **denn** = thus. *German uses certain "small words" for emphasis. These words have no good literal equivalent in English.* **Was tun wir denn jetzt?** = So, what are we doing now?

[6] **sprechen (ich spreche, du sprichst)** = to speak.

[7] **lernen** = to learn.

[8] **der Onkel** (*pl.* **Onkel**) = uncle.

[9] **die Tante** (*pl.* **Tanten**) = aunt.

[10] **Französisch** = French.

[11] **wohnen** = to live, reside. **leben** = to be alive.

[12] **sagen** = to say.

[13] **verstehen** = to understand.

[14] **natürlich** = natural(ly), of course.

[15] **besser** = better.

4.4 Replace the blanks by the required form of the personal pronoun or definite article:

1. Warum gehen _____ heute in die Schule?   wir, sie
2. _____ kennt Herrn Schmidt.   er, sie, ihr
3. Heute gehst _____ nicht nach Hause.   du
4. Meine Mutter nimmt den Bleistift und legt
   _____ auf den Tisch.   ihn
5. Warum lernen _____ nicht Deutsch?   wir, sie
6. _____ nehme das Buch und lege _____   ich / es
   auf den Tisch.
7. _____ Schüler kenne _____ nicht.   den / ich
8. _____ Lehrer spricht Deutsch. Wir ver-   der
   stehen _____ nicht.   ihn
9. Natürlich versteht _____ Onkel Franzö-   der
   sisch. _____ wohnt ja in Frankreich.   er
10. Was tun _____ denn jetzt? _____   wir, sie /
    sprechen Deutsch.   wir, sie
11. Frau Schmidt kenne _____ sehr gut.   ich

4.5 Complete the following sentences by words or word stems of your own choice:

1. Heute _____e ich den Lehrer nicht.
2. Warum _____en Sie nicht Französisch?
3. Unsere Lehrerin _____t sehr gut Deutsch. Sie _____t
   es auch sehr gut.
4. Wo sind denn die _____?
5. Ich nehme den _____ und lege ihn auf den Tisch.
6. Wir nehmen _____ _____ und legen es auf den Tisch.
7. Die Schüler nehmen die _____ und legen sie auf den
   Tisch.
8. Herr Schmidt _____t das _____ und _____t es auf
   den Tisch.
9. Das Buch _____e ich nicht.
10. Herr und Frau Schmidt _____en in Frankreich. Sie
    _____en sehr gut Französisch.
11. Herrn Schmidt _____e ich sehr gut. _____ ist mein
    Deutschlehrer.
12. Um wieviel Uhr _____t unser Lehrer in die Schule?
13. Mein Bruder _____t immer um _____ Uhr in die Schule.
14. Seinen _____ verstehe ich natürlich nicht.

15. Natürlich _____e _____ sehr gut Deutsch.
16. Karl spricht sehr gut _____; _____ verstehe ihn auch sehr gut.
17. Wir _____en unseren Lehrer.
18. Wir _____en unsere _____ sehr gut.
19. Wann _____st du in die Schule?
20. Wann _____en wir in die Schule?
21. Wie _____st du Deutsch?
22. Unseren Lehrer _____en wir nicht.
23. Deine Lehrerin _____st du nicht.
24. Das Mädchen _____t _____ nicht.
25. Warum _____t mein Onkel nicht Deutsch?
26. Warum _____t meine Tante nicht Französisch?
27. Warum _____en meine Freunde nicht Deutsch?
28. Ich kenne einen _____ und eine _____.
29. Ich kenne keinen _____ und keine _____.
30. Was tue _____?
31. Sie nehmen das _____ und _____en es auf das Buch.
32. Mein Onkel _____ sehr gut Deutsch.
33. Meine Onkel _____ sehr gut Deutsch.
34. Meine Tante _____ sehr gut Deutsch.
35. Meine Tanten _____ sehr gut Französisch.
36. Kennen Sie meine _____ und meinen _____?

5. Accusatives of the Personal Pronouns
Reflexive Verbs
Present Tense of *haben*

5.1

Kennen Sie Herrn Schmidt ?	Nein, ich kenne ihn nicht.
Kennen Sie mich ?	Natürlich kenne ich Sie. Sie sind doch mein Lehrer.
Kennen Sie uns ?	Natürlich kenne ich Sie. Sie sind doch meine Studenten.
Kennst du mich ?	Ich kenne dich. Du bist doch mein Schüler.
Kennen Sie uns ?	Natürlich kenne ich euch. Ihr seid doch meine Schüler.

Ich öffne die Tür. Ich komme in die Klasse. Ich setze mich nieder. Ich öffne mein Buch. Ich lese die Hausaufgabe. Sie öffnen die Tür. Sie kommen in die Klasse. Sie setzen sich nieder. Sie öffnen das Buch. Sie lesen die Hausaufgabe. Der Schüler öffnet die Tür. Er kommt in die Klasse. Er setzt sich hin. Er liest die Aufgabe (*assignment*).

Hast du Zeit ?	Nein, ich habe leider wenig
Haben Sie Zeit ?	Zeit.
(*Do you have time ?*)	(*Unfortunately I have little time.*)

Hat Ihr Lehrer ein Auto? Ja, er hat ein Auto. Lehrer sind gewöhnlich (*usually*) nicht reich (*rich*) aber auch nicht arm (*but not poor either*). Viel Geld (*money*) haben sie gewöhnlich nicht.

5.2 The accusative (direct object) personal pronouns and their nominative (subject) forms are:

		Nominative	Accusative
Sing.	1st person	ich	mich
	2nd person	du	dich
	3rd person	er	ihn
		sie	sie
		es	es
Pl.	1st person	wir	uns
	2nd person	ihr	euch
	3rd person	sie	sie
	Polite address	Sie	Sie

5.21 Reflexive verbs are verbs in which the subject acts upon itself; e.g., in English, *I wash myself*. However, many verbs which are not reflexive in English *are* reflexive in German and vice versa. The reflexive object pronouns for the first and second persons are the same as for the personal pronouns generally speaking. However, the third person has a special reflexive object pronoun, *sich*. The following is thus the complete present tense of *ich wasche mich* (I wash myself) and of *ich freue mich* (I am glad).

ich wasche <u>mich</u>	ich freue <u>mich</u>
du wäschst <u>dich</u>	du freust <u>dich</u>
er wäscht <u>sich</u>	er freut <u>sich</u>
sie wäscht <u>sich</u>	sie freut <u>sich</u>
es wäscht <u>sich</u>	es freut <u>sich</u>
wir waschen <u>uns</u>	wir freuen <u>uns</u>
ihr wascht <u>euch</u>	ihr freut <u>euch</u>
sie waschen <u>sich</u>	sie freuen <u>sich</u>

5.22 Note that the verb *haben* (to have) forms an irregular second and third person singular:

ich habe		wir haben	
du	hast	ihr habt	
er	hat	sie haben	

5.3 Was tut denn der Junge?[1] Er öffnet die Tür, kommt in die Klasse und setzt sich auf seinen Stuhl.[2]

Warum setzt sich der Lehrer auf den Tisch? Auf einen Tisch setzt man[3] sich doch[4] nicht! Das tut man ja einfach[5] nicht. Da[6] haben Sie wirklich[7] recht.[8] Doch der Lehrer hat gewisse[9] Privilegien.[10]

Warum ist denn Karl immer schmutzig?[11] Warum wäscht er sich nie? Vielleicht[12] hat er keine Zeit?[13] Er hat keine Lust[14] dazu, er ist ein Gammler.[15]

Hans liest die Aufgabe. Er liest sie sehr langsam.[16] Man versteht ihn sehr gut.

Karl liest sehr schnell.[17] Man versteht ihn nicht.

Karl kommt in die Klasse, setzt sich auf seinen Platz,[18] und raucht[19] eine Zigarette.[20]

Das tut man ja einfach nicht! Das ist ja verboten.[21]

Warum raucht denn Karl in der Schule? Er ist eben[22] ein Gammler.

5.4 Replace the blanks by the required form of the personal pronoun or definite article:

---

[1] **der Junge** (*pl.* **Jungen**) = boy.
[2] **der Stuhl** (*pl.* **Stühle**) = chair.
[3] **man** (*indefinite pronoun*) = one, they, people. Where English often uses a passive construction, German uses the indefinite pronoun **man**: **Das tut man nicht** = That is not done.
[4] **doch** = really, however, indeed.
[5] **einfach** = simply.
[6] **da** = there.
[7] **wirklich** = real(ly).
[8] **recht** = right; **recht haben** = to be right.
[9] **gewisse** = certain.
[10] **Privilegien** = privileges.
[11] **schmutzig** = dirty.
[12] **vielleicht** = maybe, perhaps.
[13] **Zeit** = time.
[14] **Lust** = desire; **keine Lust haben** = not to like (to do).
[15] **der Gammler** = beatnik.
[16] **langsam** = slow(ly).
[17] **schnell** = fast.
[18] **der Platz** (*pl.* **Plätze**) = seat, place.
[19] **rauchen** = to smoke.
[20] **die Zigarette** (*pl.* **Zigaretten**) = cigarette.
[21] **verboten** = forbidden, not allowed.
[22] **eben** = after all.

1. Warum rauchen _____ so viel?   wir, sie
2. _____ hast recht. _____ raucht immer.   du / er, sie, es
3. _____ waschen uns jetzt.   wir
4. Wer ist der Mann? Ich kenne _____   ihn
   nicht.
5. Karl setzt _____ auf seinen Platz.   sich
6. Karl öffnet _____ Tür und kommt in   die
   _____ Klasse.   die
7. _____ freuen sich sehr.   sie
8. _____ freuen uns sehr.   wir
9. Heute komme _____ nicht in die Schule.   ich
10. Was haben _____ denn?   wir, sie

5.5 Complete the sentences by words or word stems of your choice:

1. Wir freuen _____ heute sehr.
2. Warum setzt _____ sich auf den Tisch?
3. Wir nehmen die _____ und legen sie auf das _____.
4. Ich habe leider keine _____.
5. Warum hat _____ keine Zeit?
6. Warum liest _____ heute seine Zeitung nicht?
7. _____ haben leider keine Zeit.
8. _____ kennt mich wirklich nicht.
9. In Deutschland spricht _____ natürlich Deutsch.
10. In Frankreich spricht _____ natürlich Französisch.
11. In der Schule raucht _____ keine Zigaretten.
12. Warum setzt _____ sich nicht auf seinen Platz?
13. _____ setzen uns jetzt auf den _____.
14. _____ setzt euch auf eure _____.
15. Warum habt _____ kein Geld?
16. Mein _____ ist nicht reich. Er hat sehr wenig _____.
17. Meine _____ ist sehr arm.
18. Meine Tanten sind wirklich sehr _____. Sie haben sehr
    viel Geld.
19. Karl liest gewöhnlich seine _____ um acht Uhr.
20. Unsere _____ kennen dich leider nicht.
21. Mein Onkel hat leider sehr wenig _____.
22. Warum setzt ihr euch nicht auf eure _____?
23. Du kennst natürlich meinen _____.
24. Das Auto ist sehr _____. Warum waschen _____ es
    denn nicht?
25. _____ wasche mich heute.

26. _____ waschen uns heute.
27. Ich _____e den Herrn wirklich nicht.
28. Meine Lehrerin _____t sich sehr.
29. Unser _____ _____t sich sehr.
30. _____ kennen den _____n sehr gut.
31. Warum sprichst _____ nicht Deutsch?
32. Du _____st dich.
33. Der Junge _____t sich.
34. Warum _____t ihr euch heute?
35. _____ Freunde sind sehr _____. Sie _____en kein Geld.
36. Mein Freund _____t in die Schule.
37. Sie sind heute sehr _____.
38. Sie _____en das Auto.
39. Sie _____en dich wirklich nicht.
40. Karl _____t mich sehr gut.
41. Ihr _____t wirklich sehr wenig Deutsch.
42. Das ist mein _____. _____st du ihn wirklich sehr gut?
43. Der Lehrer _____t seine Schüler.

6. The Dative (Indirect Object)

6.1
Wen ruft der Polizist? (*Whom does the policeman call?*)
Er ruft den Autofahrer. (*He calls the driver.*)
Wem gibt der Polizist das Zeichen? (*To whom does the police-
man give the sign?*)
Er gibt es dem Autofahrer.
Der Polizist gibt das Zeichen nicht dem Fahrer, sondern*
der Fahrerin.
Der Polizist gibt das Zeichen nicht dem Jungen, sondern
dem Mädchen.
Der Polizist zeigt den Fahrern ein Haus. (*The policemen
shows the drivers a house.*)
Er. zeigt das Haus auch den Schülerinnen.
Er zeigt es auch den Jungen und den Mädchen.
Wem zeigt der Polizist das Haus? Er zeigt es einem Jungen.
Er zeigt es einem Mädchen. Er zeigt es einem Schüler
und einer Schülerin.

6.2 The wavy underlining will be used to indicate dative (indirect object) form. The definite article forms for the dative are:

Singular			Plural		
Masc.	*Fem.*	*Neut.*	*Masc.*	*Fem.*	*Neut.*
dem	der	dem		den	
Ich zeige dem Lehrer das Buch.			Ich zeige den Lehrern das Buch.		
Ich zeige der Lehrerin das Buch.			Ich zeige den Lehrerinnen das Buch.		
Ich zeige dem Kind das Buch.			Ich zeige den Kindern das Buch.		

---

*sondern = but. Note that German has two words (*sondern* and *aber*) for "but." *Sondern* is used in the sense of "but rather."

Note that all nouns end in -(e)n in the dative plural. The ending -n rather than -en is used if the nominative plural ends in an unstressed e. Exception: Nouns with nominative plural -s take no -n in the dative plural—e.g., das Auto; *nom. pl.*, die Autos; *dat. pl.*, den Autos.

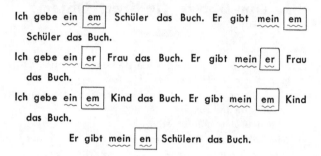

Ich gebe ein | em | Schüler das Buch. Er gibt mein | em | Schüler das Buch.

Ich gebe ein | er | Frau das Buch. Er gibt mein | er | Frau das Buch.

Ich gebe ein | em | Kind das Buch. Er gibt mein | em | Kind das Buch.

Er gibt mein | en | Schülern das Buch.

Note that *ein* (and the *ein*-words) take the endings of the definite article in the dative:

Singular			Plural		
Masc.	*Fem.*	*Neut.*	*Masc.*	*Fem.*	*Neut.*
dem	der	dem	d(e)n		

6.3

Der Lehrer nimmt den Bleistift und gibt ihn dem Schüler.
Wem gibt er das Buch? Er gibt es dem Mädchen.
Wir gehorchen[1] immer unseren Eltern[2] und befolgen[3] ihre Ratschläge.[4]
Die Kinder folgen[5] ihren Eltern.
Sie sagen[6] ihren Eltern auch immer die Wahrheit.[7]
Der Lehrer zeigt den Schülern ein Buch.
Die Schülerin schreibt[8] ihrer Freundin[9] einen Brief.
Ich schreibe meinem Freund[10] einen Brief.[11]

---

[1] **gehorchen** = to obey.
[2] **die Eltern** = parents.
[3] **befolgen** = to follow.
[4] **der Ratschlag** (*pl.* **Ratschläge**) = counsel.
[5] **folgen** = to follow or obey.
[6] **sagen** = to say.
[7] **die Wahrheit** = truth; **die Wahrheit sagen** = to tell the truth.
[8] **schreiben** = to write.
[9] **die Freundin** (*pl.* **Freundinnen**) = friend (*fem.*).
[10] **der Freund** (*pl.* **Freunde**) = friend (*masc.*).
[11] **der Brief** (*pl.* **Briefe**) = letter.

Meine Freundin zeigt unserem Lehrer ein Buch.

Heute zeigt der Lehrer den Schülern viele Bücher.

Seinem Lehrer zeigt Karl das Buch, aber seinen Eltern zeigt er es nicht.

Das Buch zeigt Karl seinem Lehrer, aber nicht sein Heft.

Unseren Eltern schreiben wir immer, aber unseren Freunden nicht immer.

Meiner Mutter sage ich immer die Wahrheit, aber meinem Vater nicht.

Das Buch zeigt der Schüler dem Lehrer, aber nicht das Heft.

Den Kindern sagen die Eltern nicht immer die Wahrheit.

Wir schreiben unseren Eltern einen Brief.

6.4 Indicate whether the *subject* of the following sentences is in the singular (s.) or the plural (pl.):

1. Dem Schüler zeigt der Lehrer einen Brief.	s.
2. Unsere Lehrer schreiben viele Bücher.	pl.
3. Warum geben meine Freunde den Kindern die Bücher?	pl.
4. Meine Hefte habe ich jetzt nicht.	s.
5. Kindern sagt man nicht immer die Wahrheit.	s.
6. Deinen Eltern schreibst du keine Briefe?	s.
7. Meiner Mutter zeigt der Lehrer jetzt mein Heft.	s.
8. Einen Brief schreiben die Kinder ihren Eltern nicht.	pl.
9. Meinen Freunden schreibt das Mädchen immer noch Briefe.	s.
10. Der Tante schreiben die Kinder viele Briefe.	pl.

6.41 Underline the first noun of each sentence to indicate whether it is nominative, accusative, or dative:

1. Meinem Freund schreibe ich viele Briefe.	Dat.
2. Unsere Kinder sagen immer die Wahrheit.	Nom.
3. Einen Brief schreibt Karl aber nicht.	Acc.
4. Unsere Lehrerin schreibt ihren Eltern.	Nom.
5. Meine Eltern schreiben meiner Lehrerin.	Nom.
6. Meiner Mutter schreibt mein Bruder viele Briefe.	Dat.
7. Meinen Eltern folgt meine Schwester nicht.	Dat.
8. Deine Schwester tadelt (*scolds*) der Lehrer jetzt immer.	Acc.

9. Unserer Mutter sage ich die Wahrheit.   Dat.
10. Die Wahrheit sage ich nur meinem Vater.   Acc.
11. Der Mutter sage ich immer die Wahrheit.   Dat.
12. Dem Vater schreibt der Lehrer einen Brief.   Dat.

6.5 Complete the following sentences by words or word stems of your own choice:

1. Wir _____en unserem Freund.
2. Du _____st deinem Freund einen _____.
3. Unsere Mutter _____t immer die Wahrheit.
4. Du zeigst deinen _____en ein Buch.
5. _____em Vater sage ich immer die Wahrheit.
6. _____en _____n gibt der Mann kein Geld.
7. Wem zeigt der _____ das Buch?
8. Wem zeigt die _____ das Buch?
9. Wer zeigt den _____n das Heft?
10. Der _____ zeigt das Heft dem _____.
11. Wir zeigen meiner _____ ein _____.
12. Er schreibt senem _____ einen _____.
13. Er gibt dem _____ das _____.
14. Wir sagen den _____n die Wahrheit.
15. Deine _____ sind heute wieder hier.
16. Deinem _____ _____e ich ein _____.
17. Unseren _____ zeigt er einen _____.
18. Unserem _____ zeigt er das _____.
19. Meinen _____n zeigen wir ein _____.
20. Den _____ zeigt der _____ ein _____.
21. Dem _____ zeigst du das _____.
22. Die Wahrheit _____t der Lehrer den Kindern nicht.
23. Die Wahrheit _____en wir den _____n.
24. Das Buch _____en wir dem _____.
25. Die Wahrheit _____en wir der _____.
26. Wem schreibt er denn einen _____?
27. Wer scheibt heute _____en _____n einen Brief?
28. Wir gehorchen (obey) jetzt _____en _____n.
29. Wir sagen _____en _____n nie die Wahrheit.
30. Du folgst deinen _____n nicht.
31. Mein Freund _____t seinen Eltern nicht.
32. Ich gebe meinen _____n ein Buch.
33. Ihr gebt _____en _____n ein Buch.
34. Meine Eltern leben immer _____.

35. Meine Freunde sagen ihren _____n nicht die Wahrheit.
36. Meiner _____ sage ich immer die Wahrheit.
37. Meinem _____ sage ich immer die Wahrheit.
38. _____em Kinde gebe ich das Geld.
39. _____en _____n sagen wir immer die Wahrheit.

7. Prepositions with Dative and Accusative Dative of Personal Pronouns

7.1   Ich nehme den Bleistift und gebe ihn dem Schüler. Ich gebe ihm den Bleistift.

Ich nehme die Zeitung und gebe sie der Schülerin. Ich gebe ihr die Zeitung.

Ich nehme das Buch und gebe es dem Mädchen. Ich gebe ihm das Buch.

Ich nehme die Bücher und gebe sie den Schülern. Ich gebe ihnen die Bücher.

Was tue ich jetzt? Sie geben mir (*me*) den Bleistift.

Ich gebe dir (*you,* sing.) den Bleistift.

Ich gebe Ihnen (*you,* sing., pl. polite) den Bleistift.

Ich gebe ihnen (*them*) den Bleistift.

Ich gebe euch (*you,* pl.) den Bleistift.

Sie geben uns (*us*) den Bleistift.

Ich nehme den Bleistift und lege ihn auf den Tisch. Jetzt ist der Bleistift auf dem Tisch (*on the table*).

Wohin (*where to*) lege ich die Feder? Ich lege sie auf den Tisch.

Wo (*where*) ist jetzt die Feder? Sie ist jetzt auf dem Tisch.

Wohin gehen Sie jeden (*each*) Morgen? Sie gehen in die Schule.

Wo sind wir denn jetzt? Wir sind in der Schule.

Ich spreche jetzt mit (*with*) dem Schüler. Mit wem sprechen Sie? Sie sprechen mit mir.

Ich arbeite für meine Schüler. Für wen arbeiten Sie? Sie arbeiten für ihren Bruder.

Für wen arbeitet der Präsident? Er arbeitet für uns. Er arbeitet für unser Land (*country*).

7.2 The personal pronoun forms learned so far are the following:

40

	Nominative	Dative	Accusative
	(Subject)	(Ind. Object)	(Direct Object)
Sing. 1.	ich	mir	mich
2.	du	dir	dich
3.	er	ihm	ihn
	sie	ihr	sie
	es	ihm	es
Pl. 1.	wir	uns	uns
2.	ihr	euch	euch
3.	sie (Sie)	ihnen (Ihnen)	sie (Sie)

Note that for the first and second person plural the dative and accusative object pronouns are alike. For all other persons they are different. The object pronouns are also used for the reflexive verb. However, the third person uses *sich* as reflexive object, singular, plural, direct or indirect; e.g., *Ich wasche mich* (I wash myself); *Ich wasche mir die Hände* (I wash my hands). *Der Junge wäscht sich. Er wäscht sich die Hände.*

7.21 Note that many German prepositions require the dative case. These prepositions will be underlined with the dative marking (e.g., *mit*). Other prepositions require the accusative (e.g., *für*). They will be underlined with the accusative marking. German always distinguishes movement (where to = *wohin*) from location (where = *wo*). Location is expressed by the dative, movement by the accusative. Some prepositions can thus take either the dative or the accusative depending on whether they are used to express movement or location: e.g., *in, auf*.

7.22 Listed below are the most common prepositions taking the accusative, dative, or both.

ACCUSATIVE:

bis *(until)*	Ich arbeite bis acht Uhr.
	(I work until eight o'clock.)
durch *(through)*	Ich fahre durch die Stadt.
	(I drive through the town.)
für *(for)*	Ich arbeite für meine Eltern.
	(I work for my parents.)

gegen (against)	Ich schlage gegen die Wand.
	(I beat the wall.)
ohne (without)	Ich gehe ohne Schuhe.
	(I walk without shoes.)
um (around)	Wir sitzen um den Tisch.
	(We're sitting around the table.)
	Wir fahren um die Stadt.
	(We are driving around the city.)
(for)	Ich bitte um einen Bleistift.
	(I ask for a pencil.)
wider (against)	Use largely confined to the expression "wider Willen" (against one's will). Ich schreibe den Brief wider meinen Willen. (I write the letter against my will.)

DATIVE:

aus (from)	Ich komme aus der Schule.
	(I come from school.)
außer (besides)	Niemand außer mir versteht die Antwort. (Nobody besides me understands the answer.)
bei (at someone's home)	Er wohnt bei seinen Eltern.
	(He lives with his parents.)
(at, near)	Er arbeitet bei der Schule.
	(He works near the school.)
entgegen (toward)	Der Schüler kommt mir entgegen.[1]
	(The pupil comes toward me.)
gegenüber (opposite)	Er wohnt der Schule gegenüber.[2]
	(He lives opposite the school.)
mit (with)	Der Schüler kommt mit seinen Eltern.
	(The pupil comes with his parents.)
nach (after)	Ich sehe meinen Freund nach acht Uhr.
	(I see my friend after eight o'clock.)
seit (since, for)	Ich wohne seit einem Jahr in Berlin.[3]
	(I have been living in Berlin for a year.)
von (from)	Ich lerne von meinen Eltern.
	(I learn from my parents.)

---

[1] Note that *entgegen* follows the object.
[2] Note that *gegenüber* also follows the object.
[3] Note that German uses the present tense with *seit*. German has no tense corresponding to the progressive or past progressive of English. Since "I have been living" indicates that the action is still going on at present, German must use the present tense to express it.

zu (*to*)	Ich gehe zu meinen Eltern.
	(*I am going to my parents.*)

The English usage of "to" in an indirect object phrase is expressed simply by the dative in German. German *zu* + dative normally indicates motion toward; thus, "I give the book to my parents" (*I give my parents the book*) = *Ich gebe meinen Eltern das Buch*; but "He often comes to my house" = *Er kommt oft zu meinem Haus*.

Note also the special use of *zu* in *zu Hause* (at home). The idea of going toward is expressed by the preposition *nach*. Thus, *ich gehe nach Hause*, but *ich bin zu Hause*.

ACCUSATIVE and DATIVE:

an (*at, to*)	Er geht an die Mauer (*He walks to the wall.*)
	Er steht an der Mauer (*He stands at the wall.*)
auf (*on*)	Ich lege das Buch auf den Tisch. (*I put the book on the table.*) Das Buch ist auf dem Tisch. (*The book is on the table.*)
hinter (*behind*)	Ich stelle den Sessel hinter den Tisch. (*I put the armchair behind the table.*) Der Sessel ist hinter dem Tisch. (*The chair is behind the table.*)
in (*in, into*)	Ich gehe in die Schule. Ich bin in der Schule.
neben (*besides, next to*)	Ich lege das Buch neben das Heft. (*I put the book next to the notebook.*) Das Buch liegt neben dem Heft (*The book lies next to the notebook.*)
über (*over, above, about*)	Ich spreche über das Buch. (*I speak about the book.*) Die Lampe ist über dem Tisch. (*The lamp is above the table.*)
unter (*below*)	Das Buch ist unter dem Tisch (*The book is below [under] the table.*) Ich lege das Buch unter den Tisch. (*I put the book under the table.*)
vor (*before, in front of*)	Ich lege den Bleistift vor das Buch. (*I put the pencil in front of the book.*) Der Bleistift liegt vor dem Buch. (*The pencil is in front of the book.*)
zwischen (*between*)	Ich lege das Buch zwischen das Heft und den Bleistift (*I put the book between the notebook and the pencil.*) Das Buch ist zwischen dem Bleistift und dem Heft. (*The book is between the pencil and the notebook.*)

7.3   (a) Was tun Sie um acht Uhr? Ich gehe in die Schule.
Am Sonntag[1] gehen wir in die Kirche.[2]
Mit wem gehen Sie in die Kirche? Wir gehen mit unseren
Eltern in die Kirche.

(b) Wohin gehen Sie heute abend?[3] Heute abend gehe ich
mit meinem Freund Robert ins[4] Kino.[5] Im[6] Kino gibt
es[7] einen Film[8] über[9] Deutschland. Der Film ist wirklich sehr interessant.

(c) Karl geht heute abend mit seinem Freund ins Kino. Er
geht lieber[10] mit seinem Freund und ohne[11] seine
Eltern. Der Film ist sehr interessant. Es ist ein Film
über Paris.

7.4 Indicate whether the last word in each sentence is singular
or plural and underline to show whether it is nominative,
dative, or accusative:

1. Ich gebe die Bücher meinem Freund.	sing.
2. Ich gehe heute in die Schule.	sing.
3. Sie geben das Buch nicht mir, sondern meinen Eltern.	pl.
4. Sie arbeiten immer ohne Ihren Bruder.	sing.
5. Warum sprechen sie mit uns?	pl.
6. Sie arbeiten immer ohne uns.	pl.
7. Hier ist das Buch. Ich gebe es dir.	sing.
8. Wo seid ihr?	pl.
9. Jetzt waschen wir uns die Hände.	pl.
10. Jetzt freut er sich.	sing.

---

[1] **der Sonntag** = Sunday.
[2] **die Kirche** (*pl.* **Kirchen**) = church.
[3] **heute abend** = this evening.
[4] **ins** *contraction of* **in** + **das**.
[5] **das Kino** (*pl.* **Kinos**) = cinema.
[6] **im** *contraction of* **in** + **dem**.
[7] **es gibt** (*lit.* it gives) = there is, there are (followed by accusative).
[8] **der Film** (*pl.* **Filme**) = motion picture.
[9] **über** = on, about.
[10] **lieber** = rather.
[11] **ohne** = without.

7.41 Indicate the person (first, second, or third) and number (singular or plural) of each underlined pronoun in the sentences below:

1. Der Lehrer gibt ihm das Buch.	3d s.
2. Wie geht es dir?	2d s.
3. Sie kennen das Buch? Ist es gut?	3d s.
4. Ich gebe ihr das Geld.	3d s.
5. Warum haben sie kein Geld?	3d p.
6. Sie arbeitet heute.	3d s.
7. Ihr arbeitet heute nicht.	2d p.
8. Ich kenne ihn nicht.	3d s.
9. Warum gibt er ihnen nicht das Geld?	3d p.
10. Warum gibt er ihr nicht das Geld?	3d s.

7.42 (a) Indicate whether the pronoun in parentheses could refer to:

(1) *der Mann*, (2) *die Frau*, (3) *das Mädchen*, or (4) *die Eltern*.

1. Ich gebe (ihm) das Geld.	(1), (3)
2. Ich kenne (sie) sehr gut.	(2), (4)
3. Ich gebe (ihnen) mein Geld.	(4)
4. Ich folge (ihr) immer.	(2)
5. Ich gehorche (ihm).	(1), (3)
6. Wer kennt (ihn) denn nicht?	(1)
7. Leider kenne ich (es) nicht.	(3)

(b) Indicate which of the above nouns—(1), (2), (3), or (4)— could be the possessors referred to by the possessive adjective in parentheses:

1. Wo ist denn (sein) Geld?	(1), (3)
2. (Ihr) Geld habe ich leider nicht.	(2), (4)
3. (Seine) Freunde sind heute nicht hier.	(1), (3)
4. Ich spreche jetzt mit (ihren) Freunden.	(2), (4)

7.5 Complete the following sentences:

1. Ich kenne den _____, aber ich gebe ihm kein Geld.
2. Ich kenne das _____, aber ich gebe ihm kein Geld.
3. Ich kenne _____, aber ich gebe ihr kein Geld.
4. Ich kenne die _____, aber ich gebe ihnen kein Geld.

5. Ich nehme _____ _____ und lege ihn auf den Tisch.

6. Du nimmst _____ _____ und legst sie auf den Tisch.

7. Robert nimmt _____ _____ und legt es auf den Tisch.

8. Ich kenne _____, aber ich gehorche ihm nicht.

9. Wir kennen _____, aber ich gehorche ihr nicht.

10. Meine Freunde sind am Sonntag in der _____.

11. Am Montag gehen sie in die _____.

12. Die _____ waschen sich.

13. Wir waschen uns die _____.

14. Die _____ waschen sich die _____.

15. Ich _____ mir die Hände.

16. Du _____st dich.

17. Du wäschst dir _____ _____.

18. Er kennt _____, aber er gibt uns kein Geld.

19. Robert kennt _____, aber er gibt mir kein Geld.

20. _____ kennen Herrn Schmidt sehr gut, aber _____ geben ihm kein Geld.

21. Ihr Kennt Frau Schmidt sehr gut, aber ihr _____t ihr kein Geld.

22. _____ _____t das Mädchen sehr gut, aber _____ _____t ihm kein Geld.

23. _____ _____e seine _____ sehr gut, aber ich _____e ihnen kein Geld.

24. _____ _____en meine _____, aber _____ _____en ihnen kein Geld.

25. Warum _____st _____ mir kein Geld?

26. Warum _____en _____ uns kein Geld.

27. Warum _____st _____ das Buch auf den _____?

28. Warum _____ die Bücher auf dem _____?

29. Warum _____en wir in die Kirche?

30. Warum arbeitet der Junge in der _____?

31. Heute _____ gebe ich ihm einen _____.

32. Heute _____en wir ihnen einen _____.

8. The Genitive
Prepositions with the Genitive
Contraction of Preposition and Article

8.1

Gehört das Buch dem Lehrer? *(Does the book belong to the teacher?)* Ja, das ist das Buch des Lehrers *(of the teacher).*

Gehört das Buch der Lehrerin? Ja, das ist das Buch der Lehrerin.

Gehört der Bleistift dem Mädchen? Ja, das ist der Bleistift des Mädchens.

Gehören die Bücher den Schülern? Ja, das* sind die Bücher der Schüler.

Gehören die Bücher den Schülerinnen? Ja, das sind die Bücher der Schülerinnen.

Gehören die Bücher den Mädchen? Ja, das sind die Bücher der Mädchen.

Hat der Junge sein Buch? Ja, das ist das Buch des Jungen. Das Buch gehört dem Jungen.

Haben die Jungen ihre Bücher? Ja, das sind die Bücher der Jungen.

Die Bücher gehören den Jungen.

Gehört das Buch unserem Lehrer? Ja, das ist das Buch unseres Lehrers.

Gehört das Buch einem Schüler? Ja, das ist das Buch eines Schülers.

Wessen Buch ist das? Das ist das Buch des Lehrers.

Wessen Bücher sind das? Das sind die Bücher der Schüler.

Unser Lehrer ist heute krank. Statt (or anstatt, *instead of*) unseres Lehrers unterrichtet uns eine Lehrerin.

Die Stunde *(class)* ist immer sehr interessant. Während *(during)* der Stunde sind wir immer sehr aufmerksam *(attentive).*

---

* Note that in this particular construction, *das* means *that* as well as *those*; e.g., **Das ist das Buch** = That is the book *and* **Das sind die Bücher** = Those are the books.

8.2 The genitive forms of the definite article are:

Singular			Plural		
Masc.	Fem.	Neut.	Masc.	Fem.	Neut.
des	der	des		der	

The endings of the *ein*-words are:

Masc.	Fem.	Neut.	Masc.	Fem.	Neut.
-es	-er	-es		-er	

8.21 Note the following:

(a) *Most masculine* and *all neuter* words in the genitive singular end in *-es*, or *-s*, if the word contains more than one syllable. E.g., *das Buch*, *des Buches*, but *das Hotel*, *des Hotels*. A few words, among them *das Herz* (the heart), end in *-ens*.

(b) Apart from the genders (masculine, feminine, neuter) German nouns fall into three groups: strong, weak, and mixed. Weak nouns are those that end in *-en* (or *-n*, if the last syllable contains an unstressed *e*), in *all* cases except the nominative singular. Mixed nouns are those which end in *-en* (*n*) in all cases of the plural (but not in the singular). Remember also that all nouns (with very few special exceptions) end in *-en* (*n*) in the dative plural.

Strong: der Vater (*sing.*); des Vaters; die Väter (*pl.*)

Weak: der Junge (*sing.*); des Jungen; die Jungen (*pl.*)

Mixed: der Professor (*sing.*); des Professors; die Professoren (*pl.*). (Note the stress in this word: on the *e* in the singular and on the second *o* in the plural.)

8.22 In order to know the correct forms of any German noun you must therefore remember (1) its gender, (2) its genitive singular, (3) its nominative plural. From now on nouns will be mentioned in the vocabulary in the following manner:

der Vater, -s, ⸚
die Frau, -en
das Mädchen, -s, -
der Student, -en, -en
die Studentin, Studentinnen

Given in each entry for masculine and neuter nouns are (1) the nominative singular form; (2) the genitive singular ending; (3) the nominative plural ending. Genitives of feminine nouns have not been included because there is invariably no change in the word.

8.23 Verbs which require the genitive are comparatively rare. Some of them are used with the genitive only in very literary language. Verbs requiring the genitive will also be introduced with genitive underlining. If verbs require two cases the underlining for both cases may be used; e.g., berauben (rob somebody of something). Er beraubt uns des Geldes.

There are several prepositions which require the genitive. Some of the more important are listed below.

GENITIVE:

statt (instead)	Mein Vater geht statt meiner Mutter.
	(My father is going instead of my mother.)
trotz (in spite of)	Er arbeitet trotz des Verbotes seines Vaters.
	(He works in spite of his father's forbidding.)
während (during)	Er arbeitet nie während der Stunde.
	(He never works during the class hour.)
wegen (because of)	Er ist wegen seines Bruders zu Hause.
	(He is at home because of his brother.)
diesseits (on this side)	Er wohnt diesseits der Grenze.
	(He lives on this side of the border.)
jenseits (on the other side)	Sein Bruder wohnt jenseits der Grenze.
	(His brother lives on the other side of the border.)
innerhalb (within)	Er reist innerhalb der Grenzen.
	(He travels within the borders.)
außerhalb (outside)	Er reist außerhalb der Grenzen.
	(He travels outside the frontiers.)

8.24 Note that several German prepositions contract with the definite article. The most frequent contractions are:

an		ans	in		im
für		fürs	bei		beim
in	+ das	ins	an	+ dem	am
auf		aufs	von		vom
vor		vors	zu		zum
			zu	+ der	zur

8.3 Mein Freund Hans wohnt[1] in Frankfurt am Main. Der Familienname[2] meines Freundes ist Schulz. Hans Schulz studiert[3] an[4] der Universität. Er ist Student der Medizin.[5] Im[6] Sommer besucht[7] Hans seinen Onkel in New York. Sein Onkel heißt[8] Franz Wagner. Herr Wagner ist der Bruder seiner Mutter. Herr Wagner wohnt schon seit[9] vielen Jahren[10] in Amerika. Gewöhnlich (*usually*) reist[11] Hans mit seinem Vater und mit seiner Mutter nach New York. Aber diesen (*this*) Sommer kommt[12] Hans ohne seine Eltern. Sein Vater ist leider sehr krank, und seine Mutter kommt ohne den Vater nicht. So fährt[13] Hans allein (*alone*) nach New York. Dazu (*for this*) ist er ja alt[14] genug.[15] Er ist jetzt zwanzig (20) Jahre alt. Er nimmt auch seinen Hund[16] mit.[17]

---

[1] **wohnen** = to live, reside.
[2] **der Familienname, -n, -n** = family name.
[3] **studieren** = to study; **der Student, -en, -en** student.
[4] **an** = at, on. (Note use of dative to indicate location.)
[5] **die Medizin, -en** = medicine, medical science.
[6] **im** *contraction of* in + dem (see 8.24).
[7] **besuchen** = to visit.
[8] **heißen** = to be named. *Ich heiße Karl* = My name is Karl.
[9] **seit** = since.
[10] **schon seit vielen Jahren** = for many years now. **das Jahr, -s, -e,** = year. (Note that *wohnt* is present tense (he is still living there) whereas English uses past progressive tense: *he has been living.*
[11] **reisen** = to travel.
[12] **kommen** = to come.
[13] **fahren (ich fahre, du fährst, er fährt)** = to travel; also ride, drive.
[14] **alt** = old.
[15] **genug** = enough.
[16] **der Hund, -es, -e** = dog.
[17] **nimmt ... mit** = takes along, *from* **mitnehmen**, *a separable prefix verb*. (Note that in simple sentences the prefix goes at the end.)

8.4 Indicate the case and number of the first and the last noun of each sentence:

		First	Last
1.	Meines Vaters Freund wohnt jetzt in Amerika.	Gen. s.	Dat. s.
2.	Den Kindern gebe ich das Geld nicht.	Dat. p.	Acc. s.
3.	Meine Freunde schreiben Briefe an ihre Eltern.	Nom. p.	Acc. p.
4.	Was sagt denn der Lehrer seinen Schülern?	Nom. s.	Dat. p.
5.	Er macht Mathematik während der Deutschstunde.	Acc. s.	Gen. s.
6.	Mit meinem Hund gehe ich doch nicht in die Schule!	Dat. s.	Acc. s.
7.	Meine Tanten wohnen hier seit einem Jahr.	Nom. p.	Dat. s.
8.	Ohne meine Freundin gehe ich nicht ins Theater.	Acc. s.	Acc. s.
9.	Der Professor kennt die Namen unserer Freunde.	Nom. s.	Gen. p.
10.	Meinen Freunden geben wir das Geld meiner Mutter nicht.	Dat. p.	Gen. s.

8.41
   (1)   (2)   (3)   (4)
Der Lehrer gibt dem Schüler das Buch seiner Schwester.

Indicate by the appropriate underlining for which numbered element in the sentence above the following forms may be substituted:

den Kindern	(2)	einem Jungen	(2)
die Feder	(3)	eures Jungen	(4)
meine Tante	(1)	unserer Kinder	(4)
die Bleistifte	(3)	den Füller	(3)
unserer Eltern	(4)	meinem Onkel	(2)
meinen Freunden	(2)	meinen Schülerinnen	(2)
des Mädchens	(4)	die Hefte	(3)

8.5 Complete the following sentences:

1. Unser Freund wohnt jetzt noch immer in Frankfurt, bei der _____ seines _____s.

2. Unsere Freunde wohnen jetzt in Berlin, bei den _____n ihrer _____.

3. Die Eltern _____er Freunde sind jetzt nicht mehr in Berlin.

4. Wir haben das Geld _____es _____s leider nicht.

5. Du gibst uns den Brief _____er _____.

6. Wo ist der Brief unserer _____?

7. Wo sind die Hefte _____er _____?

8. Meinen _____en gebe ich kein Geld.

9. _____em _____ gibt der Mann kein Geld.

10. _____er _____ gibt der Mann kein Geld.

11. _____e Freunde wohnen jetzt in Amerika.

12. _____e _____ wohnt jetzt in Frankfurt.

13. _____ _____ wohnt jetzt in Berlin.

14. Robert spricht mit unseren _____n nie Deutsch.

15. Er _____t nach Amerika ohne seine _____.

16. Das Mädchen _____t allein nach Amerika.

17. _____e Eltern _____en jetzt in Amerika.

18. Ich lege das Buch _____es _____s auf den Tisch.

19. Die Hefte _____es _____s liegen auf dem _____.

20. Warum geben Sie _____en _____en kein Geld?

21. Warum _____t der Mann _____em _____ kein Geld?

22. _____em _____ gebe ich kein Geld.

23. Er spricht heute anstatt (*instead of*) _____es _____s.

24. Hans arbeitet heute ohne _____en _____.

25. Wir arbeiten heute ohne _____e _____.

26. Du wohnst jetzt bei deinem _____.

27. Wir gehen heute in _____ _____.

28. Robert besucht (*visits*) den Vater _____es _____s.

29. Wir besuchen die _____ _____es _____s.

30. Wie ist der Name _____er _____?

31. Wie ist der Name _____es _____s?

32. Wie ist der Name _____er _____? (*use gen. pl.*)

33. Wir wohnen seit einem Jahr in _____.

34. Warum fahren Sie jetzt nicht nach _____?

35. Der Freund _____es _____s heißt Karl.

36. Die Freunde _____er _____ arbeiten jetzt in Berlin.

37. Karl studiert jetzt mit _____er _____.

38. Wir wohnen jetzt bei _____em _____.

39. Du wohnst jetzt mit _____en _____(e)n.

40. Der Freund _____er _____ studiert in Berlin.

41. Die Mutter _____es _____ wohnt in Berlin.

42. Die _____ meines Onkels wohnen in Berlin.

9. Adjectives with the Noun

9.1   Welche (*what*) Farbe (*color*) hat der Bleistift? Der Bleistift
ist gelb (*yellow*). Das ist ein gelber Bleistift.
Wo ist der gelbe Bleistift? Da ist er.
Welche Farbe hat die Mappe (*folder, portfolio*)? Die
Mappe ist schwarz (*black*). Das ist eine schwarze Mappe.
Wo ist die schwarze Mappe? Da ist sie.
Welche Farbe hat das Buch? Das Buch ist rot. Das ist
ein rotes Buch.
Wo ist das rote Buch? Da ist es ja.
Was halte (*hold*) ich in der Hand? Den gelben Bleistift,
die schwarze Mappe und das rote Buch.
Was hält der Junge in der Hand? Einen gelben Bleistift,
eine schwarze Mappe und ein rotes Buch.
Wo sind die gelben Bleistifte und die roten Bücher?
Ich halte die gelben Bleistifte, die roten Bücher und die
schwarzen Mappen in der Hand.
Ich komme mit einer roten Mappe, aber alle anderen
(*other*) Schüler kommen mit ihren schwarzen Mappen.

9.2 Note the following:

(a) The predicate adjective is used without an ending:

> Mein Freund ist krank. Meine Freundin ist krank. Das Buch
> ist gelb. Die Bücher sind gelb.

(b) If the adjective is used to modify the noun (stands *before*
the noun) and *after* the definite article or any of the *ein-*
words it takes the ending *-en* in *all cases except* the
nominative singular (masculine, feminine, neuter) and the
accusative singular (feminine, neuter).

(c) If the definite article is used, the ending of the adjective in all the nominatives singular and the feminine and neuter accusatives is *-e*.

E.g.: Wo ist <u>der rote Bleistift</u>? Wo ist <u>die rote Mappe</u>?
Wo ist <u>das rote Buch</u>?
Ich lege <u>die rote Mappe</u> auf den Tisch. Ich lege <u>das rote</u>
<u>Buch</u> auf den Tisch. But, Ich lege <u>den roten Bleistift</u> auf
den Tisch.

(d) If *ein*-words precede the adjective, the endings of the definite article are added to the adjective in the masculine nominative (*-er*) and in the nominative and accusative of the neuter (*-es*).

E.g.: Wo ist <u>der rote Bleistift</u>? But, Das ist <u>ein roter Bleistift</u>.
Wo ist <u>das rote Buch</u>? But, Das ist <u>ein rotes Buch</u>.
Ich lege <u>das rote Buch</u> auf den Tisch. But, Ich lege <u>ein</u>
<u>rotes Buch</u> auf den Tisch.

9.3 Lieber Freund![1]
Ich studiere schon seit drei Monaten an dieser (*this*) schönen[2] Universität. Ich arbeite wirklich (*really*) sehr viel. Der alte Professor König ist ja ein sehr netter[3] Mann, aber er gibt den Studenten viel Arbeit. Sogar (*even*) die Intelligenten arbeiten den ganzen[4] Tag.
In Anatomie haben wir jetzt einen neuen,[5] jungen[6] Dozenten,[7] Dr. Glauber. Herr Dr. Glauber ist ein kleiner[8] Mann mit großen[9] Kenntnissen[10] seines Faches.[11] Ich arbeite jeden Tag drei Stunden[12] unter ihm und bewundere[13] sein großes Talent.

---

[1] **Lieber Freund** = Dear Friend.
[2] **schön** = beautiful.
[3] **nett** = nice.
[4] **ganz** = whole. (Note use of accusative: I work the whole day = **Ich arbeite den ganzen Tag.**)
[5] **neu** = new.
[6] **jung** = young.
[7] **Dozent** = lecturer, assistant professor.
[8] **klein** = little, small, slight.
[9] **groß** = big, wide.
[10] **die Kenntnis, -se,** = knowledge.
[11] **das Fach, -s, ⁼er** = subject. (Note: **des Hauptfach** = major, specialty; **das Nebenfach** = minor, other field of study.)
[12] **die Stunde, -en** = hour, lesson.
[13] **bewundern** = admire.

Er ist nicht nur ein großer Arzt,[14] er spricht auch sehr gut Englisch und Französisch. Er erklärt[15] den amerikanischen Studenten die schweren[16] Probleme auf Englisch, und die amerikanischen und auch englischen Studenten verstehen ihn dann sehr gut.

Bald (soon) schreibe ich wieder (again).

Mit besten Grüßen,[17]

Dein alter Freund
Hans

9.4 Replace the blanks by the appropriate form of *gut:*

gut, gute, guten, guter, gutes.

1. Heute lese ich ein _____ Euch.	gutes
2. Mein Onkel ist wirklich ein _____ Mann.	guter
3. Elsa ist eine _____ Freundin von mir.	gute
4. Ihre Antwort ist wirklich sehr _____.	gut
5. Er arbeitet mit einem _____ Lehrer zusammen.	guten
6. Der _____ Lehrer versteht seine Schüler.	gute
7. Meine Schüler sind wirklich _____.	gut
8. Meine _____ Schüler verstehen das Buch.	guten
9. Mit meinen _____ Schülern spreche ich Deutsch.	guten
10. Ein _____ Buch ist ein _____ Freund.	gutes / guter
11. Die _____ Schüler verstehen den _____ Lehrer.	guten guten
12. Die _____ Schülerin versteht die _____ Lehrerin.	gute gute
13. Die Antwort eines _____ Schülers ist nicht immer _____.	guten gut
14. Eine _____ Freundin von mir kennt ein _____ Restaurant.	gute gutes

---

[14] **der Arzt, -es,** ⸚e = physician, doctor.

[15] **erklären** = to explain.

[16] **schwer** = difficult; *also,* heavy.

[17] **mit besten Grüßen** = with best regards (**der Gruß, -es,** ⸚e = greeting).

9.41 Indicate the case and number (singular or plural) of each noun in the sentences below:

	(1)	(2)	(3)
1. Mein alter Lehrer[1] gibt meinem guten Freund[2] ein neues Buch.[3]	Nom. s.	Dat. s.	Acc. s.
2. Meinen guten Freunden[1] gebe ich nur die besten Bücher.[2]	Dat. p.	Acc. p.	
3. Große Kenntnisse[1] haben die Studenten[2] des Herrn Glauber[3] nicht.	Acc. p.	Nom. p.	Gen. s.
4. Mit dem alten Professor[1] sprechen die Jungen[2] immer Französisch.	Dat. s.	Nom. p.	
5. Der armen Frau[1] geben die Kinder[2] kein Geld.[3]	Dat. s.	Nom. p.	Acc. s.

9.5 Complete the following sentences:

1. _____ gute Frau spricht mit ihrem Mann.
2. _____ guter Student versteht unser Buch.
3. _____ guten Schüler verstehen unser Buch.
4. Mit _____ guten Schülern sprechen wir Deutsch.
5. Ich kenne _____ guten Lehrer.
6. _____ gutes Mädchen lernt den ganzen Tag.
7. Der Professor erklärt _____ amerikanischen Studenten das Problem.
8. Herr Meyer kennt _____ amerikanischen Studenten.
9. Leider verstehe ich _____ alten Lehrer nicht.
10. _____ alte Lehrerin verstehe ich sehr gut.
11. Ich lese unser altes _____.
12. Ich lese _____ alte Buch.
13. Mein alter Vater versteht _____ neuen Bücher nicht.
14. _____ alte Mutter kennt _____ alten Bücher sehr gut.
15. _____ _____er Lehrer liest _____ alten Bücher.
16. _____e _____ kennt die _____en Ideen (ideas) nicht.
17. _____ altes _____ ist oft sehr interessant.
18. _____en Sie einen _____en Studenten?
19. Ich lese ein altes interessantes _____.
20. Wir _____en mit einem alten interessanten _____.

21. Unsere neuen _____ sprechen sehr gut Deutsch.
22. Unser neuer _____ spricht sehr gut Französisch.
23. Unser neues _____ arbeitet den ganzen Tag.
24. Ich kenne das neue _____ Ihres alten _____.
25. Warum sprechen die _____ immer Deutsch?
26. Die Kenntnisse des alten _____ sind wirklich sehr groß.
27. Die Kenntnisse der alten _____ sind sehr groß.
28. Die intelligenten _____ verstehen unseren neuen _____ sehr gut.
29. Mit seinen guten _____ spricht Herr Dr. Glauber nur Englisch.
30. Ich bewundere das alte, schöne _____ meines guten _____.
31. Ich kenne die alten, schönen _____ Ihres guten _____.
32. Herr Meyer ist kein großer _____ aber er ist ein guter _____. Seine alten _____ bewundern ihn sehr.

10. Separable and Nonseparable Verbs Imperatives

10.1
Der Lehrer tritt ein (*enters*). Er nimmt (*takes*) ein Buch aus seiner Tasche. Dann (*then*) legt er das Buch nieder (*puts down*). Dann setzt er sich nieder (*sits down*).

Er liest aus dem Buch vor (*reads from*). Dann stellt er Fragen an die Schüler (*asks, "puts" questions*). Die Schüler beantworten (*answers*) seine Fragen.

Nur (*only*) Franz beantwortet die Fragen nicht.

Der Lehrer sagt: „Bitte (*please*) stehen Sie auf (*get up*). Kommen Sie zur Tafel (*blackboard*) und schreiben Sie die Hausaufgabe an die Tafel."

Franz steht auf, geht zur Tafel und schreibt die Aufgabe. Nach (*after*) fünf Minuten kehrt er wieder zu seinem Platz zurück (*return*), setzt sich nieder und schaut zum Fenster hinaus (*looks out*).

Der Lehrer ist jetzt wütend (*furious*): „Passen Sie doch auf (*pay attention*)! Wir verbessern (*correct*) jetzt Ihre Aufgabe. Dieses Mal (*this time*) fallen Sie sicher (*certainly*) durch (*flunk out*)."

10.2 Many German verbs use a preposition or adverb as an element of the verb (compare English *get down, come along*, etc.):

eintreten	*to enter*	**auf**stehen	*to get up*
niederlegen	*to put down*	**zurück**kehren	*to come back*
sich **nieder**setzen	*to sit down*	**hinaus**sehen	*to look out*
vorlesen	*to read (aloud)*	**auf**passen	*to pay attention*
abholen	*to call for, pick up*	**durch**fallen	*to flunk (lit., fall through)*

In the infinitive form the stress is always on the separable preposition or adverb: **ein**treten, **auf**stehen, etc. In the vocabulary the stressed element will be written in capital letters.

Note that in all sentence types discussed so far, the preposition or adverb is always separated from the verb and appears at the end of the sentence:

Ich kehre heute mit meinem Freund in die Schule ZURÜCK.
(I am returning to school today with my friend.)
Ich stehe gewöhnlich um sechs Uhr AUF.
(I usually get up at six o'clock.)

The verbs made up of preposition (or adverb) + verb are called separable prefix verbs, since in most cases the preposition (or adverb) is indeed separated from the verb. The separable ("trennbare") verbs are not to be confused with verbs which begin with other *nonseparable* prefixes: *be-*, *ver-*, etc. These prefixes contain an unstressed *e* [ə]—e.g., *vergessen* (to forget), *verbessern* (to correct), *beantworten* (to answer). They can never be separated from the stem of the verb, which carries the main stress:

Ich vergesse die Aufgabe. Ich beantworte den Brief., etc.

10.21 The imperative of the polite form of address is formed simply by placing the subject pronoun *Sie* after the verb:

Sie antworten. *(You answer.)*
but: Antworten Sie, bitte! *(Please answer!)*

The imperative which corresponds to the familiar form of address is formed in the following way:

Plural: Use the second person plural without pronoun:

Ihr antwortet. *(You answer.)*
but: Antwortet! *(Answer!)*

Singular: Use the stem of the verb with the ending *-e*. In many cases, however, this *e* is no longer used; thus the singular imperative is identical with the stem:

Infinitive: schreiben
Imperative: Schreibe einen Brief! or Schreib einen Brief!

If the second person singular shows a vowel change from *e* to *i(e)*, then this change also appears in the imperative and no *e* ending is used:

Infinitive: geben (du gibst, er gibt); lesen (du liest, er liest)
Imperative: gib! Gib mir das Geld! lies! Lies vor!

10.3   Hans steht jeden (*each, every*) Morgen[1] um acht Uhr auf.
Er wäscht sich schnell, zieht sich an[2] und fährt zur[3] Universität. Die erste Vorlesung[4] fängt schon um neun Uhr an.[5]
Die Universität ist sechs Kilometer von[6] Hans' Wohnung[7]
entfernt.[8] Gewöhnlich fährt Hans mit seinem Fahrrad[9] zur
Universität. Für den Weg[10] zur Universität braucht[11] er ungefähr[12] zwanzig Minuten.

Hans versäumt[13] nie[14] eine Vorlesung. Die Vorlesungen von
Herrn Professor Glauber sind sehr interessant und sehr
wichtig.[15] Hans hört aufmerksam[16] zu[17] und macht sich viele
Notizen.[18] Er verbringt[19] den ganzen Tag an der Universität.
Um fünf Uhr fährt er nach Hause zurück[20] und ißt[21] sein
Abendbrot.[22] Dann arbeitet er noch zwei Stunden. Um
acht oder[23] neun Uhr geht er manchmal[24] noch ins Kino
oder ins Theater. Um zwölf Uhr geht er gewöhnlich ins
Bett.[25]

---

[1] **der Morgen, -s, -** = morning.
[2] **sich ANziehen** = to get dressed.
[3] **zur = zu + der** = to.
[4] **die Vorlesung, -en** = lecture.
[5] **ANfangen (du fängst an, er fängt an)** = to begin.
[6] **von** = from.
[7] **die Wohung, -en** = apartment.
[8] **entfernt** = distant.
[9] **das Fahrrad, -s, ⁼er** = bicycle.
[10] **der Weg, -s, -e** = way.
[11] **brauchen** = to need.
[12] **ungefähr** = approximately.
[13] **verpassen** = to miss.
[14] **nie** = never.
[15] **wichtig** = important.
[16] **aufmerksam** = attentive.
[17] **ZUhören** = listen (to)
[18] **die Notiz** = notice; *pl.* **Notizen** = notes.
[19] **verbringen** = to spend (time).
[20] **ZURÜCKfahren** = to return.
[21] **essen (du ißt, er ißt)** = to eat.
[22] **das Abendbrot, -s, -** = supper.
[23] **oder** = or.
[24] **manchmal** = sometimes.
[25] **das Bett, -es, -en** = bed.

10.4 Supply the missing word:

1. Hans _____ jeden morgen um fünf Uhr auf.   steht
2. Dann zieht er sich sehr schnell _____.   an
3. Er hört der Vorlesung sehr aufmerksam _____.   zu
4. Der Lehrer _____ ein.   tritt
5. Er _____ den Schülern aus dem Buch vor.   liest
6. Die Schüler passen _____.   auf
7. Nur Franz schaut immer zum Fenster _____.   hinaus
8. Der arme Franz fällt ganz sicher _____.   durch
9. Der Lehrer _____ das Buch nieder.   legt
10. Hans _____ sich hin.   setzt
11. Franz kehrt um acht Uhr nach Haus _____.   zurück
12. Bitte schauen Sie nicht zum Fenster _____.   hinaus

10.41 Supply the last word and the end punctuation mark: (!) *for command*, (?) *for question*, (.) *for statement.*

1. Bitte, legen Sie das Buch _____.   nieder!
2. Sie kehren nach Hause _____.   zurück.
3. Kehr jetzt in die Schule _____.   zurück!
4. Hör der Vorlesung aufmerksam _____.   zu!
5. Sehen Sie jetzt zum Fenster _____.   hinaus! (?)
6. Lesen Sie mir jetzt, bitte, _____.   vor!
7. Er tritt jetzt _____.   ein.
8. Paßt doch _____.   auf!
9. Kehrt ihr nach Hause _____.   zurück?
10. Wir holen unseren Freund zu Hause _____.   ab.

10.5 Complete the following sentences:

1. Wir treten _____.
2. Dann setzen _____ uns nieder.
3. Der Lehrer legt die Zeitung auf den _____.
4. Dann liest er uns aus der _____ vor.
5. Die Schüler stellen viele _____ an den _____.
6. Der Lehrer sagt: Bitte, „stehen Sie jetzt _____, gehen Sie zur _____ und schreiben Sie die _____ an die Tafel!"
7. Setz dich jetzt doch _____!

8. _____ Sie jetzt auf!
9. Lesen Sie mir die Antwort _____!
10. Warum passen _____ jetzt nicht _____?
11. Um sechs Uhr kehrt _____ nach Hause _____.
12. Zieh dich jetzt doch _____!
13. Wann fangen die Vorlesungen _____?
14. Wo _____ Hans den ganzen Tag?
15. Wann kehrt er nach Hause _____?
16. Bitte, _____ Sie jetzt auf!
17. Warum setzen _____ sich nicht _____?
18. Lies mir die Antwort _____!
19. Robert versteht den _____ nicht. Er fällt dieses Mal ganz sicher _____.
20. Ich trete in die Klasse _____, setze mich auf meinen Platz _____ und höre der Vorlesung aufmerksam _____.
21. Morgen holen wir unseren Freund _____.

10.51 Complete the following paragraph:

Wir stehen um acht Uhr _____, ziehen uns schnell _____ und _____ zur Universität. Unsere erste Vorlesung fängt um neun Uhr _____. Unser _____ tritt _____, setzt sich _____ und liest uns gewöhnlich aus seinem Buch _____. Das _____ ist sehr interessant und _____. Aber wir hören nicht sehr aufmerksam _____. Viele Studenten sehen zum Fenster _____. Nur mein Freund macht sich viele Notizen. Ich lese einfach (simply) das Buch unseres _____s.

Review Lesson 1

Vocabulary Review (1-10)

(Look up the words you do *not* remember !)

Verbs :

ABholen
ANfangen *(du fängst an)*
ANziehen
arbeiten
AUFpassen
AUFstehen
beantworten
befolgen
berauben
besuchen
bewundern
brauchen
dauern
DURCHfallen
EINtreten
erklären
essen *(du ißt, er ißt)*
fahren *(du fährst)*
folgen
sich freuen
gehen
gehorchen
gehören
haben *(Lust haben)*
halten *(du hältst)*
heißen
HINAUSschauen
sich HINsetzen
kennen
kommen

legen
lernen
lesen *(du liest)*
liegen
machen
MITnehmen
nehmen *(du nimmst)*
öffnen
rauchen
reden
reisen
rufen
sagen
schauen
schlagen
schreiben
sein
senden
sich setzen
sprechen *(du sprichst)*
stellen *(eine Frage stellen)*
studieren
tadeln
tun *(du tust, er tut)*
unterrichten
verbessern
verpassen *(du verpaßt, er verpaßt)*
versäumen
verstehen
VORlesen

sich waschen (*du wäschst*)
wohnen
zeigen
ZUhören
ZURÜCKfahren

Nouns:

Masculine:

der Abend, -s, -e
der Arzt, -es, ⸚e
der Bleistift, -es, -e
der Brief, -es, -e
der Bruder, -s, ⸚
der Deutschlehrer, -s, -
der Dozent, -en, -en
der Englischlehrer, -s, -
der Erfolg, -es, -e
der Fahrer, -s, -
der Familienname, -n, -n
der Film, -s, -e
der Freund, -es, -e,
der Füller, -s, -
der Gammler, -s, -
der Gruß, -es, ⸚e
der Herr, -n, -en
der Hund, -es, -e
der Junge, -n, -n
der Kilometer, -s, -
der Kugelschreiber, -s, -
der Lehrer, -s, -
der Monat, -s, -e
der Morgen, -s, -
der Onkel, -s, -
der Platz, -es, ⸚e
der Polizist, -en, -en
der Professor, -s, -en
der Ratschlag, -es, ⸚e
der Schuh, -es, -e
der Schüler, -s, -
der Sonntag, -es, -e
der Stuhl, -s, ⸚e
der Tag, -es, -e
der Tisch, -es, -e

der Vater, -s, ⸚
der Weg, -es, -e

Feminine:

die Aufgabe, -n
die Deutschlehrerin, -nen
die Feder, -n
die Frage, -n
die Frau, -en
die Freundin, -nen
die Kenntnis, -se
die Kirche, -n
die Klasse, -n
die Lehrerin, -nen
die Mappe, -n
die Medizin, -en
die Minute, -n
die Mutter, ⸚
die Notiz, -n
die Schule, -n
die Schwester, -n
die Tafel, -n
die Tante, -n
die Tür, -en
die Uhr, -en
die Universität, -en
die Vorlesung, -en
die Wahrheit, -en
die Wand, ⸚e
die Wohnung, -en
die Zeit, -en
die Zeitung, -en
die Zigarette, -n

Neuter:

das Abendbrot, -s
das Auto, -s, -s
das Bett, -es, -en
das Buch, -es, ⸚er
das Fach, -es, ⸚er
das Fahrrad, -es ⸚er
das Fenster, -s, -
das Geld, -es, -er
das Haus, -es ⸚er

das Heft, -es -e

das Kino, -s, -s

das Land, -es, ⁼er

das Löschblatt, -es, ⁼er

das Mädchen, -s, -

das Mal, -s, -e

das Privileg, -s, ien

das Recht, -es, -e

   (recht haben)

das Restaurant, -s, -s

das Talent, -s -e

das Weib, -es, -er

das Zeichen, -s

Adjectives :*

alt

arm

aufmerksam

einfach

englisch

entfernt

erst

faul

fleißig

französisch†

ganz

gelb

geschlossen

gesund

gewiss

gewöhnlich

groß

gut (besser, best)

interessant

jung

kein

klein

krank

langsam

lieb

natürlich

nett

neu

offen

rasch

reich

rot

schmutzig

schön

schwarz

schwer

sicher

ungefähr

verboten

viel

wenig

wichtig

wirklich

wütend

Adverbs :

auch

deshalb

doch

dort

genug

heute

hier

hinaus

immer

jetzt

leider

lieber

manchmal

mehr

nicht

nieder

noch

nur

sehr

sogar

vielleicht

wieder

zurück

---

* Note that the undeclined form of the adjective is also used as an adverb.

† Languages are capitalized when used as nouns.

Prepositions:	trotz	Question
an	über	words:
anstatt	von	warum
auf	während	wieso
für	zu (zum, zur)	wieviele
in (im, ins)		wo
mit	Conjunctions:	wohin
nach	denn	
ohne	eben	Interjections:
seit	oder	ja!
statt	sondern	nein!
		bitte!

R1.2 Summary of the Essential Grammar

Present Tense Conjugation:

Infinitive:	sagen	sich freuen	reden	reisen
ich	sage	freue mich	rede	reise
du	sagst	freust dich	redest	reist
er, sie, es	sagt	freut sich	redet	reist
wir	sagen	freuen uns	reden	reisen
ihr	sagt	freut euch	redet	reist
sie	sagen	freuen sich	reden	reisen

Infinitive:	bewundern	haben	sein
ich	bewundere	habe	bin
du	bewunderst	hast	bist
er, sie, es	bewundert	hat	ist
wir	bewundern	haben	sind
ihr	bewundert	habt	seid
sie	bewundern	haben	sind

Declension of Noun with Adjective:

	Masculine	Feminine	Neuter
Sing.			
N.	der rote Bleistift	die rote Mappe	das rote Buch
G.	des roten Bleistifts	der roten Mappe	des roten Buches
D.	dem roten Bleistift	der roten Mappe	dem roten Buch
A.	den roten Bleistift	die rote Mappe	das rote Buch
Pl.			
N.	die roten Bleistifte	die roten Mappen	die roten Bücher
G.	der roten Bleistifte	der roten Mappen	der roten Bücher
D.	den roten Bleistiften	den roten Mappen	den roten Büchern
A.	die roten Bleistifte	die roten Mappen	die roten Bücher
Sing.			
N.	mein roter Bleistift	meine rote Mappe	mein rotes Buch
G.	meines roten Bleistifts	meiner roten Mappe	meines roten Buches
D.	meinem roten Bleistift	meiner roten Mappe	meinem roten Buch
A.	meinen roten Bleistift	meine rote Mappe	mein rotes Buch
Pl.			
N.	meine roten Bleistifte	meine roten Mappen	meine roten Bücher
G.	meiner roten Bleistifte	meiner roten Mappen	meiner roten Bücher
D.	meinen roten Bleistiften	meinen roten Mappen	meinen roten Büchern
A.	meine roten Bleistifte	meine roten Mappen	meine roten Bücher

Possessive Adjectives:

mein, dein, sein, ihr, sein, unser, euer, ihr (Ihr)

Personal Pronouns:

N	ich	du	er	sie	es	wir	ihr	sie	Sie
G	meiner	deiner	seiner	ihrer	seiner	unser	euer	ihrer	Ihrer
D	mir	dir	ihm	ihr	ihm	uns	euch	ihnen	Ihnen
A	mich	dich	ihn	sie	es	uns	euch	sie	Sie

Interrogative Pronouns:

	Person	Thing
Nom.	wer	was
Gen.	wessen	
Dat.	wem	
Acc.	wen	was

R1.3 (a) Identify the case and number of the phrase in italics. Read the entire sentence and note *all* endings carefully before you answer.

1. *Meine gute Zigarette* kennt *der Herr* sicher nicht. Acc. s. / Nom. s.
2. *Das fleißige Kind* gehorcht *seinem Lehrer*. Nom. s. / Dat. s.
3. Die Lehrer tadeln *das Mädchen*. Acc. s.
4. *Den neuen Lehrer* kennt ihr ja sehr gut. Acc. s.
5. Das Buch gehört *den netten Studenten*. Dat. p.
6. Er gibt *den wütenden Jungen* viel Geld. Dat. p.
7. Ich lese *meinen Jungen* ein Buch vor. Dat. p.
8. Er legt die Bücher auf *die Tische*. Acc. p.
9. Er zeigt *seinen Schülern* ein neues Buch. Dat. p.
10. *Das Mädchen* kennt der Lehrer sehr gut. Acc. s.

(b) Supply the correct subject pronoun:

1. _____ waschen sich die Hände. sie
2. _____ spreche sehr gut Deutsch. ich
3. Warum sagst _____ nicht die Wahrheit? du
4. _____ freuen uns sehr. wir
5. _____ sind jetzt wieder gesund. wir, sie
6. _____ habt sicher recht. ihr
7. Warum seid _____ so faul? ihr
8. Bist _____ wirklich mein Freund? du

(c) Indicate whether the pronoun marked by an asterisk may refer to:

(1) *der Vater*, (2) *die Mutter*, (3) *das Kind*, or (4) *die Schüler*.

1. Ich gebe ihm* kein Geld. (1), (3)
2. Warum gehorchen Sie ihr* nicht? (2)
3. Sie kennen es* sehr gut. (3)
4. Wir schreiben ihnen* einen Brief. (4)
5. Ich kenne sie* leider nicht. (2), (4)
6. Ich komme ohne ihn.* (1)
7. Wir verstehen sie* sehr gut. (2), (4)
8. Das gehört ihm* leider nicht. (1)

R1.4 Complete the following paragraphs:

(a) Karl ist kein guter _____. In der Schule _____t er nicht auf. Sein _____ tadelt ihn immer. Aber Karl sieht zum _____ hinaus. Dieses Mal fällt er sicher _____.

(b) Die Frau meines _____s ist Deutschlehrerin. Sie _____t Deutsch in einer _____. Sie _____t wirklich sehr gut Deutsch. Ihre _____en _____en sehr viel. _____ sind sehr fleißig und _____en den ganzen Tag.

(c) Karl versteht das _____ nicht. Sein _____ stellt ihm eine _____, aber Karl _____(e)t nicht. Karl ist ein _____er aber für _____ hat er kein Talent.

(d) _____ ist leider krank. Er geht heute nicht in die _____. Er _____t zu Hause. Er _____t ein Buch. Das Buch ist _____ nicht sehr interessant. Karl _____ zum Fenster hinaus.

R1.41

(a) Karl steht um sieben Uhr auf, wäscht sich und zieht sich rasch (=schnell) an. Seine Deutschstunde fängt um acht Uhr an. Sein Deutschlehrer ist Herr Doktor Schmidt. Herr Dr. Schmidt ist ein sehr guter Lehrer, und Karl bewundert ihn sehr.

Herr Dr. Schmidt kommt wie immer genau (exactly) um acht Uhr in die Klasse. Er setzt sich nieder und öffnet sein Buch, dann fragt er die Schüler: „Was tue ich jetzt?" Die Schüler antworten: „Sie setzten sich nieder, und Sie öffnen Ihr Buch." „Sehr gut", sagt Herr Dr. Schmidt. „Und was tue ich jetzt?" „Sie nehmen Ihren Bleistift, und Sie legen ihn auf den Tisch", sagen die Schüler. „Warum lege ich nicht meine Zeitung auf den Tisch?" fragt Herr Dr. Schmidt. Keine Antwort. „Die Antwort ist wirklich nicht schwer", sagt Herr Dr. Schmidt. „Ich habe keine Zeitung."

(b) Gewöhnlich färt Herr Dr. Mayer jeden (each) Sommer nach Paris. Aber dieses Jahr (this year) bleibt er zu Hause. Er ist krank, und er hat kein Geld. Und er ist auch leider (unfortunately) nicht mehr so jung.

Was tut also der arme Dr. Meyer? Er raucht französische Zigaretten, liest ein französisches Buch und lernt Französisch. Französisch ist ja eine sehr schöne Sprache, aber für

Sprachen hat Herr Dr. Mayer leider kein Talent. Sein Fach
ist ja die Medizin. Warum lernt Herr Dr. Meyer Französisch? Die Antwort ist nicht schwer. Frau Dr. Meyer ist
Französischlehrerin.

R1.42 Complete the following sentences based on paragraphs (a) and
(b) of R1. 41:

(a) 1. Karls Deutschlehrer heißt _____.
2. Herr Dr. Schmidt unterrichtet Deutsch sehr _____.
3. Die _____ fängt um acht Uhr _____.
4. Herr Dr. Schmidt legt seinen _____ und sein _____
auf den _____.
5. Herr Dr. Schmidt legt seine _____ nicht auf den
_____.
6. Herr Dr. Schmidt hat _____ Zeitung.

(b) 1. Dieses Jahr reist Herr Dr. Meyer _____ nach Paris.
2. Dr. Meyer _____t dieses Jahr zu _____.
3. Dr. Mayer ist jetzt _____.
4. Diesen Sommer lernt Dr. Meyer _____.
5. Das _____ von Dr. Meyer ist die Medizin.
6. Dr. Meyer hat für _____en kein _____.
7. Die Frau von Dr. Meyer ist _____.

R1.43 Indicate whether the following statements are true or false
according to paragraphs (a) and (b) of R1. 41:

(a) 1. Karl bewundert seine Französischlehrerin.
2. Herr Schmidt tritt um acht Uhr in die Klasse.
3. Herr Schmidt liest immer seine Zeitung.
4. Der Lehrer zeigt den Schülern seine Zeitung.
5. Herr Schmidt legt seinen Bleistift nieder.

(b) 1. Dr. Meyer spricht zu Hause nur (only) Französisch.
2. Dr. Meyer ist Arzt und raucht keine Zigaretten.
3. Dr. Meyer spricht nicht sehr gut Französisch.
4. Frau Dr. Meyer unterrichtet Französisch.
5. Dr. Meyer ist nicht nur jung, sondern auch sehr reich.

11. The Compound Past ("Perfect") Sentence Structure Negation

11.1 Gestern ist der Lehrer wie gewöhnlich um acht Uhr in die Klasse gekommen. Er hat die Tür geöffnet, ist zu seinem Stuhl (*chair*) gegangen und hat sich dann niedergesetzt. Wie gewöhnlich hat er seine Aktentasche (*briefcase*) auf den Tisch gelegt. Dann hat er sein Buch und eine Zeitung aus der Tasche genommen. Der Lehrer hat dann der Klasse aus dem Buch eine kurze (*short*) Geschichte (*story*) vorgelesen. Dann haben zwei Schüler die Aufgaben an die Tafel geschrieben. Der Lehrer hat die Aufgaben schnell (*fast*) verbessert. Am Ende (*end*) der Stunde hat der Lehrer viele Fragen an die Klasse gestellt, z.B. (zum Beispiel = *for example*): „Wer in der Klasse ist je (*ever*) in Deutschland gewesen? Wer hat je einen deutschen Film gesehen?" Wir haben alle Fragen gut beantwortet, und der Lehrer hat sich wirklich sehr gefreut.

11.2 The compound past (or "perfect") tense is formed by applying the "past modification" to the present tense; i.e., the auxiliary verb *haben* (or for some verbs the auxiliary verb *sein*) is used in the present tense and in the position formerly occupied by the main verb. In the present tense the main verb was also the finite verb—i.e., the verb which agreed in person and number with the subject. Now this verb becomes a past participle and moves to a position at the end of the sentence, and the auxiliary verb assumes the role of the finite verb.

> **Present :** Wir stellen Fragen an die Schüler.
> **Past :** Wir haben Fragen an die Schüler gestellt.

Present: Ich komme um acht Uhr in die Klasse.
Past: Ich bin um acht Uhr in die Klasse
gekommen.

11.21 The past participle is formed by adding the prefix *ge-* to the stem of the verb and the following endings:

Weak verbs: *-t* (*-et* if the stem ends in *d, t,* or a consonant $+ n$)

Infinitive	Past part.
stellen	gestellt
sagen	gesagt
reden	geredet

Strong verbs: *-en*

Infinitive	Past part.
lesen	gelesen
fahren	gefahren
sprechen	gesprochen
gehen	gegangen

Note in the last two examples that there is often also a change in the stem vowel, or some other irregularity. The past participle of *sein* is *gewesen.*

In **separable verbs,** the prefix *ge-* is inserted between the separable prefix and the stem:

Infinitive	Past part.
AUFpassen	AUFgepasst
NIEDERsetzen	NIEDERgesetzt

Nonseparable verbs (infinitive begins with the prefix *be-, ent-, emp-, er-, ge-, ver-, zer-,* etc.) keep their prefix in the past participle and do not add the prefix *ge-*:

Infinitive	Past part.
verbessern	verbessert
erklären	erklärt

But:

antworten	geantwortet

11.22 The majority of German verbs use *haben* for the past modifiioncat. These include all transitive verbs (verbs which take an *accusative* object), all reflexive verbs, and all intransitive verbs that do not indicate motion or a change of condition. The verbs that take *sein* for the past modification are intransitive verbs indicating

72

motion (e.g., *gehen, kommen*) or a change of condition (e.g., *wachsen* [to grow], *einschlafen* [to fall asleep], etc.). It is best to learn specifically the verbs which require *sein* for the past modification.

11.23 Note that the perfect tense, *ich habe gelegt, ich habe gesagt, ich bin gekommen, ich bin gewesen*, etc., is used with two meanings. It corresponds first of all to the English form *I have come, I have been*, etc. E.g., *Wer ist je in Deutschland gewesen?* (Who has ever been to Germany?) In this meaning it refers to a past action which took place at an unspecified time. In colloquial German the perfect tense is quite regularly also employed to refer to an action which has taken place at a specific time in the past: *Gestern bin ich um acht in die Klasse gekommen.* Note that English—and as we shall see later, official standard German (see 12.2)—uses in that case a simple past tense, not a compound one. Thus, *Gestern* **kam** *ich um acht in die Klasse* (Yesterday I came to class at eight o'clock).

11.24 The best way of mastering German word order is to imitate and use German sentences. However, at least a general understanding of the overall structure of the German sentence will help us to get oriented and to avoid the most common mistakes. The German declarative sentence structure can be understood best if we divide the sentence into four parts:

1. **Initial Element:** The starting point. This is the element that connects the sentence with the previous thought. It may be but is not necessarily the subject of the sentence.

2. **Finite Verb:** This is the part of the verb that is conjugated, that agrees in person and number with the subject.

3. **Main or Central Area:** Within this area there is a certain amount of freedom in word order. In general, these elements are arranged in this sequence:
   (a) Pronouns in the following order: subject, direct object, indirect object
   (b) Adverb of time

or in the order:

(a) Noun subject

(b) Noun objects (usually indirect before direct).

4. **Predicate Area:** This section contains elements that are part of or very closely linked to the verb, such as:

   (a) Adverbs or phrases of manner or place, expressions of direction

   (b) Adjectives or nouns that are part of the predicate

   (c) The separable prefixes of separable verbs

   (d) The past participle

Following are examples of how the four sections outlined above appear in some typical sentences:

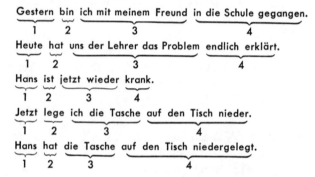

11.25 The negation *nicht* can be used in two ways:

1. It can stand before the part of the sentence which is quite specifically negated. E.g., *Ich gebe meinem Bruder nicht das Buch* would indicate that only *das Buch*, but not the rest of the sentence, is negated: I gave my brother not the book (but presumably something else). *Ich gebe das Buch nicht meinem Bruder* would negate only *meinem Bruder*: I gave the book not to my brother (but presumably to someone else).

2. If the sentence as a whole—in other words, the entire action of the sentence—is made negative, the word *nicht* normally stands at the very beginning of area 4:

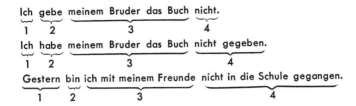

Note that *Gestern bin ich mit meinem Freunde in die Schule nicht gegangen* would negate only the action of *gehen* and not the action of *in die Schule gehen*; in other words, one would expect the statement to be followed by an explanation that a different mode of transportation was used: *nicht gegangen, sondern* (but) *gefahren*.

11.3   Gestern ist Hans wie gewöhnlich um acht Uhr aufgestanden. Er hat sich schnell gewaschen und hat sich auch sehr schnell angezogen.[1] Auf dem Weg zur Universität hat er seinen Freund Karl getroffen:[2] „Wie geht es denn? Dich habe ich ja schon lange nicht gesehen!"[3]—„Ich bin doch während der letzten[4] zwei Wochen[5] krank gewesen." „Ja wieso[6] denn? Was hat dir denn gefehlt?"[7]—„Ich habe mich beim Skilaufen[8] erkältet[9] und eine ganz[10] schlimme[11] Grippe[12] geholt.[13] Aber jetzt geht es mir schon viel besser."
„Das freut mich. Wohin gehst du jetzt?"—„Zur Universität natürlich. Wir gehen doch zur selben *(same)* Vorlesung."
Nach Der Vorlesung hat sich Hans noch lange mit seinem

---

[1] **ANziehen** (p.p., **angezogen**) = to dress.
[2] **treffen (du triffst, p.p., getroffen)** = to meet.
[3] **sehen (du siehst, p.p., gesehen)** = to see.
[4] **letzte** = last.
[5] **die Woche, -n** = week.
[6] **wieso** = how, why.
[7] **fehlen** (p.p., **gefehlt**) = to be missing. **Mir fehlt ein Buch** = I lack (need) a book.
[8] **das Skilaufen, -s** = skiing.
[9] **sich erkälten** = to catch (a) cold.
[10] **ganz** = whole; used here as an intensifier before an adjective to mean *very*.
[11] **schlimm** = bad; *(often meaning* naughty: **ein schlimmes Kind** = a naughty child).
[12] **die Grippe, -n** = grippe, flu.
[13] **holen** (p.p., **geholt**) = to catch.

Freund unterhalten.[14] Karl ist wirklich ein sehr guter Sportler[15] und überhaupt[16] ein ganz interessanter Junge.

11.4 Complete the following sentences with the required form of *haben* or *sein*:

1. Karl _____ mit seinem Freund gestern sehr lange gesprochen.   hat
2. Warum _____ Sie sich nicht auf den Stuhl gesetzt?   haben
3. Warum _____ ihr so spät in die Shule gekommen?   seid
4. Wir _____ uns über ihren Erfolg wirklich sehr gefreut.   haben
5. Du _____ deinen Kindern eine Geschichte vorgelesen.   hast
6. Der Student _____ die Fragen des Professors schnell beantwortet.   hat
7. Sie _____ das Buch auf den Tisch gelegt.   haben
8. Robert _____ gestern abend um neun Uhr eingeschlafen.   ist
9. _____ du je in Berlin gewesen?   bist
10. Ich _____ gestern mit meinen Freunden ins Theater gegangen.   bin

11.5 Complete the following sentences based on 11.3:

1. Hans _____ gestern seinen Freund _____.
2. Karl _____ während der letzten zwei wochen krank _____.
3. Karl _____ sich beim Skilaufen _____.
4. Die Freunde _____ zur selben Vorlesung gegangen.
5. Nach der Vorlesung _____ sich die Freunde lange _____.

11.51 Mark the following statements true or false according to 11.3:

---

[14] **sich unterhalten (du unterhältst dich,** p. p., **unterhalten)** = to converse, have a conversation; without the reflexive **unterhalten** = to amuse, entertain.
[15] **der Sportler, -s, -** = athlete.
[16] **überhaupt** = generally.

1. Hans hat seinen Freund Karl während der letzten zwei Wochen oft gesehen.
2. Karl hat sich beim Skilaufen erkältet.
3. Karl geht es jetzt schon wieder viel besser.
4. Hans hat seinen Freund Karl nach der Vorlesung bei der Universität getroffen.
5. Karl und Hans haben sich während der Vorlesung von Professor Meyer gut unterhalten.

11.52 Complete the following sentences:

1. Ich _____ meinen Freund Karl gestern um sechs Uhr getroffen.
2. Warum hat _____ seiner Mutter nicht gehorcht?
3. Nach der Vorlesung _____ die Schüler wieder nach Hause gegangen.
4. Wieso _____ du dich denn gestern abend erkältet?
5. Das _____ Kind _____ seiner Mutter nicht gehorcht.
6. Die zwei Freunde _____ sich sehr gut und lange unterhalten.
7. Gestern habe _____ von meiner Mutter einen Brief _____.
8. Gestern sind meine Freunde nach _____ gefahren.
9. Der Lehrer hat den _____ das _____ gezeigt.
10. Die Vorlesung _____ um acht Uhr angefangen.
11. Die Schüler _____ während der Vorlesung zum Fenster hinaus gesehen.
12. Wie lange hat die _____ denn wirklich gedauert?
13. Warum hat uns der _____ die _____ nicht erklärt?
14. Gestern _____ Herr Meyer nach Wien gefahren.
15. Die Stunde hat wie gewöhnlich um acht Uhr _____.
16. Gestern bin ich wie gewöhnlich um acht Uhr _____.
17. Die Vorlesung hat von drei Uhr bis vier Uhr _____.
18. Unser Deutschlehrer hat uns die Bildung (formation) des Partizips (participles) _____.
19. Ich habe meinen Freund Karl schon sehr lange nicht mehr _____.
20. Während der letzten Woche ist Karl nicht in der Schule _____.
21. Unser Lehrer hat unsere Aufgabe noch nicht _____.
22. Gestern haben wir alle Fragen unseres Lehrers sehr gut _____.

23. Der Lehrer hat sich wirklich sehr _____.
24. Er hat uns aus seinem Buch eine sehr interessante
    Geschichte _____.

11.53 After completing the sentences in 11.52, circle the finite verbs
and the predicate areas, i.e., past participle with adverbs, etc.
(see 11.24, parts 2 and 4).

12. The Simple Past ("Imperfect")

12.1 Gestern kam der Lehrer wie gewöhnlich um acht Uhr in die Klasse. Er öffnete die Tür, ging zu seinem Platz und setzte sich nieder. Wie gewöhnlich legte er seine Aktentasche auf den Tisch. Dann nahm er sein Buch und seine Zeitung aus der Tasche. Dann las der Lehrer der Klasse aus dem Buch eine kurze Geschichte vor.

Dann schrieben zwei Schüler die Aufgaben an die Tafel. Der Lehrer verbesserte die Aufgaben schnell. Am Ende der Stunde stellte der Lehrer viele Fragen an die Klasse, z.B.: „Wer in der Klasse ist je in Deutschland gewesen? Wer hat je einen deutschen Film gesehen?" Wir beantworteten die Fragen gut, und der Lehrer freute sich sehr.

12.2 The simple past tense (often referred to as the imperfect) is used in written standard German to denote past action. There are basically three ways of forming the imperfect:

1. Weak verbs form the imperfect by adding -*te*** to the stem (infinitive minus -*en*):

Infinitive	**Imperf.**
leg │ en │	leg │ te │

2. Strong verbs form the imperfect by a change in the stem vowel:

| g │ e │ ben | g │ a │ b |

---

* If the stem ends in *d, t,* or a consonant + *n,* -*ete* rather than -*te* is added:

| arbeiten | arbeitete |
| öffnen | öffnete |

3. Mixed (irregular) verbs undergo a change in the stem and add -*te*:

Infinitive	Imperf.
bringen	brachte
nennen	nannte

The endings that are added to the imperfect stem to form the various persons are:
   ich: (-), du: -st, er: (-), wir: -(e)n, ihr: -t, sie: (e)n.
Note the complete conjugation of the imperfect (simple past):

legen	*geben*	*bringen*
ich legte	ich gab	ich brachte
du legte st	du gab st	du brachte st
er legte	er gab	er brachte
wir legte n	wir gab en	wir brachte n
ihr legte t	ihr gab t	ihr brachte t
sie legte n	sie gab en	sie brachte n

The simple past of *haben* is *hatte*:

ich hatte	wir hatten
du hattest	ihr hattet
er hatte	sie (Sie) hatten

The simple past of *sein* is *war*:

ich war	wir waren
du warst	ihr wart
er war	sie (Sie) waren

12.3   Gestern stand Hans wie gewöhnlich um acht Uhr auf. Er wusch sich schnell und zog sich auch sehr schnell an.
Auf dem Weg zur Universität traf er Herrn Dr. Meier.
„Wie geht es Ihnen denn? Sie habe ich schon lange nicht mehr gesehen."
„Ja, während der letzten zwei Wochen war ich doch krank."
—„Wieso denn? Was fehlte Ihnen denn?"
„Ich erkältete mich beim Skilaufen und holte mir eine ganz schlimme Grippe. Aber jetzt geht es mir schon viel besser."
„Ja das freut mich. Wohin gehen Sie jetzt?"

„Zur Universität, natürlich."

Nach der Vorlesung unterhielt sich Hans noch lange mit Dr. Meier. Dr. Meier erzählte[1] Karl alles[2] über seinen Unfall.[3] Und Hans hörte ihm sehr aufmerksam zu.[4] Dr. Meier ist ja wirklich ein ganz interessanter Mann.

12.4 Change the following sentences from the compound past to the simple past, or vice versa, from the simple to the compound past. Cover the right-hand column before you start; check each answer before going on.

Robert hat viel Geld gehabt.	Robert hatte viel Geld.
Hans ist krank gewesen.	Hans war krank.
Ich habe das Buch auf den Tisch gelegt.	Ich legte das Buch auf den Tisch.
Wir haben viele Fragen an ihn gestellt.	Wir stellten viele Fragen an ihn.
Du bist um sechs Uhr in die Klasse gekommen.	Du kamst um sechs Uhr in die Klasse.
Wann haben Sie die Aufgaben verbessert?	Wann verbesserten Sie die Aufgaben?
Wir haben uns sehr gefreut.	Wir freuten uns sehr.
Ich bin um sieben Uhr aufgestanden.	Ich stand um sieben Uhr auf.
Ich habe mein Buch in die Schule gebracht.	Ich brachte mein Buch in die Schule.
Ich nahm das Buch aus der Tasche.	Ich habe das Buch aus der Tasche genommen.
Wir gaben unserem Freund das Geld.	Wir haben unserem Freund das Geld gegeben.
Hans zog sich schnell an.	Hans hat sich schnell angezogen.

---

[1] **erzählen** (w)* = to tell.
[2] **alles** = all.
[3] **der Unfall, -s, ⁔e** = accident.
[4] **ZUhören** (w) = to listen.
*Note that from now on all verbs will be listed in the following manner:
  1. Weak verbs: (w).
  2. Strong verbs: *geben* (*i, a, e*) to indicate the vowel used for the second (third) person singular in the present, the imperfect, and the past participle. Here, *du gibst, ich gab, ich habe gegeben.*
  3. Mixed verbs: The irregular forms will be specified; e.g., *bringen,* du *bringst,* imp. *brachte,* p.p., *gebracht.*

Ich hörte der Vorlesung aufmerksam zu.	Ich habe der Vorlesung aufmerksam zugehört.
Ich legte das Buch auf den Tisch.	Ich habe das Buch auf den Tisch gelegt.
Wir erzählten ihm eine Geschichte.	Wir haben ihm eine Geschichte erzählt.
Das Buch gehörte meinem Bruder.	Das Buch hat meinem Bruder gehört.
Die Vorstellung dauerte zwei Stunden.	Die Vorstellung hat zwei Stunden gedauert.
Gestern besuchte ich meinen Onkel.	Gestern habe ich meinen Onkel besucht.
Der Lehrer erklärte uns das Problem.	Der Lehrer hat uns das Problem erklärt.
Sie bewunderten das Buch.	Sie haben das Buch bewundert.
Hans gehorchte seinen Eltern.	Hans hat seinen Eltern gehorcht.
Hans zeigte seinen Eltern die Zeitung.	Hans hat seinen Eltern die Zeitung gezeigt.
Wir sagten unseren Eltern die Wahrheit.	Wir haben unseren Eltern die Wahrheit gesagt.
Die Eltern tadelten die Kinder.	Die Eltern haben die Kinder getadelt.
Der Lehrer erklärte uns das Buch.	Der Lehrer hat uns das Buch erklärt.
Der Student kehrte zur Universität zurück.	Der Student ist zur Universität zurückgekehrt.

12.5 (a) Complete the following sentences based on 12.3:

1. Hans stand um acht Uhr _____.
2. Hans _____ sich sehr schnell an.
3. Hans hat Dr. Meier schon zwei Wochen nicht _____.
4. Dr. Meier _____ sich beim Skilaufen.
5. Dr. Meier und Hans gingen (*imperf.* of gehen) zur _____.
6. Nach der Vorlesung _____ sich Dr. Meier lange mit Hans.

(b) Mark the following statements true or false according to 12.3:

1. Hans erzählte Dr. Meier eine lange Geschichte.
2. Hans hat sich gestern wieder erkältet.

3. Während der letzten zwei Wochen hatte Dr. Meier die Grippe.
4. Dr. Meier steht gewöhnlich nicht um sechs Uhr auf.
5. Karl hörte während der Vorlesung sehr aufmerksam zu.
6. Hans ist ein Student an der Universität.

12.51 Complete the following sentences:

1. Wir _____ das Buch auf den Tisch.
2. Du _____ mir eine Geschichte.
3. Wir _____ dir die Wahrheit.
4. Du _____ uns die Wahrheit _____.
5. Warum _____ die Kinder in die Schule?
6. Warum _____ die Kinder in die Schule _____?
7. Warum _____ der Lehrer die Aufgabe?
8. Warum _____ der Lehrer die Aufgabe _____?
9. Ich _____ meinem Freund das Buch.
10. Ich habe das Buch schon _____.
11. Ich _____ meinen Eltern viel Geld.
12. Wir _____ unseren Freunden viel Geld _____.
13. Warum _____ du um sechs Uhr _____?
14. Mein Freund _____ um sechs Uhr auf.
15. Mein _____ _____ letztes Jahr krank.
16. Wir _____ letztes Jahr krank _____.
17. Ihre Antwort _____ mich sehr.
18. Ihr Erfolg (success) _____ mich sehr _____.
19. Hans _____ sich sehr schnell an.
20. Wir _____ uns sehr schnell _____.
21. Warum hast du die Frag _____?
22. Wir _____ an unseren Lehrer viele Fragen.
23. Meine Arbeit dauerte zwei _____.
24. Unsere Vorstellung _____ drei Stunden _____.
25. Unser Lehrer _____ das Buch.
26. Er _____ uns das Buch _____.
27. Ich zeige _____ _____ das Buch.
28. Ich _____ meinem _____ das Buch _____.
29. Wir hörten der Vorlesung _____.
30. Wir haben der Vorlesung aufmerksam _____.
31. Während der Vorstellung haben wir uns gut _____.
32. Wir _____ uns während der Vorstellung sehr gut.
33. Robert _____ recht.
34. Du _____ recht _____.

13. Modal Auxiliaries:
können, müssen, wollen

13.1 Der Lehrer erklärt den Schülern den Gebrauch *(use)* der Zeitwörter *(verbs)*. Nur *(only)* Walter kann die Erklärung des Lehrers nicht verstehen: „Können Sie, bitte, die Erklärung wiederholen? *(repeat)*?" fragt Walter den Lehrer. „Nein, das *(that)* kann ich leider nicht", sagt der Lehrer. „Sie müssen in der Schule einfach mehr *(more)* arbeiten und mehr aufpassen. Warum lernen Sie denn Deutsch?" „Ich muß Deutsch lernen", sagt Walter, „ich will in die Universität gehen und Chemie studieren." „Und warum wollen Sie Deutsch lernen?" fragt der Lehrer den kleinen Karl (der kleine Karl ist der beste Schüler der ganzen Klasse). „Ich will überhaupt nicht Deutsch lernen", sagt Karl, „aber meine Eltern kommen aus Deutschland, und sie wollen es. Ich muß Deutsch lernen." „Ach so!" sagt der Lehrer.

13.2 The conjugation of the auxiliaries *können* (can), *müssen* (must), *wollen* (want to, wish) is the following:

Infinitive :	können	müssen	wollen
ich	kann	muß	will
du	kannst	mußt	willst
er, sie, es	kann	muß	will
wir	können	müssen	wollen
ihr	könnt	müßt	wollt
sie	können	müssen	wollen
Simple past :	konnte	mußte	wollte
Past part. :	gekonnt	gemußt	gewollt

Note that in the present tense the third person singular is

identical with the first person—no ending! (Cf. English, I can, he can.)

Observe that in the process of modification through the modal auxiliary, the auxiliary occupies the place of the finite verb, while the verb that is being modified moves as infinitive to the last position:

Ich spreche mit den Eltern des Schülers.
Ich muß mit den Eltern des Schülers sprechen.

Arbeitet Karl mit seinem Freund zusammen?
Will Karl mit seinem Freund zusammen arbeiten?

13.3
Heute is Sonnabend.[1] Am Sonnabend findet kein Unterricht statt,[2] und Hans will mit seinem Freund Karl einen kleinen Ausflug[3] machen. Hans hat kein eigenes[4] Telefon. Er muß in eine Fernsprechzelle[5] gehen und von dort seinen Freund anrufen.[6] Karls Mutter antwortet: „Hallo?"—„Hier bei Dampf." „Kann ich mit Karl sprechen?"—„Nein, er ist jetzt leider nicht zu Hause." „Kann ich eine Nachricht[7] hinterlassen?[8]" —„Wer ist am Apparat?" „Sein Freund, Hans Wagner." —„Also, Karl ist jetzt bei seinem Freund Franz. Ich glaube,[9] sie bereiten sich auf das Examen vor.[10] Sie können ihn unter der Nummer[11] 8546 erreichen."[12]

Hans ruft die Nummer an. Karl antwortet.—„Ja, Hans, wie geht es denn?" „Kannst du heute nachmittag[13] mit mir schwimmen[14] gehen?"—„Ausgeschlossen,[15] ich muß mich auf das Examen vorbereiten. Franz und ich wollen wirklich das

---

[1] **der Sonnabend, -s, -e** = Saturday (*lit.* Sunday eve).
[2] **findet ... statt: STATTfinden** = to take place.
[3] **der Ausflug, -s, ⸚e** = excursion.
[4] **eigen** = own.
[5] **die Fernspechzelle, -n** = telephone booth.
[6] **ANrufen (ie, u)** = to phone.
[7] **die Nachricht, -n** = message.
[8] **hinterlassen, (ä, ie, a)** = to leave behind.
[9] **glauben (w)** = to believe.
[10] **VORbereiten (w)** = to prepare for.
[11] **die Nummer, -n** = number.
[12] **erreichen (w)** = to reach.
[13] **der Nachmittag, -s, -e** = afternoon.
[14] **schwimmen (i, a, o)** = to swim.
[15] **ausgeschlossen** = impossible.

ganze Wochenende[16] zu Hause bleiben.[17] Diese Prüfung[18]
müssen wir bestehen!"[19]—„Also, das Examen ist natürlich
die Hauptsache.[20] Den Ausflug können wir ja auf das nächste[21]
Wochenende verschieben[22]—und viel Glück[23] bei der Prüfung!"

13.4 Complete the sentences with the correct form of the present
tense of *können, müssen, wollen, haben,* or *sein:*

1. Karl hat kein Geld. Er _____ nicht mit   kann
   seinem Freund ins Kino gehen.
2. Wir haben kein Geld. Wir _____ auch   müssen
   zu Hause bleiben.
3. Karl bleibt zu Hause. Er _____ seiner   will, muß
   Mutter einen Brief schreiben.
4. Erika _____ schon ihrer Mutter einen   hat
   Brief geschrieben.
5. Karl und Erika _____ gestern ins Kino   sind
   gegangen.
6. Karl und Erika _____ bei der Prüfung   wollen
   nicht durchfallen.
7. Der arme Hans _____ bei der Prüfung   ist
   gestern durchgefallen.
8. Hans und Karl _____ sehr schwer gear-   haben
   beitet.
9. Aber sie _____ das Buch des Herrn   können
   Professor Meyer nicht verstehen.
10. Warum _____ du gestern nachmittag   bist
    nicht schwimmen gegangen?
11. Karl ruft seinen Freund an. Er _____ mit   will
    ihm einen Ausflug machen.
12. Warum _____ ihr diese Erklärung nicht   könnt
    verstehen?

---

[16] **das Wochenende, -s, -n** = weekend.
[17] **bleiben (ei, ie, ie)** = to remain.
[18] **die Prüfung, -en** = examination.
[19] **bestehen (du bestehst, bestand, bestanden)** = to pass.
[20] **die Hauptsache** = main thing.
[21] **nächste** = next.
[22] **verschieben (ie, o, o)** = to postpone.
[23] **das Glück, -s** = (good) luck.

13.5 Mark the following sentences true or false according to 13.3:

1. Hans muß am Sonnabend immer zu Hause bleiben.
2. Hans hat seinen Freund von einer Fernsprechzelle angerufen.
3. Karls Mutter hat Karl eine Nachricht hinterlassen.
4. Franz und Karl müssen sich auf eine wichtige Prüfung vorbereiten.
5. Hans will mit seinem Freund schwimmen gehen.
6. Franz kann leider nicht schwimmen.
7. Karl will am Wochenende mit seiner Freundin ins Kino gehen.
8. Die Freunde müssen den Ausflug auf das nächste Wochenende verschieben.
9. Franz hat bei der Prüfung kein Glück gehabt.
10. Karl hat die Prüfung leider nicht bestanden.

13.51 Complete the following paragraph based on 13.3:

Am Sonnabend wollte Hans seinen Freund _____. Er mußte in eine Fernsprechzelle _____. Karls _____ antwortete. Karl war leider nicht _____. Er war bei seinem _____. Die beiden (*both*) Freunde bereiteten sich auf eine _____. Karl und Franz konnten deshalb (*therefore*) mit ihrem Freund nicht _____. Die Freunde mußten deshalb ihren Ausflug auf das nächste Wochenende _____.

13.52 Complete the following sentences:

1. Wir haben die Erklärungen des Lehrers nicht _____.
2. Die Schüler _____ die Erklärungen leider nicht verstehen.
3. Sie _____ jetzt mehr arbeiten.
4. Robert _____ nicht Deutsch lernen.
5. Robert _____ mit seiner Schwester ins Kino gegangen.
6. Roberts Schwester _____ gut Deutsch gelernt.
7. Er wollte mit seiner Freunden ins Kino _____.
8. Hans _____ seinem Freund nicht zuhören.
9. Karl _____ die Prüfung leider nicht bestanden.
10. Karl _____ bei der Prüfung durchgefallen.
11. Mein Freund _____ mir nicht zuhören.

12. In der Stunde _____ man sehr aufmerksam zuhören.
13. In Deutschland _____ man sehr schnell Deutsch lernen.
14. In Deutschland _____ Robert sehr schnell Deutsch gelernt.
15. Warum _____ Sie nicht Deutsch gelernt?
16. Warum _____ Sie nicht Deutsch lernen?
17. Robert _____ immer mit seinem Freund am Samstag ins Kino gegangen.
18. Robert _____ immer mit seinem Freund am Samstag ins Kino gehen.
19. Warum kannst du die Aufgabe nicht _____?
20. Warum hast du die Aufgabe nicht _____?
21. Karl _____ sich mit seinem Freund gestern sehr lange unterhalten.
22. Wir _____ uns über seinen Erfolg (success) wirklich sehr gefreut.
23. Uber seinen Erfolg _____ man sich nur freuen.
24. Robert _____ sein Buch in die Schule bringen.
25. Robert _____ sein Buch in die Schule gebracht.
26. Wir wollten mit unserem Freunde schwimmen _____.
27. Wir sind mit unserem Freunde schwimmen _____.
28. Wir konnten den Erfolg unseres _____ wirklich nicht verstehen.
29. Wir _____ den Erfolg dieses Buches nie verstanden.
30. Du _____ deinen Ausflug auf nächsten Montag verschieben.
31. Wir _____ die Prüfung auf die nächste Woche verschoben.
32. _____ Sie meinem Freund eine Nachricht hinterlassen? Ich _____ ihn jetzt leider nicht erreichen.

14. Modal Auxiliaries:
dürfen, mögen, sollen
Similar Modal Constructions

14.1 Hans war letzte Woche krank. Er hatte die Grippe und mußte im Bett bleiben. Jetzt geht es ihm schon viel besser. Er darf jetzt schon aufstehen und in der Wohnung herumgehen (walk around). Hans möchte nicht zu Hause bleiben. Er möchte gern wieder in die Schule gehen. Jedoch (yet) der Arzt (doctor) läßt ihn noch nicht in die Schule gehen. Hans geht dann ohne die Erlaubnis (permission) des Arztes in die Schule. Das soll er ja eigentlich nicht machen, aber Hans will die Deutschstunden nicht versäumen (miss).

Günter ist jetzt auch nicht in der Schule. Warum ist er wohl abwesend (absent)? Niemand weiß (knows) es. Er soll krank sein. Seine Eltern sollen angeblich (allegedly) auch krank sein. Gestern sah (saw) man ihn mit seiner Freundin ins Kino gehen. Weder Günter noch (weder...noch = neither ...nor) seine Eltern sind krank. Günter ist faul (lazy) und will nicht in die Schule gehen. Er will die Aufgabe nicht machen und möchte lieber (rather) zu Hause bleiben oder sich gut unterhalten.

14.2 Note the conjugation of the following modal auxiliaries:

Infinitive:	dürfen	mögen	sollen
ich	darf	mag	soll
du	darfst	magst	sollst
er, sie, es	darf	mag	soll
wir	dürfen	mögen	sollen
ihr	dürft	mögt	sollt
sie	dürfen	mögen	sollen
Simple Past:	durfte	mochte	sollte
Past Part.:	gedurft	gemocht	gesollt

14.21 The basic meaning of *dürfen* is "may," "to be permitted."
E.g., *Darf man hier rauchen?* (Is it permitted to smoke here?)

The basic meaning of *mögen* is "to like" or "desire." *Ich mag Kuchen nicht* (I don't like cake.) It is often used to express supposition: *Er mag recht haben* (He may be right). The imperfect subjunctive of *mögen* (to be discussed in Section 27.3), *möchte* (*du möchtest, er möchte, wir möchten, ihr möchtet, sie möchten*) is a very frequently used form in the meaning of "I would like": *Ich möchte hier bleiben.* The word *gern* (gladly) is often added: *Ich möchte gern ein Glas Wasser* (I would like a glass of water).

The basic meaning of *sollen* is "to be obliged": *Er soll jetzt arbeiten.* (He should work now.) *Sollen* is also used to express supposition: *Er soll sehr intelligent sein.* (He is supposed to be very intelligent.)

14.22 Note that in German (just as in English) certain verbs like *lassen, sehen, hören, lernen,* etc. are used with the infinitive of another verb in a construction which resembles the modification by a modal auxiliary.

Modals: I can speak = Ich kann sprechen.
With *lassen*:   I let him speak = Ich lasse ihn sprechen.
With *sehen*:   Ich sehe Robert mit seinem Freund sprechen.

The idea of having something done for oneself is expressed with *lassen*, thus: *Ich lasse* meine Schuhe reparieren = *I'm having* my shoes repaired.

14.3 Hans möchte diesen Samstag abend gern ins Kino gehen. Zuerst[1] ruft er seine Freundin Erika an. Erika hat leider keine Zeit. Dann ruft er Paula an. Paula ist ein hübsches[2] und nettes Mädel.[3] Paula hat Zeit und keine andere Verabredung.[4] „Ja, wohin gehen wir denn?" fragt sie. „Ins Neue Kino",[5] sagt Hans. „Der neue schwedische[6] Film soll

---

[1] **zuerst** = first.
[2] **hübsch** = pretty.
[3] **das Mädel, -s, -** = girl.
[4] **die Verabredung, -en** = date, appointment.
[5] **das Neue Kino** = the New Theater (*proper name*).
[6] **schwedisch** = Swedish.

wirklich ganz ausgezeichnet[7] sein." „Ach, das ist ja ein
ernster[8] Film! Ich habe Lustspiele[9] viel lieber."[10] „Vielleicht
können wir in ein anderes Kino gehen. Im Kino in der
Schmidtstraße[11] gibt es ein Lustspiel." Natürlich entscheiden[12]
sich Hans und Paula für das Lustspiel.

Hans hat leider kein Auto. Er ruft seinen Freund Karl an.
Karls Eltern haben ein schönes Auto, und Karl darf es
gewöhnlich benutzen.[13] „Diesen Sonnabend gehen Paula und
ich ins Kino in der Schmidtstraße. Vielleicht wollt ihr, Elsa
und du, auch mitkommen?"—„Ja, das ist eine ausgezeichnete
Idee",[14] sagt Karl. „Aber den Wagen darf ich leider nicht
benutzen."—„Warum denn nicht?"—„Letzte Woche hatte
ich einen kleinen Unfall. Jetzt gehe ich also zu Fuß[15]
—oder fahre mit der Straßenbahn.[16] Am Sonnabend gehen
Hans, Paula, Karl und Elsa ins Kino—fahren nicht im
Wagen, sondern mit der Straßenbahn. Der Film ist wirklich
ausgezeichnet.

14.4 Complete the following sentences with the correct form of
dürfen, mögen, sollen, lassen, haben, or *sein*:

1. Das Lustspiel _____ sehr interessant   soll
   sein.
2. Wir _____ heute nicht ins Kino gehen.   dürfen, sollen
3. Robert _____ heute um acht Uhr auf-   ist
   gestanden.
4. Der Arzt _____ Robert heute noch nicht   läßt
   aufstehen.
5. Karl _____ gern mit seinem Freund   möchte
   einen Ausflug machen.
6. Den Jungen _____ ich leider nicht.   mag

---

[7] **ausgezeichnet** = excellent.
[8] **ernst** = serious, sad.
[9] **das Lustspiel, -s, -e** = comedy.
[10] **lieber . . . haben** = to prefer. **Ich habe Wein lieber** = I prefer wine. (**Note that**
lieber haben *functions like a separable prefix verb.*)
[11] **Schmidtstraße** = Schmidt Street (*proper name*).
[12] **sich entscheiden (ei, ie, ie)** = to decide upon, choose.
[13] **benutzen** (w) = to use.
[14] **die Idee, -n** = idea.
[15] **zu Fuß** = on foot.
[16] **die Straßenbahn, -en** = streetcar, trolley.

7. Frau Schmidt _____ ihre Tochter nicht   läßt
   mit Karl ins Kino gehen.

8. Wir _____ Sie nicht zu Fuß in die   lassen
   Schule gehen.

9. Wir _____ die Antwort leider nicht   haben
   verstanden.

10. Ein Schüler _____ immer seine Auf-   soll
   gaben machen.

11. Während der Klasse _____ man sich   darf, soll
   nicht unterhalten.

12. Mein Freund _____ gern Kaffee, ich   mag
   _____ Schokolade (chocolate) lieber.   habe, mag

13. Meine Kinder _____ mich zu Hause   lassen
   nicht arbeiten.

14. Wann _____ ich wieder ins Kino gehen?   darf, soll

15. Wir _____ gern ein schönes Buch   möchten
   kaufen.

14.5 Mark the following sentences true or false according to 14.3:

1. Erika möchte gern mit Hans ins Kino gehen.
2. Hans möchte gern mit dem Auto zum Kino fahren.
3. Karl darf leider das Auto seiner Eltern nicht benutzen.
4. Hans hat Lustspiele viel lieber als (than) ernste Filme.
5. Karls Freundin heißt Elsa.
6. Karl hatte letzte Woche einen Unfall.
7. Hans und Karl müssen ohne ihre Freundinnen ins Kino gehen.
8. Hans will nicht mit Erika ins Kino gehen.

14.51 Complete the paragraph below based on 14.3:

Erika _____ leider nicht am Sonnabend mit Hans ins Kino
gehen. Sie _____ eine andere Verabredung. Hans _____
gern einen schwedischen Film sehen. Seine Freundin Paula
_____ Lustspiele lieber. Hans _____ den Wagen seines
Freundes Karl benutzen. Aber Karl _____ letzte Woche
einen Unfall und _____ nicht den Wagen haben. Deshalb
_____ Karl und Hans mit der Straßenbahn zum Kino fahren.

14.52 Complete the following sentences:

1. Wir _____ den Wagen unserer Eltern nicht benutzen.
2. Mein Freund _____ gern zu Hause bleiben.
3. Die Lehrerin _____ mir jetzt die Wahrheit sagen.
4. Ich _____ gern ein hübsches Mädel sehen.
5. Ich _____ meinem Freund meine Aufgaben schreiben.
6. Karl _____ ein sehr interessanter Mann sein.
7. Du _____ deine Klasse heute nicht versäumen.
8. Wir _____ heute um acht aufgestanden.
9. Heute _____ ich um acht aufstehen.
10. Im Kino möchte ich mich gut _____.
11. Im Kino _____ ich einen schönen Film gesehen.
12. Hier _____ man nicht rauchen.
13. Robert _____ angeblich ein sehr guter Schüler sein.
14. Seine Eltern _____ sehr viel Geld haben.
15. Gestern sah ich _____ mit seiner Freundin ins Kino gehen.
16. Gestern hörte ich den Lehrer ein deutsches Gedicht _____.
17. Der Arzt ließ meinen Freund gestern _____.
18. Meine Eltern _____ mich leider nicht das Auto benutzen.
19. Mein kleiner Bruder _____ mich zu Hause einfach nie arbeiten.
20. Gestern _____ ich meinen Freund mit meinem Onkel sprechen.
21. Gestern hörte ich meinen Vater mit meiner Tante _____.
22. Du _____ jetzt nicht zu Hause bleiben.
23. Du _____ gestern mit deiner Schwester zu Hause geblieben.
24. Du bliebst gestern mit deinen Eltern _____ _____.
25. Zu Hause _____ ich mit meinen Eltern nicht geblieben.
26. Zu Hause _____ ich leider nicht bleiben.

15. Use of the Infinitive

15.1   Günter Wanger studiert an der Handelsakademie (*business college*). Gestern kam Günter wieder zum College (*lecture, class*). „Ja, wo waren Sie denn letzte Woche?" fragte der Dozent (*lecturer*). „Ich war wirklich krank und durfte nicht in die Schule gehen."—„Und wo sind Ihre Aufgaben?" „Ich hatte wirklich keine Zeit, die Aufgaben zu machen." —„Aber Sie hatten scheinbar (*apparently*) Zeit ins Kino zu gehen. Warum kommen Sie denn überhaupt (*anyway*) in meine Stunde?" „Ich komme her, um (*in order to*) Französisch zu lernen." „Warum beginnen (*begin*) Sie nicht zu arbeiten? Französisch ist schwer. Sie müssen lernen und arbeiten, anstatt ins Kino zu gehen. Es ist ganz ausgeschlossen (*impossible*), bei mir eine gute Zensur (*mark*) zu bekommen, ohne zu arbeiten. Ich rate (*advise*) Ihnen, die versäumte Arbeit sofort nachzuholen (*make up*)."
Heute kommt Günter wieder in die Stunde. „Beginnen Sie, bitte, Ihre Aufgabe vorzulesen", sagt der Dozent. „Ich habe vergessen (*forgotten*), meine Aufgabe zu machen", antwortet Günter. Der Dozent ist jetzt wütend. „Sie brauchen (*need*) wirklich nicht mehr in meine Stunde zu kommen."

15.2 The infinitive which depends on a modal auxiliary is used without preposition (see 13 and 14). However, the infinitive depending on other verbs or expressions is used with the preposition *zu*:

> Ich beginne, mit meinem Freund *zu* arbeiten.
> Es ist sehr schwer, mit meinem Freund *zu* arbeiten.

15.21 Note that with separable prefix verbs the preposition *zu* is placed between the separable elements, while with nonseparables it must precede the two elements of the verb:

Es ist leicht, das Wort zu vergessen.
But: Es ist schwer, um sechs Uhr AUFzustehen.

15.22 Note the position of the infinitive—at the end of the clause for which it is the verb.

Jetzt spreche ich Deutsch mit meinem Lehrer.
Ich hoffe jetzt mit meinem Lehrer Deutsch *zu sprechen.*

15.23 Note also that German uses the infinitive (1) as a neuter noun: (*das*) *Singen ist eine Kunst* = Singing is an art; and (2) after prepositions: *ohne zu arbeiten,* (*an*)*statt zu arbeiten,* etc.

15.3 Nach der Vorlesung trifft Hans seinen alten Freund Karl. Karl scheint[1] ausgezeichneter Laune[2] zu sein. „Du scheinst ja wirklich glücklich[3] zu sein", sagt Hans.—„Und warum soll ich denn traurig[4] sein?" antwortet[5] Hans. „Meine Eltern haben mir wieder erlaubt,[6] den Wagen zu benutzen. Heute nachmittag fahre ich mit Elsa schwimmen. Hast du auch Zeit, schwimmen zu gehen? Warum lädst[7] du nicht Paula ein, mit uns zu kommen?"

Hans hat weder Geld noch[8] Zeit, schwimmen zu gehen. Außerdem[9] kennt[10] er Paula nicht gut genug, um sie schon wieder einzuladen. Er entscheidet sich, die Einladung[11] abzulehnen.[12] „Es tut mir wirklich sehr leid",[13] sagt er, „aber morgen habe ich eine sehr wichtige Prüfung, und ich kann sie nicht bestehen, ohne mich gründlich[14] vorzubereiten.[15]

---

[1] **scheinen (ei, ie, ie)** = to seem.
[2] **die Laune, -n** = mood; **ausgezeichneter Laune sein** = be in a good mood.
[3] **glücklich** = happy.
[4] **traurig** = sad, unhappy.
[5] **antworten (w)** = to answer.
[6] **erlauben (w)** = to permit, allow.
[7] **EINladen (ä, u, a)** = to invite.
[8] **weder . . . noch** = neither . . . nor.
[9] **außerdem** = besides.
[10] **kennen** = to know, be acquainted with; **wissen** = to know something factually.
[11] **die Einladung, -en** = invitation.
[12] **ABlehnen (w)** = to decline.
[13] **Es tut mir leid** (*idiom*) = I am sorry. **Es freut mich** = I am glad.
[14] **gründlich** = thoroughly.
[15] **VORbereiten (w)** = to prepare.

Vielleicht können wir nächste Woche schwimmen gehen."
—„Das tut mir leid", sagt Karl, „aber ich hoffe, dich und
Paula bald[16] wiederzusehen.[17]

15.4 Complete the following sentences with the correct form of
können, hoffen, haben, sein, or *schreiben:*

1. Robert _____ mit seinem Freund heute nicht arbeiten.	kann
2. Wir _____ heute mit unserem Freund zu arbeiten.	hoffen
3. Warum _____ Robert gestern mit seinem Freund nicht gearbeitet?	hat
4. Sie _____ die Arbeit in zwei Stunden nachholen.	können, kann
5. Hans _____ gestern mit seinem Vater nach Berlin abgereist.	ist
6. Hans _____ morgen mit seiner Mutter nach Deutschland abreisen.	kann
7. Du _____, nächste Woche mit deinem Onkel nach Paris abzureisen.	hoffst
8. Jetzt kann man nur noch _____.	hoffen
9. Robert kann jetzt schon sehr gut Deutsch _____.	schreiben
10. Wir hoffen unseren Eltern bald einen Brief _____.	zu schreiben
11. Wir haben unserem Lehrer gestern einen Brief _____.	geschrieben
12. Ich _____ meinen Eltern heute nicht.	schreibe
13. Hans _____, morgen in Berlin anzukommen.	hofft
14. Wir _____, diese Arbeit morgen nachzuholen.	hoffen
15. Ich _____, morgen nicht mehr krank zu sein.	hoffe
16. Robert _____ recht haben.	kann
17. Wir _____ uns auf diese Prüfung gut vorbereitet.	haben

---
[16] **bald** = soon.
[17] **WIEDERsehen (ie, a, e)** = to see again.

18. Wir _____ uns auf diese Prüfung vor-   können
    bereiten.
19. Wir _____, uns auf diese Prüfung gut   hoffen
    vorzubereiten.
20. Ich _____, morgen mit deiner Mutter   hoffe
    zu sprechen.
21. Es _____ schwer, in zwei Wochen   ist
    Deutsch zu lernen.
22. In zwei Wochen _____ man nicht   kann
    Deutsch lernen.
23. Ich _____ meine Freunde zum (zu +   kann
    dem) Abendessen einladen.
24. Robert _____ diese Prüfung bestanden.   hat
25. Robert _____, diese Prüfung zu be-   hofft
    stehen.

15.5 Mark the following statements true or false according to 15.1:

1. Günter war letzte Woche sehr krank.
2. Günter ging ins Kino, anstatt seine Aufgabe zu machen.
3. Günter arbeitet sehr viel, um seine Prüfungen zu bestehen.
4. Günter kann in Deutsch ganz sicher eine gute Zensur bekommen.
5. Günter bleibt zu Haus, um die versäumte Arbeit nach-zuholen.
6. Der Dozent vergißt, Günter die Aufgabe vorzulesen.

15.51 Mark the following statements true or false according to 15.3:

1. Karl darf den Wagen der Eltern jetzt wieder benutzen.
2. Hans möchte gern mit Elsa schwimmen gehen.
3. Hans hofft, Paula zum Abendessen einzuladen.
4. Hans entscheidet sich, mit Karl und Elsa nicht schwimmen zu gehen.
5. Hans muß arbeiten, um bei seiner Prüfung nicht durch-zufallen.
6. Es tut Karl leid, ohne Hans schwimmen zu gehen.

15.52 Complete the following sentences:

1. Ich habe kein Geld, um mit Ihnen ins Theater _____
   _____.

2. Ich kann jetzt leider nicht mit Ihnen ins Theatre _____.
3. Wir _____, sie bald wiederzusehen.
4. Ich _____, ihre Schwester morgen im Theater zu sehen.
5. Ich _____ ihre Mutter morgen in der Schule sehen.
6. Ich _____ ihre Mutter gestern in der Schule gesehen.
7. Robert scheint immer recht zu _____.
8. Er _____ sehr traurig zu sein.
9. Er _____ jetzt sehr krank sein.
10. Er _____ letzte Woche sehr krank gewesen.
11. Meine Eltern _____ mir nicht, heute abend ins Theater zu gehen.
12. Morgen _____ ich eine sehr wichtige Prüfung bestehen.
13. Ich _____, die Prüfung zu bestehen.
14. Man kann keinen Erfolg haben ohne zu _____.
15. Hans unterhält sich, anstatt zu _____.
16. Wir haben genug _____, um heute abend wieder mit unseren Freunden ins Kino zu gehen.
17. Robert _____, heute abend mit seiner Freundin wieder ins Theater zu gehen.
18. Hans _____, heute abend mit seiner Freundin ins Kino gehen.
19. Hans _____ gestern abend mit seinem Bruder wieder schwimmen gegangen.
20. Es tut mir sehr leid, die Einladung wieder _____.
21. Sie _____ meine Einladung leider wieder abgeschlagen.
22. Robert hofft, seine Eltern nächste Woche in Berlin _____.
23. Robert _____ seine Eltern letzte Woche in Berlin wiedergesehen.
24. Wir _____, unsere Freunde nächste Woche in Leipzig wiederzusehen.
25. Meine Eltern erlaubten mir, heute abend mit meinem Freund ins Theater _____ _____.
26. Robert vegißt, sich für seine Prüfung _____.
27. Robert _____, sich auf die Prüfung sehr gründlich vorbereiten.
28. Robert hat sich auf die Prüfung sehr gründlich _____.

16. The Future Tense

16.1 Morgen ist ein Feiertag *(holiday)*. „Also, was werden Sie denn morgen machen?" fragt der Dozent. „Ich werde mit meinen Eltern einen Ausflug machen", sagt Günter.—"Und Sie, was haben Sie denn vor *(what are you planning)*?"— „Ich werde zu Hause bleiben und an meinem Auto arbeiten", sagt Karl.—„Das ist keine so schlechte *(not such a bad)* Idee! Und Sie, warum wollen Sie denn nicht zu Hause bleiben und arbeiten?" fragt der Dozent Günter.—„Ich werde doch auf jeden Fall *(in any case)* durchfallen."—„Ja, da haben Sie vielleicht recht", antwortet der Dozent. „Aber Sie sollen trotzdem *(nevertheless)* arbeiten. Nur durch *(through)* Arbeit wird man glücklich." Das ist ja möglich *(possible)* denkt *(thinks)* Günter; aber ich werde versuchen *(try)* durch Faulheit *(laziness)* glücklich zu werden.

16.2 The future tense is formed with the verb *werden*. It functions basically in the same way as the modal auxiliaries (see 13, 14). The finite verb to which the future modification is applied is replaced by the auxiliary *werden* and moves as infinitive to the end of the (main) clause.

> Ich *spreche* mit meinem Freund.
> Ich *werde* mit meinem Freund *sprechen*.
>
> Ich *kann* mit meinem Freund *sprechen*.
> Ich *werde* mit meinem Freund *sprechen können*.

Note that, in example 2, what basically happens is that *sprechen* retains its place and *kann*, the finite verb, moves as infinitive to the end of the sentence.

16.21 The forms of werden are:

Present :	ich werde	wir werden
	du wirst	ihr werdet
	er, sie, es wird	sie werden
Simple Past :	ich wurde	
Past Participle :	geworden	

16.22 Note the following:

(a) The basic meaning of *werden* is "to become," "to undergo a change." Thus it can be used with an adjective:

> Heute werde ich ganz sicher krank.
> *(Today I'll surely get sick.)*

(b) Do not confuse German *werden* and *wollen*! *Werden* is used for the formation of the future. *Wollen* (unlike English "will") expresses only volition. *Ich will mit meinem Freund sprechen* = I want to speak with my friend. *Ich werde mit meinem Freund sprechen* = I am going to speak with my friend.

(c) Colloquial German—just like colloquial English—tends to use the present with a future time expression (e.g., "tomorrow") instead of the future tense:

> Morgen fahre ich weg.
> *(I am leaving tomorrow.)*

16.3 Morgen ist Sonntag. Hans ruft seinen Freund Karl an: „Was willst du denn morgen machen? Können wir zusammen vielleicht einen kleinen Ausflug machen?"—„Ausgeschlossen. Hast du denn die Wettervorhersage[1] nicht gehört? Morgen nachmittag wird es doch regnen."[2]—„Vielleicht wird es sogar schneien."[3]—„Im September?—Mach keinen Spaß![4] Die Wettervorhersage hat immer recht."—„Unsinn![5] Willst du wetten?[6] Morgen machen wir einen Ausflug, und wir

---

[1] **die Wettervorhersage, -n** = weather forecast; **das Wetter** = weather; **die Vorhersage** = forecast. (Note that a compound noun takes the gender of its last element.)

[2] **regnen** (w) = to rain.

[3] **schneien** (w) = to snow.

[4] **der Spaß, -es, ⸚e** = joke; **Spaß machen** = to joke.

[5] **der Unsinn, -s, -e** = nonsense.

[6] **wetten** (w) = to bet.

werden sicher nicht naß werden."[7]—„Also gut. Ich werde dich um elf Uhr abholen."[8] Am nächsten Tag machen unsere Freunde ihren Ausflug. Um drei Uhr nachmittags beginnt es zu donnern[9] und zu blitzen.[10] Die Wettervorhersage hat doch recht gehabt, und unsere beiden Freunde sind doch sehr naß geworden!

16.4 Complete the sentences below with the correct form of *haben, sein, werden,* or *beginnen*:

1. Robert _____ krank zu werden.	beginnt
2. Wir _____ krank geworden.	sind
3. Warum _____ du in die Schule gegangen?	bist
4. Wann _____ du wieder mit deiner Freundin ins Kino gehen?	wirst
5. Wann wirst du mit deiner Aufgabe _____?	beginnen
6. Warum _____ du mit dem Mann nicht gesprochen?	hast
7. Der Lehrer _____ mit deiner Mutter sprechen.	wird
8. Gestern _____ es sehr viel geregnet.	hat
9. _____ es morgen wirklich schneien?	wird
10. Ihr _____ mit eurem Freund einen kleinen Ausflug machen.	werdet
11. Er _____ ganz sicher krank werden.	wird
12. Er _____ gestern krank geworden.	ist
13. Jetzt _____ es zu regnen.	beginnt
14. Wir _____, unseren Freunden ein Gedicht vorzulesen.	beginnen
15. Wir _____ unseren Freunden eine Geschichte vorlesen.	werden
16. Wir _____ den Schülern den Brief vorgelesen.	haben

16.5 Mark the following statements true or false according to 16.1:

1. Günter möchte gern zu Hause bleiben, um zu arbeiten.
2. Karl wird sich während der Feiertage auf die Prüfung vorbereiten.

---

[7] **wir werden . . . naß werden** = we are going to get wet.
[8] **abholen** (w) = to call for, pick up.
[9] **donnern** (w) = to thunder.
[10] **blitzen** (w) = to lighten.

3. Günter will nicht durchfallen.
4. Günter wird durchfallen.
5. Günter will versuchen, durch Arbeit glücklich zu werden.
6. Günter scheint ein sehr fauler Schüler sein.

16.51 Mark the following statements true or false according to 16.3:

1. Hans möchte gern mit seinem Freund einen Ausflug machen.
2. Hans glaubt der Wettervorhersage nicht.
3. Am Sonntag hat es geschneit.
4. Karl will am Sonntag wirklich nicht naß werden.
5. Karl hat seinen Freund um elf Uhr abgeholt.
6. Nach der Wettervorhersage sollte es am Sonntag regnen.

16.52 Complete the following sentences:

1. Karl _____ jetzt wieder gesund.
2. Hans _____ gestern krank geworden.
3. Morgen _____ wir mit unseren Freunden einen kleinen Ausflug machen.
4. Gestern _____ Sie mit meinem Lehrer gesprochen.
5. Günter _____ sicher eine sehr gute Zensur bekommen.
6. Robert _____, der Wettervorhersage zuzuhören.
7. Wir _____ der Wettervorhersage nicht zugehört.
8. Gestern _____ es geschneit und geregnet.
9. Jetzt _____ es wieder zu regnen.
10. Gestern _____ wir wirklich ganz naß geworden.
11. Du _____ mich morgen um zehn Uhr von meiner Wohnung abholen.
12. Er _____ sie gestern abend um sechs Uhr abgeholt.
13. Robert _____, seinen Freund mit dem Wagen abzuholen.
14. Morgen werden wir im Wagen unseres Freundes einen Ausflug _____.
15. Gestern habe ich mit dem Onkel meines Freundes einen schönen Ausflug _____.
16. Ich habe vor, mit meiner Freundin einen langen Ausflug _____ _____.
17. Die Kinder _____ sicher krank werden.
18. Die Kinder _____ leider sehr krank geworden.
19. Das Kind _____ jetzt krank zu werden.
20. Nur durch die Arbeit _____ man glücklich werden.

17. Interrogative Pronouns and Adjectives

17.1 Der Dozent erklärt sorgfältig *(carefully)* den Gebrauch *(usage)* der Fragefürwörter *(interrogative pronouns)*: „Welches Fürwort verwenden *(use)* wir, um nach dem Nominativ zu fragen?"—„Wer oder was", sagt Helmut.—„Und wie fragen wir nach dem Genitiv?" fragt der Dozent Oskar. Oskar versteht die Frage nicht. „Welches Fürwort verwendet man?" Jetzt begreift *(understands)* Oskar. „Natürlich, wir verwenden das Fürwort wessen."—„Und mit welchem Fürwort fragt man nach dem Dativ? Wissen Sie die Antwort, Herr Wanger?" Günter schaut zum Fenster hinaus. „Woran denken Sie jetzt? Wozu kommen Sie denn her? Was für ein Mensch *(person)* sind Sie denn? Wonach habe ich gefragt?" Günter kann keine der Fragen beantworten. Er denkt nicht an den Dozenten, er denkt nicht an die Fragefürwörter. Woran oder an wen denkt er? Vielleicht *(may be)* an seine Freundin, vielleicht an das Fußballspiel *(football game)*. Wer weiß *(knows)*?

17.2 The interrogative pronouns are *wer* (asking for persons) and *was* (asking for things, animals, etc.). The forms of *wer* and *was* are summarized below.

Nominative	wer	was
Genitive	wessen	
Dative	wem	
Accusative	wen	was

Note, however, the following:

(a) In standard German *was* is not used with prepositions. (The usage is possible in substandard colloquial speech.) Instead, *wo* is used.

(b) The preposition is combined with the pronoun and put after it.

(c) If the preposition begins with a vowel, -r- is interpolated between the preposition and *wo*.

Ich schreibe mit einem Bleistift.

| Womit | schreibe ich?

Ich denke an meine Aufgabe.

| Woran | denke ich?

17.21 The most common interrogative adjectives are *was für ein* (declined like *ein*-words) and *welcher* (declined like *der*-words). A complete declension of *welcher* is given below.

Sing.	Masc.	Fem.	Neut.
Nom.	welcher Mann	welche Frau	welches Kind
Gen.	welches(n) Mannes	welcher Frau	welches(n) Kindes
Dat.	welchem Mann	welcher Frau	welchem Kind
Acc.	welchen Mann	welche Frau	welches Kind
Pl.			
Nom.	welche Männer	welche Frauen	welche Kinder
Gen.	welcher Männer	welcher Frauen	welcher Kinder
Dat.	welchen Männern	welchen Frauen	welchen Kindern
Acc.	welche Männer	welche Frauen	welche Kinder

17.3. Nach der Vorlesung trifft Hans seinen Freund Karl: „Hör mal! Kannst du mich schnell in die Marienstraße fahren? Ich muß um zwei Uhr beim[1] Zahnarzt[2] sein. Ich habe letzte Woche eine Füllung[3] verloren[4] und möchte sie mir ersetzen[5] lassen; sonst[6] bekomme[7] ich ja sicher schreckliche[8] Zahnschmerzen."[9]

---

[1] **beim** = **bei** + **dem**.

[2] **der Zahnarzt, -es, -e** = dentist.

[3] **die Füllung, -en** = filling.

[4] **verlieren (ie, o, o)** = to lose.

[5] **ersetzen** (w) = to replace. (Note here the use of *ersetzen* with *lassen*. *Ich möchte sie mir ersetzen lassen* = I would like to have it replaced.)

[6] **sonst** = otherwise.

[7] **bekommen** = to get, receive.

[8] **schrecklich** = terrible.

[9] **die Zahnschmerzen** (*pl.*) = toothache.

„Ja gern",[10] sagt Karl. Die Freunde gehen zum Parkplatz.[11] Karl steigt in einen alten grauen[12] Volkswagen ein.[13] „Donnerwetter![14] Das ist ja gar nicht[15] dein Wagen. Wessen Wagen ist denn das? Wem gehört denn der Wagen? Wo ist denn dein Mercedes? Haben deine Eltern ihn vielleicht gegen den Volkswagen eingetauscht?"[16]—„Mach doch keinen Spaß! Den Wagen haben wir von der Garage (aus)-geborgt.[17] Gestern hatte meine Mutter mit dem Mercedes einen kleinen Unfall. Nichts Gefährliches.[18] Aber wir brauchen jetzt einen neuen Kotflügel.[19] Die Reparatur[20] wird drei Tage dauern.[21] Inzwischen leiht[22] uns die Garage den Volkswagen. Wirklich nett von den Leuten,[23] was?"—„Ja ich weiß,[24] die Leute sind furchtbar[25] nett. Letzte Woche hatte Erika eine Reifenpanne,[26] und sie haben den Wagen geholt[27] und alles in zehn Minuten repariert.[28] Aber jetzt muß ich wirklich zum Zahnarzt. Bei Dr. Mertens muß man pünktlich[29] sein oder zwei, drei Stunden warten."

17.4 Supply the correct form of the appropriate interrogative pronoun (*wer, was*) or of the interrogative adjective *welcher:*

1. Mit _____ spricht der Junge?   wem
2. _____ mit schreiben Sie den Brief?   wo(mit)

---

[10] **gern** = gladly.

[11] **der Parkplatz, -es, ⁼e** = parking lot.

[12] **grau** = gray.

[13] **EINsteigen (ei, ie, ie)** = to get in.

[14] **Donnerwetter!** = good heavens! (*lit.* thunderstorm).

[15] **gar nicht** (*emphatic adverb*) = not at all.

[16] **EINtauschen (w)** = to exchange.

[17] **AUSborgen, borgen (w)** = to borrow.

[18] **nichts Gefährliches** = nothing dangerous; **gefährlich** = dangerous.

[19] **der Kotflügel, -s, -** = fender.

[20] **die Reparatur, -en** = repair.

[21] **dauern (w)** = to last.

[22] **leihen (w)** = to lend.

[23] **Leute** (*pl.*) = people.

[24] **wissen** = to know (factual things) as opposed to **kennen** = to know (be acquainted with) persons, ideas, etc.

[25] **furchtbar nett** = terribly nice.

[26] **die Reifenpanne, -en** = blowout; **der Reifen** = tire; **die Panne** = breakdown, mishap.

[27] **holen (w)** = to get, fetch.

[28] **reparieren (w)** = to repair. (Like many other "loan" words of foreign origin ending in *-ieren*, the past participle does not use the prefix *ge-*. *Reparieren—ich habe repariert; studieren—ich habe studiert.*)

[29] **pünktlich** = punctual, on time.

3. _____ Buch haben Sie gelesen?	welches	
4. _____ Buch ist das?	welches,	
	wessen	
5. _____ über sprechen wir denn jetzt?	wo(rüber)	
6. _____ zu können wir das Buch verwenden?	wo(zu)	
7. _____ haben Sie gestern im Theater gesehen?	wen, was	
8. _____ haben Sie gestern in der Zeitung gelesen?	was	
9. Mit _____ Wagen sind Sie gestern zur Universität gefahren?	welchem, wessen	
10. _____ hat den Wagen repariert?	wer	
11. Zu _____ Zahnarzt sind Sie denn gegangen?	welchem	
12. _____ haben Sie denn das Geld geliehen?	wem	
13. _____ Studenten verwenden jetzt ihr Buch?	welche	
14. _____ Mädchen sind gestern nicht in die Schule gekommen?	welche	
15. _____ Studenten dürfen wir die Bücher geben?	welchen	
16. _____ können wir jetzt dem Lehrer sagen?	was	
17. _____ Fragen kann der Student nicht verstehen?	welche, wessen	
18. _____ können Sie jetzt nicht begreifen (= verstehen)?	was	
19. _____ kann die Fragen jetzt nicht beantworten?	wer	
20. _____ Schülern wollen Sie die Briefe schreiben?	welchen	

17.5 Mark the following statements true or false according to 17.3:

1. Karls Eltern haben gestern einen neuen Wagen gekauft.
2. Es dauert nur zehn Minuten, den Wagen der Eltern zu reparieren.
3. Erika hat ihren Wagen gegen einen neuen Mercedes eingetauscht.
4. Karl und Hans haben einen kleinen Unfall gehabt.
5. Hans will nicht zu spät zum Zahnarzt kommen.
6. Man hat den Reifen von Erikas Wagen in zehn Minuten repariert.

7. Karl fährt gewöhnlich einen Mercedes.
8. Karls Eltern wollten schon lange ihren Wagen gegen einen Mercedes eintauschen.
9. Karl will sich die verlorene Füllung schnell ersetzen lassen.
10. In der Garage hat man Karls Eltern einen schönen blauen Wagen geliehen.

17.51 Complete the following sentences:

1. Was für ein _____ verwendet man hier?
2. Welchen _____ haben sie lieber?
3. Welches _____ werden wir morgen in der Klasse lesen?
4. Was für einen _____ haben ihre Eltern gestern gekauft?
5. Mit welchem _____ soll ich heute abend sprechen?
6. Welche _____ werden wir morgen machen müssen?
7. In welches _____ wollen Sie heute abend mit uns gehen?
8. Wer _____ Ihnen jetzt helfen?
9. Wem _____ Sie das Geld geben?
10. Womit _____ man den Wagen reparieren?
11. Wonach _____ Sie ihn fragen?
12. Woraus _____ man die Wagen?
13. Wen _____ Sie heute abend sehen?
14. _____ Schüler _____ die Frage beantworten?
15. _____ Schülern _____ der Lehrer das Buch gegeben?
16. _____ hat die Frage beantwortet?
17. _____ _____ Sie das Geld geben?
18. _____ _____ Sie das Geld gegeben?
19. _____ _____ den Wagen repariert?
20. _____ _____ Sie den Brief geschrieben?
21. Zu _____ Zahnarzt _____ Sie heute abend gehen?
22. Mit _____ _____ Sie gestern abend gesprochen?
23. _____ Buch _____ Sie jetzt eintauschen?
24. _____ _____ das Buch gestern eingetauscht?
25. In _____ Wagen ist Karl eingestiegen?

18. Demonstrative Pronouns and Adjectives

Günter hat vergessen, das erste Kapitel im Geschichtsbuch (*the first chapter of the history book*) zu lesen. Darüber (*about this*) mußten die Studenten einen Aufsatz (*composition*) schreiben — d. h. (*das heißt = that is*) über die Ursachen (*causes*) des Weltkrieges (*world war*). Vor der Stunde bittet (*asks, begs*) Günter seinen Freund Johann, ihn seine Notizen abschreiben (*copy*) zu lassen. „Ja, das ist unfair", sagt Johann. — „Das weiß ich. Aber die Notizen muß ich haben. Sonst schreibe ich dieses Mal eine Fünf." (*=unsatisfactory*). — „Aber der Dozent wird sich vielleicht meine Notizen ansehen." — „Der* liest ja deine Notizen nie." — „Das kann man nie wissen." Endlich (*finally*) läßt Johann Günter die Notizen abschreiben.

Die beiden Freunde haben Pech (lit., *tar; here,* *bad luck*). Dieses Mal liest der Dozent alle Notizen. Am nächsten Tag kommt er in die Stunde und sagt: „Also Sie, Herr Wanger und Herr Krebs, haben dieselben Notizen. Wie war denn das möglich (*possible*)?" — „Zufall (coincidence)", sagt Günter. „Was für eine Frechheit (*nerve, insolence*)! Diese Notizen haben Sie doch nicht selbst (*-self*) geschrieben. Die ließ Sie doch der Herr Krebs abschreiben!"

Günter schreibt eine Fünf. Darüber gibt es jetzt keinen Zweifel (*doubt*) mehr.

All the German demonstrative pronouns and adjectives are basically *der*-words—in other words, they are declined like the definite article.

---

* Note that especially in colloquial German the demonstrative pronoun (*der, die*) is often used in place of the personal pronoun (*er, sie*).

18.21 The definite article (*der, die, das*) is used as a demonstrative adjective when it receives the main stress. Thus, *Ich kenne das* **Buch** (main stress on *Buch*) = I know the **book**. *Ich kenne* **das** *Buch* (main stress on *das*) = I know **that** book. If *der, die, das* are used as demonstrative pronouns (without a noun following) the forms of the genitive and dative plural are different from the article forms:

	Singular			**Plural**
	Masc.	*Fem.*	*Neut.*	
Genitive:	dessen	deren	dessen	derer
Dative:				denen

In spoken German the use of the genitive demonstrative pronouns is rare (e.g., *Ich erinnere mich derer = Ich erinnere mich an sie* = I remember them). However, the demonstrative pronouns are often used like personal pronouns to replace a noun: *Ich gebe den Leuten das Buch = Ich gebe denen das Buch.* If the demonstrative *das* is used as object of the preposition, a contraction is formed with *da(r)* and the preposition as "suffix": *darum, daran, damit.* It may be useful to compare the following examples with the usage of *was* + preposition in 17.2 above. *Ich denke an das Buch = Ich denke daran. Ich schreibe mit dem Bleistift = Ich schreibe damit. Ich freue mich über den Erfolg = Ich freue mich darüber.* (Note that when referring to inanimate objects, concepts, etc., German uses the neuter demonstrative *das*, not the masculine or feminine forms.)

18.22 The demonstrative pronoun with its adjectival forms *derselbe, dieselbe, dasselbe* is simply declined like an adjective (*selbe*) preceded by the article—i.e., both "parts" are declined (cf. weak declension, 9.2). *Derselbe*, which corresponds to English "same," is thus declined: derselbe, desselben, demselben, denselben. The English "myself," "yourself" (e.g., I did it myself) is expressed by the undeclinable *selbst* (sometimes *selber*). *Ich habe es selbst getan* = I did it myself. *Wir baben es selbst getan* = We did it ourselves. Note that the German *selbst (selber)* does, of course, *not* correspond to the English usage of "myself," "yourself," etc. in the reflexive: I wash myself = *Ich wasche mich.*

18.23 The demonstrative *solcher* (such) is declined like an adjective if preceded by *ein* (cf. 9.2): *Ein solcher Mann* (such a man) *kann uns verstehen. Eine solche Frau (ein solches Kind) versteht uns nicht*, etc. The concept "such a" can also be expressed by putting *solch* or *so* as undeclinables before *ein*: *Solch ein Mann (so ein Mann, solch eine Frau, so eine Frau, solch ein Kind, so ein Kind) versteht uns nicht*.

18.24 The demonstrative (adjective and pronoun) *dieser, diese, dieses* is declined as a *der*-word (cf. declension of *welcher*, 17.21 above).

> E. g.: Dieser Mann ist fleißig. Ich kenne diesen Mann.
>
> Diese Frau ist fleißig. Ich kenne diese Frau.
>
> Dieses Kind ist fleißig. Ich kenne dieses Kind.

The demonstrative *jener, jene, jenes* (also declined as a *der*-word) is used to refer to the more distant of two persons or objects (*dieser* = this [one]; *jener*: that [one]). *Dieses Buch* (this book) *ist sehr interessant. Jenes* (that one) *interessiert mich nicht*. This demonstrative is rare in spoken German.

18.3

Hans: Kannst du heute abend mit mir ins Theater gehen, oder mußt du dich auf Geschichte vorbereiten?

Karl: Nein, auf Geschichte muß ich mich jetzt nicht mehr vorbereiten.[1] Ich habe jetzt schon drei Tage gearbeitet, und Herr Dr. Meyer stellt ja ohnehin[2] immer dieselben Fragen.

Hans: Dessen bin ich nicht so sicher. Auf jeden Fall[3] habe ich zwei Karten[4] für die „Jungfrau von Orleans."[5]

Karl: Warum gehst du denn nicht mit Elsa?

Hans: Die hat keine Zeit. Sie bereitet sich auf dieselben Prüfungen vor wie[6] du.

---

[1] **Ich muß mich nicht vorbereiten** = I don't have to prepare myself (study).

[2] **ohnehin** = anyway.

[3] **auf jeden Fall** = in any case.

[4] **die Karte, -n** = ticket.

[5] **Die Jungfrau von Orleans**, *The Maid of Orleans*, famous drama by Friedrich Schiller (see 27.3).

[6] **wie** = as.

Karl: Das kann ich mir schon vorstellen.[7] Sie hat ja immer Angst,[8] bei den Prüfungen durchzufallen. Also für die „Jungfrau von Orleans" habe ich leider auch keine Zeit. Ich habe Paula lieber.

Hans: Das soll ein Witz[9] sein! Aber wirklich, die Vorstellung[10] heute abend ist sicher großartig.[11] Eine solche Besetzung![12] Käthe Gold als[13] Jungfrau von Orleans und Will Quadflieg als Talbot!

Karl: Den kenne ich sehr gut! Der hat letztes Jahr im „Hamlet" gespielt.[14] Mir hat er nicht gefallen.[15] Aber vielleicht ist er dieses Jahr besser. Also vielen Dank, und keine Jungfrau von Orleans für mich. Warum fragst du nicht Erhard oder Wilhelm?

Hans: Diese Idee habe ich auch selber gehabt. Aber Erhard hat sich schon zwei Karten besorgt[16] — und diese Karten habe ich ja selbst von Wilhelm bekommen.

Karl: Ach, so!

18.4 Complete the following sentences with the correct form of *Mann, Frau,* or *Kind:*

1. Dieses _____ ist sehr schön.	Kind
2. Mit diesem _____ kann ich nicht spielen.	Kind, Mann
3. Ich kann diese _____ nicht verstehen.	Frau
4. Warum sprechen sie mit diesem _____?	Kind, Mann
5. Diesen _____ kenne ich wirklich nicht.	Mann
6. Ich kenne die Mutter dieser _____.	Frau
7. Ich habe gestern dieselbe _____ getroffen.	Frau

---

[7] **sich VORstellen** (w) = to imagine. (When used without the reflexive **vorstellen** = to present, introduce: **Darf ich meinen Freund vorstellen** = may I introduce my friend.)

[8] **die Angst, ‟e** = fear; **Angst haben** = to be afraid.

[9] **der Witz, -es, -e** = joke.

[10] **die Vorstellung, -en** = performance.

[11] **großartig** = excellent, marvelous.

[12] **die Besetzung, -en** = cast.

[13] **als** = as.

[14] **spielen** (w) = to play.

[15] **gefallen (ä, ie, a)** = to please. (Note the construction to express liking for: *Das Buch* **gefällt mir** = *lit.* the book is pleasing to me *or* I like the book).

[16] **sich besorgen** (w) = obtain, procure.

8. Mit einem solchen _____ kann ich nicht arbeiten.   Mann, Kind

9. Ich habe noch nie ein solches _____ gesehen.   Kind

10. Ich kenne diesen _____ besser als jenes _____ .   Mann Kind

11. Den _____ verstehe ich nicht.   Mann

12. Diese _____ wird dem _____ kein Geld geben.   Frau / Kind, Mann

13. Ich werde morgen mit dieser _____ sprechen.   Frau

14. Ich verstehe die Antwort dieses _____ nicht.   Mannes, Kindes

15. Die Eltern dieser _____ leben in Amerika.   Frau

18.41 Complete the following sentences with the correct form of *dieser:*

1. Ich will mit _____ Leuten sprechen.   diesen

2. _____ Männern werde ich nicht gehorchen.   diesen

3. Wo hast du _____ Karten besorgt?   diese

4. Er ist bei _____ Prüfung durchgefallen.   dieser

5. _____ Vorstellung hat mir sehr gut gefallen.   diese

6. _____ Buch gefällt _____ Leuten nicht.   dieses / diesen

7. Die Aufsätze _____ Schüler waren nicht sehr gut.   dieser

8. Die Aufgabe _____ Schülers war nicht richtig.   dieses

9. _____ Fragen muß man studieren.   diese

10. _____ Mann werde ich _____ Buch nicht geben.   diesem / dieses

18.5 Mark the following statements true or false according to 18.3:

1. Hans muß heute abend das erste Kapitel lesen.

2. Hans und Karl müssen immer dieselben Kapitel lesen.

3. Hans hat selbst zwei Karten für die Vorstellung der „Jungfrau von Orleans".
4. Käthe Gold hat Karl nicht gut gefallen.
5. Wilhelm gab Hans seine Karten für die Vorstellung der „Jungfrau von Orleans".
6. Erhard wird an diesem Abend zu der Vorstellung der „Jungfrau von Orleans" gehen.
7. Elsa hat keine Zeit, mit Hans ins Theater zu gehen.
8. Karl hat keine Angst, bei der Prüfung durchzufallen.

18.51 Complete the following sentences:

1. Diese Ideen gefallen diesem _____.
2. Dieses _____ hat diesen _____ nicht gefallen.
3. Dieses _____ ist schön, aber jenes gefällt _____ auch.
4. Warum haben Sie diese _____ nicht besorgt?
5. Jeder _____ kann dieses _____ verstehen.
6. Jeder _____ hat Angst, bei dieser _____ durchzufallen.
7. Dieses _____ will mit seinem _____ spielen.
8. Dieser _____ wird mit seinem _____ sprechen.
9. Diese _____ hat mit ihrem _____ gesprochen.
10. Diese _____ ist sehr gut, aber jenes ist _____.
11. Ich kann heute abend ins _____ gehen. Ich muß heute abend nicht mehr _____.
12. Wir müssen nicht mehr _____, aber unsere Freunde müssen noch viel _____.
13. Wir können diesen _____ nicht verstehen.
14. Sie werden jedes _____ dieses _____ verstehen.
15. Jeder _____ dieser _____ kann dieses _____ lesen.
16. Eine solche _____ habe ich nie gesehen.
17. Solch ein _____ wird uns kein _____ geben.
18. Davon will dieser _____ nichts wissen.
19. Hans und Elsa haben denselben _____.
20. Dieser _____ und diese _____ freuen sich sehr darüber.
21. Denen kann diese _____ nicht schreiben.
22. Wir haben einen solchen _____ nie gesehen.
23. Das werde ich sicher nie _____.
24. Eine solche _____ werden diese _____ sicher nie vergessen.
25. Warum spielst du nicht mit diesem _____?

19. The Passive Modification

19.1

Dozent: Also, wo ist der Herr Wanger?

Karl: Günter ist heute nicht hier. Er trainiert *(is in training)* für das Fußballspiel *(soccer game)*. Günter ist Mittelstürmer *(center forward)* unserer Mannschaft *(team)*.

Dozent: Was für ein Fußballspiel?

Karl: Heute nachmittag spielen wir gegen die „Elf Teufel" *(eleven devils)*. Gewöhnlich werden wir von den „Elf Teufeln" besiegt *(defeated, beaten)*, aber diesmal, mit Günter als Mittelstürmer, werden wir vielleicht doch gewinnen (win).

Hans: Müssen wir wirklich für morgen zwei Kapitel über den ersten Weltkrieg lesen? Wir gehen doch alle heute nachmittag zum Fußballspiel.

Dozent: Das Fußballspiel geht mich nichts an (ANgehen =concern). In diesem Fach *(subject)* wird gearbeitet, und der Herr Mittelstürmer Wanger wird bei mir kein Glück haben.

19.2 The passive is formed by the verb *werden* and the past participle. Note that in order to turn any tense into the passive, you must use the auxiliary *werden* in that particular tense as the finite verb. The main verb is put as past participle at the end of the (main) clause.

Active	Der Junge liest das Buch.
Passive	Das Buch wird von dem Jungen gelesen.
Active	Wir erwarten die Antwort.
Passive	Die Antwort wird von uns erwartet.
Active	Wir öffnen die Tür.
Passive	Die Tür wird von uns geöffnet.
Active	Wir öffneten die Tür.
Passive	Die Tür wurde von uns geöffnet.

19.21 The German passive denotes an action which is or was taking place; thus *Die Tür wird geöffnet* means that the door is in process of being opened. The construction *sein* + past participle (as in English, *be* + past participle) is also possible in German but denotes a state of affairs, not an action in process. *Die Tür ist geöffnet* = The door is open. *Die Tür wird geschlossen* = The door is being closed. *Die Tür ist geschlossen* = The door is closed.

19.22 One frequent function of the passive in German is the description of an *action without actor*. Thus, *Heute wird gearbeitet* = Today work is being accomplished or, more colloquially, we are going to work today. The same meaning would also be conveyed through the use of the indefinite pronoun *man* as subject: *Heute arbeitet man*. Note that the sentence *Heute wird gearbeitet* has no subject. If in this sentence *heute* is removed from the beginning of the sentence, the sentence becomes: *Es wird heute gearbeitet*. In other words, the pronoun *es* is used as a sort of "pseudo-subject" in order to have the finite word (*wird*) appear as second sentence element. *Wird heute gearbeitet?* is the form of the question. The pseudo-subject *es* thus appears whenever it is necessary to assign second place to *wird* in this particular use of the passive. This pseudo-subject *es* should be distinguished from the pronoun *es* as regular replacement of a neuter noun, or the pronoun *es* as subject of an impersonal verb. In neither of these two cases does the *es* disappear if another sentence element is moved into the first place:

	Es wird gearbeitet.	Heute wird gearbeitet.
(Neuter noun)	Wo ist das Buch?	Es wird verkauft (sold).
		Heute wird es verkauft.
(Impersonal subject)	Wie ist das Wetter?	Es regnet.
		Heute regnet es.

19.23 If the passive modification is applied to a sentence which contains an indirect object, the latter remains an indirect (dative) object. Observe the following sentences:

Robert erzählt dem Jungen die Wahrheit.
Dem Jungen wird die Wahrheit erzählt.
Robert erzählt mir die Wahrheit.
Mir wird die Wahrheit erzählt.

Thus German *cannot* imitate the English construction in which an indirect object can become the subject (nominative) in a passive sentence—e.g., *Robert tells me the truth*, or *I* am *told the truth.*

19.3 Hans trifft seinen Freund Philipp. Philipp hinkt[1] auf einem Fuß. Sein Knie[2] ist in einem dicken[3] Verband.[4]

Hans: Ja, was fehlt denn dir? Bist du irgendwo[5] hinuntergefallen?[6]

Philipp: Nein, aber beim (bei+dem) Training habe ich einen Unfall gehabt—und jetzt ist mein Knie geschwollen.[7]

Hans: Das ist ja schrecklich. Da kannst du ja am Sonntag nicht spielen. Das Spiel werden wir dann ganz sicher verlieren.

Philipp: Das kann man nie wissen. Vielleicht werden wir Glück haben.

Hans: Ausgeschlossen. Von den „Kickers"[8] werden wir gewöhnlich ohnehin geschlagen.[9] Und ohne dich verlieren wir ganz bestimmt *(definitely)*. So ein Pech müssen wir haben!

Philipp: Du denkst[10] immer nur an das Fußballspiel. Ich selbst tue dir natürlich nicht leid.[11] Heute abend sind wir doch bei Elsa eingeladen.[12] Da wird immer

---

[1] **hinken** (w) = to limp.
[2] **das Knie, -s, -e** = knee.
[3] **dick** = thick.
[4] **der Verband, -es, -e** = bandage.
[5] **irgendwo** = somewhere.
[6] **HINUNTERfallen (ä, ie, a)** = to fall down.
[7] **schwellen (i, o, o)** = to swell
[8] **Kickers** *common name of German soccer teams.*
[9] **schlagen (e, ä, u, a)** = to beat.
[10] **denken (dachte, gedacht)** = to think.
[11] **LEIDtun** = to arouse pity; **ich tue dir leid** = You feel sorry for me.
[12] **EINladen (ä, u, a)** = to invite.

getanzt,[13] und ich kann natürlich nicht mitmachen.[14]
Aber daran hast du nicht gedacht.

Hans: Da hast du unrecht.[15] Natürlich tust du mir schrecklich leid. Einen Unfall zu haben ist schlimm. Erinnerst[16] du dich an Karls Unfall? Der wurde beim letzten Spiel verletzt[17] und kann immer noch nicht spielen. Also am Sonntag, ohne dich und ohne Karl...

Philipp: So einen Freund wie dich sollte jeder haben!

19.4 Replace the blanks by the correct form of *schlagen, denken, arbeiten,* or *HINfallen:*

1. Am Sonntag wird gewöhnlich nicht _____.	gearbeitet
2. Wir werden immer an unseren Freund _____.	denken
3. Unsere Mannschaft wird von dieser Mannschaft immer _____.	geschlagen
4. Warum bist du gestern auf der Straße _____?	hingefallen
5. Diese Mannschaft werden wir sicher _____.	schlagen
6. An diese Frage haben wir leider nicht _____.	gedacht
7. Wir wurden von diesen Leuten _____.	geschlagen
8. Das Kind wurde von seinen Eltern _____.	geschlagen
9. Er wird sein Kind doch nicht _____.	schlagen
10. Gestern bin ich während des Trainings _____.	hingefallen
11. Morgen werde ich mit meinem Freunde zwei Stunden _____.	arbeiten
12. An diese Fragen wird gewöhnlich nie _____.	gedacht

19.5 Mark the following statements true or false with reference to 19.3:

---

[13] **Da wird immer getanzt** = there is always dancing there; **tanzen** (w) = to dance.
[14] **MITmachen** (w) = to take part.
[15] **unrecht haben** = to be wrong.
[16] **sich erinnern [an]** (w) = to remember.
[17] **verletzen** (w) = to injure.

1. Hans hat Angst, das Fußballspiel am Sonntag zu verlieren.
2. Hans' Knie wurde im Training bei einem Unfall verletzt.
3. Philipp tut es leid, heute abend nicht tanzen zu können.
4. Hans' und Philipps Mannschaft verliert gewöhnlich gegen die „Kickers".
5. Karl kann sich an Philipps letzten Unfall leider nicht mehr erinnern.
6. Philipps Knie ist in einem dicken Verband und sehr geschwollen.
7. Philipp wurde leider von Elsa nicht eingeladen.
8. Karl wird am Sonntag ganz sicher wieder spielen.

19.51 Complete the following sentences:

1. Heute werden wir von unseren Freunden _____.
2. Morgen werden wir unsere Freunde _____.
3. Das Buch wurde von _____ verloren.
4. Warum hat unser _____ das Buch verloren?
5. Wird unser _____ das Buch verlieren?
6. Warum hast du deinen _____ geschlagen?
7. Warum wurdest du von deinem _____ geschlagen?
8. Warum wirst du immer von _____ geschlagen?
9. Warum wirst du deinen _____ schlagen?
10. Warum willst du deinen _____ schlagen?
11. Warum _____ dein Knie geschwollen?
12. Wo _____ du das Buch verloren?
13. Du _____ diesen Jungen nicht schlagen.
14. Dieses Mädchen _____ dir sicher gefallen.
15. Daran _____ ich leider nicht gedacht.
16. Daran _____ ich sicher denken.
17. Wir _____ gestern Glück gehabt, aber morgen _____ wir vielleicht Pech haben.
18. Karl _____ sich beim Training verletzt.
19. Karls Knie _____ beim Training verletzt.
20. Die Tür _____ von meinem Freund geschlossen.
21. Warum _____ das Fenster nicht geschlossen?
22. Karl _____ sich sicher an den Unfall erinnern.
23. Karl _____ von seinem Freunde an den Unfall erinnert.
24. _____ wird jetzt getanzt.
25. Wird gearbeitet? Ja, _____ wird gearbeitet.
26. Das Haus wurde von meinem Bruder _____.
27. Er _____ das Haus sicher verkaufen.

28. Wo _____ du das Buch gekauft?
29. Mein Freund _____ es mir verkauft.
30. _____ du mir das Buch verkaufen?
31. Ich _____ dieses Buch nicht verkaufen.
32. Das Buch _____ von meinem Bruder gekauft.

20. Word Order in the Subordinate Clause

20.1
Günter ist heute nicht beim Unterricht (class, instruction). Er hat sich erkältet. Darum muß er zu Hause bleiben und darf nicht aus dem Haus gehen. „Ja, wo ist denn Herr Wanger heute wieder?" fragt Dr. Schmidt. „Trainiert er wieder für ein Fußballspiel? Hat er Angst, in meine Stunde zu kommen?"

„Nein", sagt Karl. „Ich weiß warum Günter heute nicht hier ist. Ich habe gehört, daß (that) er sich erkältet hat und zu Hause bleiben muß."

„Das glaube (believe) ich nicht", sagt Dr. Schmidt. „Ich bin sicher, daß er heute nicht hier ist, weil (because) er für das nächste Fußballspiel trainiert oder vielleicht, weil er vor meiner Stunde Angst hat."

20.2 Observe and study carefully the rules for the position of the finite verb (that part of the verb which takes conjugated endings) in German.

(a) In the declarative sentence and in the interrogative sentence beginning with a question word the finite verb must be the second element. The rest of the predicate (that part of the sentence belonging to the verb) follows as the fourth element.

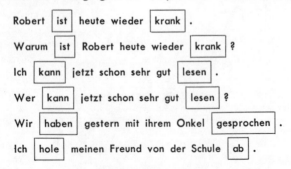

Ich │ habe │ meinen Freund von der Schule │ abgeholt │ .

(b) In the interrogative sentence which is not introduced by a question word (*yes-* or *no*-question), the finite verb stands at the beginning of the sentence.

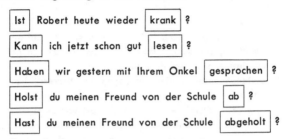

│ Ist │ Robert heute wieder │ krank │ ?

│ Kann │ ich jetzt schon gut │ lesen │ ?

│ Haben │ wir gestern mit Ihrem Onkel │ gesprochen │ ?

│ Holst │ du meinen Freund von der Schule │ ab │ ?

│ Hast │ du meinen Freund von der Schule │ abgeholt │ ?

(c) In a subordinate clause introduced by a word which normally marks the beginning of such a clause (conjunction or relative pronoun), the finite verb moves to the end of the clause.

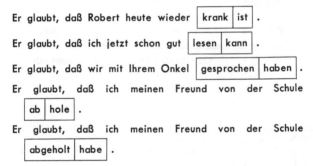

Er glaubt, daß Robert heute wieder │ krank │ ist │ .

Er glaubt, daß ich jetzt schon gut │ lesen │ kann │ .

Er glaubt, daß wir mit Ihrem Onkel │ gesprochen │ haben │ .

Er glaubt, daß ich meinen Freund von der Schule │ ab │ hole │ .

Er glaubt, daß ich meinen Freund von der Schule │ abgeholt │ habe │ .

20.3   Liebe Eltern!

Es tut mir wirklich leid, daß ich Euch schon so lange nicht geschrieben habe. Aber Ihr wißt ja, daß ich während der letzten Woche meine Examen machen mußte. Ob[1] ich alle Prüfungen bestanden habe, weiß[2] ich leider noch nicht.

---

[1] **ob** = whether.

[2] Note that the initial subordinate clause counts like an element of the main clause; thus the finite verb *weiß* really stands in second place (*cf.* rule in 20.2a above). The initial subordinate clause can be considered as replacement of an element of the main clause, e.g.:

Die Antwort weiß ich nicht.
Ob er recht hat, weiß ich nicht.

Aber ich will hoffen, daß alles gut ausgegangen ist.[3] Die Prüfung bei Herrn Dr. Meyer war besonders schwer. Ihr könnt Euch gar nicht vorstellen, was für (welche) Fragen sich der Mann ausdenken kann! Und daß Physik nicht mein Lieblingsfach[4] ist, das[5] wißt Ihr ja ohnehin.

Am Abend vor der Prüfung ging ich ganz allein[6] zu einer Vorstellung der „Jungfrau von Orleans". Es tut mir wirklich leid, daß ich den Abend nicht verwendete,[7] um Physik zu machen. Die Vorstellung hat mich wirklich sehr enttäuscht.[8] Ihr wißt ja, wie sehr[9] Käthe Gold mir gewöhnlich gefällt. Aber diesmal war sie nicht so gut.

Nächsten Sonntag spielen wir gegen die „Kickers". Ich habe Angst, daß wir das Spiel verlieren werden, besonders da[10] Philipp nicht dabei sein wird. Daß Karl vor zwei Wochen einen Unfall hatte und noch immer nicht spielen kann, habe ich Euch ja schon geschrieben. Jetzt werde ich ja viel mehr[11] Zeit haben, Euch zu schreiben. So Ihr könnt sicher sein, daß ich Euch am Montag nach dem Spiel schreiben werde. Hoffentlich[12] werde ich Euch berichten[13] können, daß wir das Spiel gewonnen haben.

Mit vielen Grüßen und Küssen[14]

Euer Sohn[15]

P. S. Karl möchte gern, daß ich nächstes Jahr mit ihm zusammen wohne, aber seine Eltern wollen nicht, daß er[16] mit einem anderen Studenten zusammen wohnt. Die wollen natürlich, daß er bei ihnen zu Hause bleibt. Was haltet Ihr denn von[17] der Idee?

---

[3] AUSgehen, ging aus, ausgegangen = *here*, to come out, end up.
[4] das Lieblingsfach, -es, ⸚er = favorite subject.
[5] das = that (*demonstrative pronoun referring to the preceding dependent clause*).
[6] ganz allein = all alone.
[7] verwenden (w) = to use.
[8] enttäuschen (w) = to disappoint.
[9] wie sehr = how much.
[10] da = since, because.
[11] viel mehr = much more.
[12] hoffentlich = hopefully.
[13] berichten (w) = to report.
[14] der Kuß, -es, ⸚e = kiss.
[15] der Sohn, -es, ⸚e = son.
[16] wollen nicht, daß er ... = do not want him to ... Note that you cannot imitate the English construction. "*I want you to ...*" German requires a subordinate clause: *Ich will (möchte), daß Sie einen Brief schreiben* (lit. I want (should like) *that* you write a letter.)
[17] halten (ä, ie, a) von = to think about, have an opinion.

20.4 Complete the following sentences with the correct form of the verb *haben, sein, werden, wissen,* or *arbeiten:*

1. Ob Karl wirklich abgereist ist, kann man nicht _____.   wissen
2. Ich weiß, daß dein Onkel jetzt sehr viel mit dir _____.   arbeitet
3. Ich hoffe, daß deine Eltern dir sofort helfen _____.   werden
4. Daß er das Spiel verlieren _____, ist noch nicht sicher.   wird
5. Ich glaube wirklich nicht, daß Karl mit seiner Schwester zu Hause geblieben _____.   ist
6. Daß Hans wirklich so viel gearbeitet _____, glaube ich nicht.   hat
7. Ich bin sicher, daß alle Schüler die Antwort wissen _____.   werden
8. Ich wieß, daß Karl jetzt mit seinem Freund nicht mehr _____ kann.   arbeiten
9. Ich glaube nicht, daß er die Antwort wirklich nicht _____ hat.   gewußt
10. Weißt du, ob dein Freund gestern wirklich nach Berlin gefahren _____ ?   ist
11. Glaubst du, daß alle Schüler diese Frage verstanden _____ ?   haben
12. Wir hoffen, daß wir beim nächsten Spiel mehr Glück _____ werden.   haben
13. Ich weiß, daß wir nächste Woche sehr viel _____ müssen.   arbeiten
14. Warum _____ Robert gestern so viel gearbeitet ?   hat
15. Ich weiß, warum wir gestern so viel gearbeitet _____.   haben
16. Ich weiß, daß in der Universität sehr viel gearbeitet _____.   wird
17. Warum wird hier so viel _____ ?   gearbeitet
18. Ich glaube, daß wir morgen sehr viel arbeiten _____.   werden
19. _____ wir gestern wirklich so viel gearbeitet ?   haben
20. Warum _____ wir morgen so viel arbeiten müssen ?   werden

123

20.5 Complete the sentences below based on 20.3:

1. Es tut Hans leid, daß er seinen Eltern so lange nicht
_____ hat.
2. Während der letzten Woche mußte sich Hans auf sein
Examen _____.
3. Hans hofft, daß er alle seine Prüfungen bestanden _____.
4. Hans schreibt seinen Eltern, daß Professor Meyer sehr
schwere Fragen gestellt _____.
5. Hans schreibt auch, daß er ganz allein ins _____ gegangen ist.
6. Es tut Hans leid, daß er zur Vorstellung gegangen
_____, weil ihm die Vorstellung wirklich nicht sehr gut
_____ hat.
7. Hans glaubt, daß seine Mannschaft das Spiel gegen die
„Kickers" nicht _____ wird.
8. Hans glaubt, daß seine Mannschaft das Spiel nicht gewinnen _____ weil Karl und Philipp noch immer _____
sind.
9. Karl kann nicht spielen, weil er sich vor zwei Wochen
verletzt _____.
10. Karl schreibt seinen Eltern, daß er ihnen nächsten
Montag wieder _____ wird.

20.51 Complete the following sentences:

1. Ich weiß, warum mein Freund gestern nicht in den Unterricht gekommen _____.
2. Warum _____ dein Freund gestern nicht in den Unterricht gekommen?
3. Wir wissen, warum Karl heute nicht in die Schule _____
kann.
4. Warum _____ Karl heute nicht in die Schule kommen?
5. _____ Karl heute mit uns ins Theater gehen?
6. Ich glaube nicht, daß er heute mit euch ins Theater
gehen _____.
7. _____ er gestern abend mit meinen Eltern gesprochen?
8. Ich glaube nicht, daß er gestern abend mit deinen Eltern
gesprochen _____.
9. Ich weiß, warum Johann dieses Buch so gern _____ hat.
10. Warum hat er denn dieses Buch so gern _____?

11. Ich verstehe nicht, warum Hans bei der Prüfung _____ ist.
12. Ist Hans wirklich bei der Prüfung _____ ?
13. Hans ist bei der Prüfung durchgefallen, weil er nicht genug gearbeitet _____ .
14. Warum hat sich Hans nicht auf seine Prüfung _____ ?
15. Hans ist leider am Abend vor der Prüfung ins Theater _____ .
16. Ich kann nicht glauben, daß Hans am Abend vor der Prüfung wirklich ins Theater _____ ist.
17. Er hat mir auch gesagt, daß die Vorstellung ihn leider sehr _____ hat.
18. Warum _____ diese Vorstellung ihn so enttäuscht?
19. Er schrieb mir, daß Fräulein Gold ihm diesmal wirklich nicht _____ hat.
20. Es tut mir wirklich leid, daß Hans zu der Vorstellung _____ ist und die Prüfung nicht _____ konnte.

Review Lesson 2

R2.1 Vocabulary Review (11-20)

The most important strong and irregular verbs found in sections 1–10 are repeated below, showing their principal parts.

Strong and Irregular Verbs (1-10):

ANfangen (ä, i, a)
ANziehen (zog, gezogen)
AUFstehen* (stand, gestan-den)
DURCHfallen* (ä, fiel, a)
EINtreten* (i, a, e)
essen (du, er ißt; aß; ge-gessen)
fahren† (ä, u, a)
gehen (ging, gegangen)
halten (ä, ie, a)
kommen* (kam, gekommen)

kennen (e, a, a)
lesen (ie, a, e)
nehmen (nimmt, nahm, ge-nommen)
schreiben (ei, ie, ie)
sprechen (i, a, o)
tun (ich tue, du tust, er tut; tat; getan)
verstehen (verstand, ver-standen)
VORlesen (ie, a, e)
waschen (ä, u, a)

Strong and Irregular Verbs (11-20):

ABschlagen (ä, u, a)
ABschreiben (ei, ie, ie)
ANgehen (ging, gegangen)
ANrufen (u, ie, u)
AUSgehen* (ging, gegan-gen)
beginnen (i, a, o)
bekommen (o, a, o)
beschreiben (ei, ie, ie)

bestehen (bestand, bestan-den)
bleiben* (ei, ie, ie)
brechen (i, a, o)
bringen (brachte, gebracht)
denken (dachte, gedacht)
dürfen (du darfst, er darf; durfte; gedurft)
EINladen (ä, u, a)

---

* Verbs marked with an asterisk are conjugated with *sein*.
† Verbs marked with a dagger take either *sein* or *haben* depending on whether they are used transitively or intransitively.

EINsteigen* (ei, ie, ie)
entscheiden (ei, ie, ie)
geben (i, a, e)
gefallen† (ä, ie, a)
gewinnen (i, a, o)
helfen (i, a, o)
HERUMgehen* (ging, ge-
gangen)
hinterlassen (ä, ie, a)
HINUNTERfallen* (ä, ie, a)
können (du kannst, er kann;
konnte; gekonnt)
lassen (ä, ie, a)
leihen (ei, ie, ie)
mögen (du magst, er mag;
mochte; gemocht)
müssen (du mußt, er muß;
mußte; gemußt)
raten (ä, ie, a)
scheinen (ei, ie, ie)
schlagen (ä, u, a)
schwellen (i, o, o)

schwimmen* (i, a, o)
sehen (du siehst, er sieht;
sah; gesehen)
sollen (du sollst, er soll;
sollte; gesollt)
STATTfinden (i, a, u)
treffen (i, a, o)
trinken (i, a, u)
unterhalten (ä, ie, a)
vergessen (i, a, e)
verlieren (ie, o, o)
verschieben (ie, o, o)
VORhaben (cf. haben)
werden* (du wirst, er wird;
wurde; geworden)
WIEDERsehen (du siehst, er
sieht; sah; gesehen)
wissen (du weißt, er weiß;
wußte; gewußt)
wollen (du willst, er will;
wollte; gewollt)
ZUziehen† (zog, gezogen)

Weak Verbs:

ABholen
AUSborgen
benutzen
berichten
besorgen
blitzen
brauchen
danken
donnern
EINtauschen
enttäuschen
sich erinnern
sich erkälten
erlauben
erreichen
ersetzen
erwarten
erzählen

fehlen
glauben
hoffen
holen
interessieren
kaufen
MITmachen
NACHholen
regnen
reparieren
schleudern
schneien
spielen
studieren
tanzen
trainieren
verletzen
vermissen
versäumen
versuchen

verwenden
VORbereiten
VORstellen
warten
wetten
ZUhören

Nouns:
Masculine:

Arm, -es, -e
Aufsatz, -es, ⸚e
Ausflug, -s, ⸚e
Dozent, -en, -en
Fall, -es, ⸚e
Feiertag, -es, -e
Film, -s, -e
Fußball, -s, ⸚e
Gebrauch, -es, ⸚e
Kotflügel, -s, -

Krieg, -es, -e
Kuß, -es, ⁼sse
Leute (pl.)
Mensch, -en, -en
Mittelstürmer, -s, -
Nachmittag, -s, -e
Parkplatz, -es, ⁼e
Reifen, -s, -
Samstag, -s, -e
Scheck, -s, -e
Sohn, -es, ⁼e
Sonnabend, -s, -e
Spaß, -es, ⁼e
Sportler, -s, -
Stürmer, -s, -
Teufel, -s, -
Unfall, -es, ⁼e
Unsinn, -s, -e
Unterricht, -s, -
Verband, -es, ⁼e
Wagen, -s, -
Weltkrieg, -es, -e
Witz, -es, -e
Zahnarzt, -es, ⁼e
Zahnschmerzen
  (pl.)
Zahn, -es, ⁼e
Zufall, -s, ⁼e
Zweifel, -s, -

Feminine:

Abschlußprüfung,
  -en
Angst, ⁼e
Aktentasche, -n
Besetzung, -en
Chemie
Einladung, -en
Entscheidung, -en
Erklärung, -en
Faulheit
Frechheit, -en
Füllung, -en

Garage, -n
Geschichte, -n
Gruppe, -n
Hauptsache, -n
Idee, -n
Jungfrau, -en
Karte, -n
Laune, -n
Literatur, -en
Mark, -
Mathematik
Nachricht, -en
Nummer, -n
Note, -n
Panne, -n
Physik
Prüfung, -en
Reifenpanne, -n
Reparatur, -en
Sache, -n
Schularbeit, -en
Schwiegermutter, ⁼
Straße, -n
Tasche, -n
Ursache, -n
Verabredung, -en
Vorstellung, -en
Welt, -en
Wettervorher-
  sage, -n
Woche, -n
Zensur, -en

Neuter:

Auto, -s, -s
Beispiel, -s, -e
College, s, -n,
Donnerwetter, -s, -
Drama, -s, Dramen
Examen, -s, -
Fürwort, -es, ⁼er
Fußballspiel, -s, -e
Geschenk, -es, -e

Geschichtbuch,
  -es, ⁼er
Glück, -es
Kapitel, -s, -
Knie, -s, -e
Lieblingsfach,
  -es, ⁼er
Lustspiel, -s, -e
Mädel, -s, -
Pech, -es
Skilaufen, -s
  (Schilaufen)
Telefon, -s, -e
Training, -s
Unrecht, -s, -e
Verbum, -s,
  Verben
Wetter, -s, -
Wochenende, -s, -

Adjectives:

abwesend
allein
angeblich
ausgeschlossen
  (p.p. of AUS-
  schließen)
ausgezeichnet
  (p.p. of AUS-
  zeichnen)
dick
eigen
fertig
furchtbar
ganz
gefährlich
großartig
gründlich
hübsch
jugendlich
kurz
lang
leicht

letzt (er, es, e)	gern	**Conjunctions**
mehr	glücklicherweise	**(introducing**
möglich	hoffentlich	**main clause):**
nächst (er, es, e)	irgendwo	
naß	je	aber
pünktlich	lieber	jedoch
scheinbar	mal (zum ersten-	
schlimm	mal, zum letz-	**Conjunctions**
schnell	tenmal)	**(introducing**
schrecklich	nur	**subordinate**
schwedisch	ohnehin	**clause):**
sorgfältig	sonst	
tüchtig	sogar	der, daß, ob,
	trotzdem	wieso, wie
Adverbs:	überhaupt	
	zuerst	**Pronouns:**
außerdem		
bald	**Prepositions:**	derselbe
beinahe		selbst (selber)
besonders	aus	solcher, -es, -e
eigenflich	durch	welcher, -e, -es
gar (nicht)	gegen	
genug	vor	

R2.2 Summary of the essential grammar

The following is a summary of the conjugation of weak, strong, and irregular verbs in all the tenses and forms taken up so far.

I. Active		*Weak*	*Strong*	*Irregular*
Infinitive:		sagen	sprechen	wissen
Present Tense:	ich	sage	spreche	weiß
	du	sagst	sprichst	weißt
	er	sagt	spricht	weiß
	wir	sagen	sprechen	wissen
	ihr	sagt	sprecht	wißt
	sie	sagen	sprechen	wissen
Simple Past (Imperfect):	ich	sagte	sprach	wußte
	du	sagtest	sprachst	wußtest
	er	sagte	sprach	wußte
	wir	sagten	sprachen	wußten
	ihr	sagtet	spracht	wußtet
	sie	sagten	sprachen	wußten

Compound Past (Perfect)

The perfect is the past modification of the present. The present of the main verb is replaced by the auxiliary (*haben* or *sein*) while the main verb itself takes the form of the past participle and moves to the predicate section of the sentence (see 11.2).

Ich | sage | die Wahrheit.   Ich | habe | die Wahrheit | gesagt |.

Ich habe gesagt.   Ich habe gesprochen.   Ich habe gewußt.

Future Tense

The future tense is the future modification of the present. The main verb is replaced by the present tense of *werden* and moves as infinitive into the predicate section of the sentence.

Ich | sage | die Wahrheit.   Ich | werde | die Wahrheit | sagen |.

Ich werde sagen.   Ich werde sprechen.   Ich werde wissen.

II. The Passive Modification

   a. The active form of the present tense can be put into the passive by replacing the main verb by the auxiliary *werden*. The main verb moves as past participle into the predicate section.

Present:

Ich | schlage | den Jungen.   Ich | werde | von dem Jungen

| geschlagen |.

Imperfect:

Ich schlug.   Ich wurde geschlagen.

   b. The perfect passive is the past modification of the present passive. The finite verb *werden* is replaced by the auxiliary *sein* and moves as past participle to the end of the predicate section. Note, however, that the form *worden* (rather than *geworden*) is used.

Ich | werde | geschlagen.   Ich | bin | geschlagen | worden |.

   c. The future passive is the future modification of the present passive. The auxiliary *werden* is thus replaced by itself and moves as infinitive to the end of the predicate section.

Ich [werde] geschlagen.   Ich [werde] geschlagen [werden].

R2.21 The modal modifications can be applied to any tense. The modal auxiliary replaces the *finite verb*. The latter moves as infinitive to the end of the predicate section.

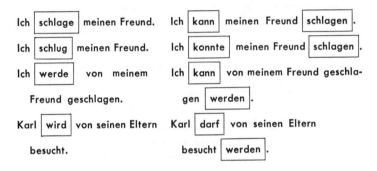

Ich [schlage] meinen Freund.   Ich [kann] meinen Freund [schlagen].

Ich [schlug] meinen Freund.   Ich [konnte] meinen Freund [schlagen].

Ich [werde] von meinem   Ich [kann] von meinem Freund geschla-

Freund geschlagen.   gen [werden].

Karl [wird] von seinen Eltern   Karl [darf] von seinen Eltern

besucht.   besucht [werden].

R2.22 In any subordinate clause introduced by a conjunction, relative pronoun, etc., the finite verb moves to the very end of the clause.

Robert *schlägt* seinen Freund.
Ich weiß, daß Robert seinen Freund *schlägt*.

Robert *hat* seinen Freund geschlagen.
Ich weiß, daß Robert seinen Freund geschlagen *hat*.

Robert *kann* seinen Freund schlagen.
Ich weiß, daß Robert seinen Freund schlagen *kann*.

Robert *wird* von seinem Freund geschlagen.
Ich weiß, daß Robert von seinem Freund geschlagen *wird*.

Robert *ist* von seinem Freund geschlagen worden.
Ich weiß, daß Robert von seinem Freund geschlagen worden *ist*.

Robert *wird* von seinem Freund geschlagen werden.
Ich weiß, daß Robert von seinem Freund geschlagen werden *wird*.

R2.23 Review the declension of the *der*-words and the weak adjectives (see 9.2, 17.21).

		Masculine	**Feminine**
Sing.	N.	Dieser schöne Mann[1]	diese schöne Frau
	G.	dieses schönen Mannes	dieser schönen Frau
	D.	diesem schönen Mann	dieser schönen Frau
	A.	diesen schönen Mann	diese schöne Frau
Pl.	N.	diese schönen Männer	diese schönen Frauen
	G.	dieser schönen Männer	dieser schönen Frauen
	D.	diesen schönen Männern	diesen schönen Frauen
	A.	diese schönen Männer	diese schöne Frauen

		Neuter
Sing.	N.	dieses schöne Kind[2]
	G.	dieses schönen Kindes
	D.	diesem schönen Kind
	A.	dieses schöne Kind
Pl.	N.	diese schönen Kinder
	G.	dieser schönen Kinder
	D.	diesen schönen Kindern
	A.	diese schönen Kinder

R2.3 Identify the case and number of the phrases in italics. Use the special underlining for the nominative, genitive, dative, and accusative. Read the entire sentence and be careful to observe all endings. Compare your answers with those given at the right.

1. *Der Schüler*[1] hat *die Aufgabe*[2] von *seinem Freund*[3] abgeschrieben.

   [1]Nom. s.
   [2]Acc. s.
   [3]Dat. s.

2. *Die Studenten*[4] wollten mit *unseren Eltern*[5] sprechen.

   [4]Nom. p.
   [5]Dat. p.

3. *Der Artzt*[6] hat *den Leuten*[7] *den Unfall*[8] genau beschrieben.

   [6]Nom. s.
   [7]Dat. p.
   [8]Acc. s.

4. *Meine Mutter*[9] interessiert *diese Geschichte*[10] sicher nicht.

   [9]Acc. s.
   [10]Nom. s.

5. *Diese Einladung*[11] hat *die Schwiegermutter*[12] *meines Frehndes*[13] nicht erwartet.

   [11]Acc. s.
   [12]Nom. s.
   [13]Gen. s.

---

[1] *But:* ein schöner Mann.
[2] *But:* ein schönes Kind.

6. Meiner Mutter[14] haben diese Geschichten[15] sehr gefallen.

7. Die Abschlußprüfung[16] hat der Junge[17]
trotz seiner Faulheit[18] doch bestanden.

8. Der Lehrer[19] hat ihr[20] die Aufgabe[21]
erklärt.

9. Ihm[22] wollen die Schüler[23] immer gern
zuhören.

10. Mir[24] tut der Unfall[25] deiner Eltern[26] sehr
leid.

[14]Dat. s.
[15]Nom. p.
[16]Acc. s.
[17]Nom. s.
[18]Gen. s.
[19]Nom. s.
[20]Dat. s.
[21]Acc. s.
[22]Dat. s.
[23]Nom. p.
[24]Dat. s.
[25]Nom. s.
[26]Gen. p.

R2.31 Complete the following sentences with the correct form of the
nouns *Aufsatz*, *Prufung*, or *Beispiel:*

1. Diesen _____ kann ich jetzt nicht schreiben.	Aufsatz
2. Dieses _____ verstehe ich nicht.	Beispiel
3. Ich werde diese _____ sicher bestehen.	Prüfung(en)
4. Ein solches _____ soll man nicht geben.	Beispiel
5. Bei welcher _____ bist du durchge- fallen?	Prüfung
6. Welcher _____ hat dir gefallen?	Aufsatz
7. Karl ist immer deinem _____ gefolgt.	Beispiel
8. Unser _____ war wirklich sehr gut.	Aufsatz, Beispiel
9. Welchen _____ hast du geschrieben?	Aufsatz
10. Welches _____ hast du nicht ver- standen?	Beispiel

R2.32 Complete the following sentences with the correct form of
haben, *sein*, or *werden:*

1. Karl _____ von seinen Freunden nicht verstanden.	wird, wurde
2. Ich weiß, daß Robert von seinen Eltern oft geschlagen _____.	wird, wurde
3. _____ Hans von seinen Eltern oft ge- schlagen?	wird, wurde
4. _____ diese Leute oft nach Berlin gefahren?	sind

5. Unsere Mannschaft _____ das Spiel doch gewonnen. — hat

6. Es freut mich, daß dein Onkel dich eingeladen _____. — hat

7. _____ dein Sohn wirklich krank? — ist, war, wird, wurde

8. Ich glaube nicht, daß er wirklich so faul _____. — ist, war

9. Ich bin sicher, daß du das Beispiel verstehen _____. — wirst

10. Ich weiß, daß Karl die Aufgabe gemacht _____. — hat

11. Robert _____ von seinen Eltern sehr vermißt. — wird, wurde

12. Ich _____ von dem Jungen nie geschlagen worden. — bin

13. Ich glaube, daß er von diesem Jungen geschlagen _____ ist. — worden

14. Wer weiss, ob unsere Mannschft wirklich geschlagen werden _____. — wird

15. Ich weiß, daß wir geschlagen worden _____. — sind

R2.33 Replace the blanks by the correct form of the verb *schlagen:*

1. Ich bin sicher, daß wir die Mannschaft _____ können. — schlagen

2. Ich weiß, daß die Mannschaft uns _____ hat. — geschlagen

3. Man sagt, daß er oft von seinen Eltern _____ wird. — geschlagen

4. Glaubst du, daß er wirklich _____ werden wird? — geschlagen

5. Ich bin sicher, daß er ihn _____ wird. — schlagen

6. Wer weiß, ob er wirklich _____ worden ist. — geschlagen

7. Hat Robert diesen Jungen wirklich _____? — geschlagen

8. Ist Robert von dem Jungen wirklich _____ worden? — geschlagen

9. Wird Robert diesen Jungen wirklich _____? — schlagen

10. Wird der Junge wirklich _____ werden? — geschlagen

134

Following the procedure in R2.3, indicate the case and number of all nouns, pronouns, and adjectives in the sentences below:

1. Meine Freunde haben die Abschlußprüfungen bestanden.
2. Der Unfall dieser Jungen tut ihm wirklich leid.
3. Diesen Leuten wird ein solcher Wagen sicher gefallen.
4. Ich möchte meinen Eltern meinen Freund vorstellen.
5. Robert muß anstatt einer Prüfung einen Aufsatz für seinen Lehrer schreiben.
6. Seinen Söhnen will der Arzt jetzt einen neuen Wagen kaufen.
7. Den neuen Wagen haben Sie den Mädchen doch nicht geliehen.
8. Der Vorlesung kann das Kind nicht zuhören.
9. Meiner Mutter gefällt diese Geschichte gar nicht.
10. Die wirklichen Ursachen (*causes*) dieser Unfälle können nur die Sportler selbst verstehen.

R2.41 Complete the following sentences:

(a) 1. Welche _____ hat Ihnen wirklich gefallen?
2. Welches _____ haben Sie erwartet?
3. Dieses _____ ist gestern in der Garage repariert worden.
4. Eine solche _____ habe ich nicht erwartet.
5. Diese _____ wurde von meinem Freund sorgfältig vorbereitet.
6. Diese _____ hat mir meine Mutter oft erzählt.
7. Eine solche _____ interessiert mich wirklich nicht.
8. Mit welchen _____ werden wir morgen sprechen?
9. Wann beginnt denn diese _____?
10. Ich kann mit den _____ selbst nicht arbeiten.
11. Robert und ich haben die gleiche _____ bestanden.
12. Welches _____ hast du in die Schule gebracht?

(b) 1. Ich weiß, daß Robert zum Zahnarzt gegangen _____.
2. Weißt du, warum wir das Spiel gestern verloren _____?
3. Ich weiß, daß diese Aufgabe nicht von dir geschrieben worden _____.
4. Wer weiß, ob er morgen wirklich das Buch kaufen _____.

5. Dieses Buch wird von allen Schülern gelesen _____.

6. Robert _____ sich an seine Mutter erinnert.

7. _____ Robert sich an seine Aufgabe erinnern?

8. Du _____ von allen Leuten erwartet werden.

9. Ich weiß, daß er die Prüfung nachgeholt _____.

10. Glauben Sie, daß wir diese Aufgabe nachholen _____.

11. Diese Antwort _____ mich sehr enttäuscht.

12. Er _____ von dem Buch sicher enttäuscht werden.

(c) 1. Morgen werden wir dieses Buch nicht mehr _____.

2. Robert hat sich gestern während des Spieles _____.

3. Ich glaube, daß er sich sehr gut _____ hat.

4. Ich weiß, daß er von seinen Eltern _____ worden ist.

5. Ich verstehe nicht, warum er seinen Freund nicht arbeiten _____.

6. Warum bist du gestern zu Haus _____?

7. Ich bin sicher, daß wir das Spiel _____ werden.

8. Ich weiß, warum das Spiel _____ worden ist.

9. Weißt du, warum er _____ werden wird?

10. Weißt du, warum das Spiel wieder _____ worden ist.

11. Wer hat dir denn diese Geschichte _____?

R2.42 Give the infinitive of the verbs in italics:

1. Gestern *blieb* ich zu Hause.

2. Er *ließ* mich die Aufgabe selber schreiben.

3. Er *riet* mir, zu Hause zu bleiben.

4. Warum hast du mir dieses Geschenk *gebracht*?

5. Wir *bekamen* diesen Brief letzte Woche.

6. Gestern *rief* ich meinen Freund an.

7. Die Vorstellung *gefiel* meinen Eltern nicht.

8. Er *verlor* sein Geld.

9. Wir *fingen* an, uns anzuziehen.

10. Er *hielt* das Buch in der Hand.

11. Diese Leute *aßen* sehr viel.

12. Karl *fuhr* mit seinem Freund nach Berlin.

13. Er *nahm* das Buch und *gab* es seinem Freund.

14. Diese Antwort *tat* mir wirklich *leid*.

15. Sie *ging* nie mit ihm *aus*.

16. Sie *traf* ihre Freundin nach der Vorstellung.

17. Die Antworten *wußten* wir leider nicht.

18. Robert *vergaß*, seine Aufgabe zu schreiben.

19. Während des Spiels *fiel* er *herunter*.
20. Mit seiner Freundin *unterhielt* er sich sehr gut.
21. Die Nummer des Wagens *sah* ich leider nicht.
22. Ich *stand auf* und *zog mich* rasch *an*.
23. Unsere Mannschaft *gewann* das Spiel.
24. Ich kann nicht sagen, was er *dachte*.
25. Robert *dankte* seinem Freunde und *entschied* sich dafür, die Einladung nicht *abzuschlagen*.

R2.5 Complete the following paragraphs:

(a) _____ ist wirklich nicht mein Lieblingsfach. Mir gefällt _____ besser. Aber ich weiß, daß ich die Prüfung doch _____ muß. Ich bin sicher, daß sie sehr _____ sein wird. Mein guter _____ hat versucht, die Prüfung zu _____, aber er _____ leider durchgefallen.

(b) Trotz der schlechten Wettervorhersage möchten wir gern morgen einen _____ machen. Wir hoffen, daß es vielleicht doch nicht _____ wird. Mein Freund und ich haben letzte Woche einen _____ nach _____ gemacht. Leider hatten wir eine _____ und mußten unseren Wagen _____ lassen. Die Reparatur _____ sehr lange gedauert, und wir mußten drei Stunden in _____ _____.

(c) Robert ist gestern mit seinem Freunde ins Theater _____. Er wollte die Vorstellung der „_____" sehen. Glücklicherweise konnten die zwei Freunde noch Karten _____. Die Vorstellung _____ wirklich sehr interessant. Besonders _____ hat Robert sehr gefallen. Nach der Vorstellung fuhren Robert und sein Freund mit der _____ nach Hause.

(d) _____ hat sich gestern erkältet. Er mußte zu Hause _____ und konnte nicht in die Schule _____. Trotzdem arbeitete er, um sich für die _____ vorzubereiten. Ich bin sicher, daß er morgen wieder in der _____ sein wird und die Prüfung _____ wird.

(e) Gestern ist mein _____ nach _____ abgereist. Ich glaube, daß ich ihn sehr _____ werde. Hoffentlich wird er nicht _____, mir zu schreiben. Mir tut es wirklich leid, daß ich nicht mit _____ gehen _____. Aber im Sep-

tember wird _____ doch wieder zurückkehren und dann
werden wir etwas _____.

(f) Ich habe vergessen, dir zu _____, daß Karl beim Fußballspiel _____ worden ist. Nächsten Sonntag wird er
sicher nicht _____ können. Ohne diesen _____ werden
wir das Spiel ganz sicher _____. Ich möchte wissen,
warum unsere _____ immer ein solches Pech _____
muß.

(g) Meine _____ erlauben mir nie, ins Kino zu gehen. Aber
heute abend möchte ich gern mit _____ ausgehen. Ich
fragte _____, ob ich heute _____ darf. Ich weiß, daß
ich zu Hause _____ muß. Ich glaube, daß ich trotzdem
_____ werde.

(h) Gestern hat es geschneit. Heute wollen wir _____ gehen.
Mein Freund _____ geht nicht mit uns. Er hat letzte
Woche einen Unfall _____. Jetzt hat _____ vor dem
_____ Angst. Natürlich, das _____ kann ja sehr gefährlich sein. Aber ich bin sehr enttäuscht daß mein _____
nicht mitmachen _____. Aber wir werden einfach ohne
ihn _____ gehen müssen.

21. The Pluperfect Tense
Past Modification of Modals

21.1   Gestern kam der Dozent, Dr. Schmidt, fünf Minuten nachdem *(after)* die Glocke *(bell)* geläutet *(rung)* hatte, in die Klasse. Er hatte mit dem Herrn Direktor sprechen müssen und konnte deshalb *(therefore)* nicht rechtzeitig *(on time)* kommen.

Nachdem der Dozent in die Klasse gekommen war, forderte er Karl auf *(asked, demanded)*, die Aufgabe vorzulesen. Obgleich *(although)* Karl seine Aufgabe gemacht hatte, konnte er sie nicht vorlesen, weil *(because)* er sie nicht finden konnte. Dann wollte Dr. Schmidt Günters Aufgabe sehen. Aber Günter sagte: „Es tut mir sehr leid. Ich habe meine Aufgabe nicht machen können. Meine Eltern haben mich wirklich die Aufgabe nicht schreiben lassen. Gestern habe ich fünf Stunden lang im Geschäft *(store, business)* helfen müssen."

Dr. Schmidt war von Günters Ausrede *(excuse)* nicht überzeugt *(convinced, persuaded)*. „Daß Sie Ihren Eltern geholfen haben glaube ich nicht. Sie haben einfach die Aufgabe nicht machen wollen." Der arme Günter hatte wirklich keine Zeit gehabt, die Aufgabe zu machen, aber Dr. Schmidt konnte er davon leider nicht überzeugen.

21.2 The above paragraph shows additional uses of the German past modification.

(a) The pluperfect is formed from the perfect tense by replacing the present of either *haben* or *sein* by the simple past. The pluperfect denotes an action which took place before another action in the past (cf. English, *I had spoken with him before I met him.*)

The passive of the pluperfect is formed in like manner.

(b) If the past modification is applied to the modal auxiliaries, and the other verbs which can be used like modal auxiliaries (see 13.2, 14.2), the *infinitive form* of the modal auxiliary (rather than the past participle) is used.

21.3 Reading Preparation

1. **fast** = almost.
   Fast alle meine Freunde sprechen deutsch.
2. **europäisch** = European (**Europa** = *Europe*).
   Deutsch ist eine **europäische** Sprache.
3. **die Sprachfamilie, -n** = language family.
   Deutsch und Englisch gehören zur selben **Sprachfamilie**.
4. **miteinander** = with one another.
   Meine Brüder und Schwester wollen nicht **miteinander** sprechen.
5. **vergleichen (ei, i, i)** = to compare.
   Es ist schwer, zwei Sprachen zu **vergleichen**.
6. **die Verwandtschaft, -en** = relationship (**verwandt** = *related*).
   Die Verwandtschaft der deutschen Sprache mit der englischen ist leicht zu verstehen.
7. **klar** = clear.
   Das Wasser (**das Wasser, -s, -** = *water*) war sehr **klar**.

8. **entsprechen (i, a, o)** = to correspond.
Dem deutschen Wort „Vater" **entspricht** das englische Wort „father".

9. **nahe** = near, close.
Karl, der Sohn meines Onkels Karl, ist ein **naher** Verwandter zu mir.

10. **die Wissenschaft, -en** = science (**das Wissen, -s** = knowledge); **der Wissenschaftler, -s, -** = scientist. (Note that the **-ler** ending like the **-er** ending indicates an agent.)
Die deutschen **Wissenschaftler** sind sehr gründlich.

11. **EINteilen (w)** = to divide (**der Teil, -es, -e** = part).
Sprachen **teilt** man in Dialekte **ein.**

12. **bestehen, bestand, bestanden** = to consist, exist.
Diese Sprachfamilie **besteht** aus zehn Sprachen.

13. **nicht nur ... sondern auch** = not only ... but also.
Karl hat mir **nicht nur** geschrieben, **sondern auch** Geld geschickt.

14. **zurückführen** = to lead back, trace back (**führen** [w] = to lead; **zurück** = back).
Seine Krankheit ist auf einen Unfall **zurückzuführen.** (Note that in English we would probably say, can be traced back.)

15. **das Denkmal, -s, ⸚er** = monument.
Die Freiheitsstatue (**die Freiheit, -en** = liberty) ist ein sehr berühmtes (famous) **Denkmal.**

16. **stammen** (w) = to stem, come from.
Meine Eltern **stammen** aus Frankreich (France).

17. **die Inschrift, -en** = inscription.
Die alten **Inschriften** sind oft schwer zu lesen.

18. **die Übersetzung, -en** = translation (**übersetzen** [w] = to translate).
Es gibt sehr viele **Übersetzungen** der Bibel (Bible).

19. **die Gegend, -en** = region.
Die **Gegend** von Innsbruck ist sehr schön.

20. **das Jahrhundert, -s, -e** = century.
Wir leben jetzt im 20. **Jahrhundert.** (Note that in German the ordinal numbers are simply followed by a period to indicate the **-te.** Thus, **15. Mai** = May 15th.)

21. **bekannt** = known, familiar.
Dieser Name (der **Name, -ns, -n** = name) ist mir nicht **bekannt.**

22. die **Kenntnis, -se** = knowledge.
Ich bewundere seine **Kenntnis** der Mathematik.

23. der **Stamm, -es,** ⁼**e** = tribe.
Die Apachen sind ein **Indianerstamm.**

24. **zugrunde gehen** = to perish.
Im Krieg sind viele Menschen (**der Mensch, -en, -en**
= *person, human being*) **zugrunde gegangen.**

25. die **Geschichte, -n** = story, history.
Deutsche **Geschichte** ist das Hauptfach von Herrn
Professor Schmidt.

26. **erscheinen (ei, ie, ie)** = to appear.
Dieses Buch ist im Jahre 1965 **erschienen.**

27. **(sich) (er) wehren** (w) = to defend oneself from,
fight against.
Wir konnten uns gegen seine Angriffe (der **Angriff,
-es, -e** = *attack*) nicht **wehren.**

28. **kämpfen** (w) = to fight, battle.
Im Krieg haben die Deutschen gegen die Franzosen und
gegen die Russen **gekämpft.**

29. die **Führung, -en** = leadership (**führen** [w] = *to lead;*
der Führer, -s, - = *leader*).
Das Heer (**das Heer, -es, -e** = *army*) stand unter
Führung von General Blücher.

30. **besiegen** (w) = to conquer (**der Sieg, -es, -e** =
victory).
Im Jahre 1870 wurden die Franzosen von den Preußen
(*Prussians*) **besiegt.**

31. **der Schriftsteller, -s, -** = writer.
Charles Dickens war ein berühmter **Schriftsteller.**

32. **berichten** (w) = to report.
Karl hat uns über seinen Unfall nichts **berichtet.**

33. **wenig** = little.
John spricht nur sehr **wenig** Deutsch.

34. **gebrauchen** (w) = to use.
Ich kann dieses Buch nicht **gebrauchen.**

35. die **Bedeutung, -en** = meaning (**bedeuten** [w] = *to
mean*).
Ich verstehe die **Bedeutung** dieses Wortes nicht.

36. **ursprünglich** = original (**der Ursprung, -es,** ⁼**e** =
origin).
Der Plan war **ursprünglich** viel besser.

37. **das Volk, -es,** ⁼**er** = the people, nation.
In Europa wohnen viele **Völker.**

38. **fremd** = foreign, strange.
Viele deutsche Wörter sind mir **fremd.**

39. **borgen** = to borrow.
Ich habe dieses Buch von meinem Bruder **geborgt.**

40. **(sich) vollziehen (-zog, -zogen)** = to take place, accomplish.
Wann hat **sich** diese Entwicklung (**die Entwicklung, -en** = development) **vollzogen?**

41. die **Veränderung, -en** = change (**verändern** [w] = to change).
Die letzten Jahre haben viele **Veränderungen** gebracht.

42. **südlich** = southern (**der Süden, -s** = South; **der Norden, -s** = North; **der Westen, -s** = West; **der Osten, -s** = East; corresponding adjectives are: **südlich, nördlich, westlich, östlich**).
Italien liegt **südlich** von Deutschland.

43. das **Gebirge, -s, -** = the mountains, highland, mountain range (**der Berg, -es, -e** = mountain).
Die Alpen sind ein hohes **Gebirge.**

44. die **Landschaft, -en** = district, country, landscape.
Dieses Bild zeigt eine schöne **Landschaft.**

45. **nennen (nannte, genannt)** = to name, call.
Die Eltern **nannten** ihr Kind Johann.

46. **trennen** (w) = to separate.
Karoline ist jetzt von ihrem Mann (husband) **getrennt.**

47. das **Gebiet, -s, -e** = territory.
Ostpreußen (East Prussia) ist jetzt sowjetrussisches **Gebiet.**

48. der **Unterschied, -es, -e** = difference (**unterscheiden** [ei, ie, ie] = to differentiate).
Zwischen (between) dem Deutschen und dem Englischen gibt es viele **Unterschiede.**

49. die **Gegenwart** = present.
Wir müssen die **Gegenwart** bejahen (**bejahen** [w] = to affirm).

50. die **Schöpfung** = creation (**schöpfen** [w] = to create).
Das erste Kapitel der Bibel spricht von der **Schöpfung** der Welt.

51. **verdanken** (w) = to owe, be obligated.
Meine Kenntnis der deutschen Sprache **verdanke** ich unserer Lehrerin.

52. **besonders** = special, particular.
Die Studenten sprechen oft eine **besondere** Sprache.

53. **die Mischung, -en** = mixture (**mischen** [w] = *to mix*).
Die Farbe war eine **Mischung** von rot und blau.
54. **(sich) stützen** (w) = to rely, support.
Wir **stützen uns** auf unser Recht (**das Recht, -s, -e**
= *right*).
55. **ZURÜCKdrängen** (w) = to push back.
Das Heer wurde vom Feind (**der Feind, -es, -e** =
enemy) **zurückgedrängt**.

Die deutsche Sprache

Wie beinahe alle europäischen Sprachen, gehört Deutsch
zur großen indogermanischen[1] Sprachfamilie. Wenn man
die indogermanischen Sprachen miteinander vergleicht, wird
ihre Verwandtschaft ganz klar. Dem deutschen Wort *Vater*
entsprechen *pita* im Indischen, *pater* im Griechischen und
pater im Lateinischen.[2] *Mutter* war im Indischen (*Sanskrit*)
mata, im Griechischen *meter* und im Lateinischen *mater*.
Dem Wort *Fuß* entsprechen indisch *pad*, griechisch *pos*,
lateinisch *pes* usw.[3]

Die nahen Verwandten des Deutschen sind natürlich die
anderen germanischen Sprachen. Von den Wissenschaftlern
werden die germanischen Sprachen gewöhnlich in drei
Gruppen eingeteilt: (1) das Schwedische, das Norwegische
und das Dänische gehören zur nordgermanischen[4] Gruppe;
(2) die ostgermanische Gruppe bestand aus den Sprachen
der Burgunder, Vandalen, Goten[5] usw.; (3) zu der westgermanischen Gruppe gehört nicht nur Deutsch, sondern
auch die Sprache der Friesen und der Angeln.[6] Da der
Grundstock[7] des Englischen die Sprache der Angeln ist,
sind Englisch und Deutsch wirklich sehr nahe verwandt.

Die ersten Denkmäler der germanischen Sprachen stammen
aus dem vierten Jahrhundert. Aus dieser Zeit haben wir
nicht nur Inschriften aus Skandinavien, sondern vor allem

---

[1] **indogermanisch** = Indo-European.
[2] **das Indische** = Hindi, **das Griechische** = Greek, **das Lateinische** = Latin.
[3] **usw.** = **und so weiter** = and so forth, etc.
[4] **das Schwedisch** = Swedish; **Norwegisch** = Norwegian; **Dänisch** = Danish; **nord-germanisch** = North Germanic.
[5] **Burgunder** = Burgundians; **Vandalen** = Vandals; **Goten** = Goths; **ostgerma-nisch** = East Germanic.
[6] **Friesen** = Frisians; **Angeln** = Angles.
[7] **der Grundstock, -es, ⁻e** = main stock, root, foundation.

auch die Übersetzung der Bibel ins Gotische. Diese Übersetzung wurde von dem gotischen Bischof Wulfila geschrieben, als die Goten noch in der Gegend des Schwarzen Meeres[8] wohnten. Die Übersetzung ist uns durch ostgotische Manuskripte des vierten und fünften Jahrhunderts bekannt. Durch diese Manuskripte kennen wir die Sprache der Goten sehr gut, obgleich die Goten selbst, so wie alle andere ostgermanische Stämme, während der Völkerwanderung[9] zugrunde gegangen sind.

Unsere Kenntnis der germanischen Sprachen reicht also nur bis ins vierte Jahrhundert zurück.[10] Die Germanen selbst waren jedoch schon vorher auf dem Schauplatz[11] der Geschichte erschienen. Schon im Jahre 113 vor Christus hatten sich die Römer gegen die Kimbern und Teutonen[12] wehren müssen. Julius Caesar hatte am Rhein[13] gegen germanische Stämme gekämpft. Und als die Römer versucht hatten, über den Rhein vorzudringen,[14] waren sie im Jahre 9 n. Chr. im Teutoburger Wald[15] von germanischen Stämmen unter der Führung des Cheruskers[16] Hermann besiegt worden. Römische Schriftsteller wie Caesar und insbesondere[17] Tacitus berichten uns viel über die Sitten und Gebräuche der Germanen. Von der Sprache der Germanen erzählen sie uns wenig.

Der Name „Germanen" wurde von den Römern gebraucht— ist aber vielleicht auf eine Verwechslung[18] der Germanen mit einem kleinen keltischen Stamm zurückzuführen. Das Wort „Germane" ist also nicht *germanischen* oder *deutschen*, sondern vielmehr[19] *keltischen Ursprungs.*[20] Das Wort „deutsch" ist jedoch wirklich germanisch. Schon in Wulfilas Bibelübersetzung wird ein Wort *thiusdisco* mit der Bedeutung von

---

[8] **das Schwarze Meer** = Black Sea; **das Meer, -es, -e** = ocean, sea.

[9] **die Völkerwanderung** = migration (**das Volk, -s, ̈er** = people; **die Wanderung, -en** = migration).

[10] **ZURÜCKreichen** (w) = go back, reach back.

[11] **der Schauplatz, -es, ̈e** = scene, theater.

[12] **Kimbern, Teutonen** = Cimbri, Teutons (*Germanic tribes*).

[13] **der Rhein** = Rhine River.

[14] **VORdringen, i, a, u** = to advance.

[15] **der Teutoburger Wald** = Teutoburg Forest; **der Wald, -es, ̈er** = woods, forest.

[16] **der Cherusker** = the Cheruscan (*a German tribe*).

[17] **insbesondere** = especially.

[18] **die Verwechslung, -en** = mixup, confusion; **verwechseln** (w) = to confuse.

[19] **vielmehr** = rather.

[20] (Note the use of the genitive here—*nicht germanischen oder deutschen, sondern vielmehr keltischen Ursprungs* = not *of* Germanic or *of* . . . but rather *of* . . . .)

„heidnisch"[21] oder „völkisch" verwendet. In den altdeutschen Texten kann man auch das Wort *diutisc* in der Bedeutung „zum Volke gehörig"[22] finden. *Deutsche Sprache* soll also ursprünglich „die Sprache des Volkes" bedeuten.

Die ersten Denkmäler der deutschen Sprache stammen aus dem siebenten und achten Jahrhundert. Zu dieser Zeit hatte die deutsche Sprache schon viele Wörter von der lateinischen geborgt. Wörter wie *Kirche, Kaiser, Krone, Straße, Mauer, Schule*[23] usw. sind alle ursprünglich lateinisch. Da den Germanen[24] Institutionen wie die Kirche, die Schule usw. fremd waren, hatten sie nicht nur die Institutionen selbst, sondern auch die Wörter von den Römern borgen müssen. Während der Zeit vom fünften bis zum siebenten Jahrhundert vollzog sich im Deutschen eine sehr wichtige Lautveränderung.[25] Diese Veränderung erfaßte[26] die südlichen Dialekte des Deutschen—also die Dialekte der Gebirgslandschaft.[27] Deshalb[28] wird diese Lautveränderung auch oft die „hochdeutsche" Lautverschiebung[29] genannt. Durch diese hochdeutsche Lautverschiebung wurde das Hochdeutsche vom Niederdeutschen[30] getrennt. Da die Angeln im niederdeutschen Gebiet wohnten und durch die hochdeutsche Lautverschiebung nicht erreicht wurden, sind viele Unterschiede zwischen dem Deutschen und dem Englischen auf die hochdeutsche Lautverschiebung zurückzuführen. In dieser Lautverschiebung wurden p, t, k zwischen Vokalen[31] zu *ff, ss, ch;* auch p und t am Anfang des Wortes wurden zu *pf* und *z.* Englisch *open, eat, make* entsprechen also den deutschen Wörtern *offen, essen, machen,* und die englischen Wörter *pound* und *ten* sind im deutschen *Pfund* und *zehn.*

---

[21] **heidnisch** = pagan; **der Heide, -n, -n** = pagan.

[22] **gehörig** = pertaining to; **gehören** (w) = to belong.

[23] **die Kirche, -n** = church (*Lat.*, ecclesia); **der Kaiser, -s, -** = emperor (*Lat.*, Caesar); **die Krone, -n** = crown (*Lat.*, corona); **die Straße, -n** = street (*Lat.*, strata); **die Mauer, -n** = wall (*Lat.*, murus); **die Schule, -n** = school (*Lat.* scola).

[24] **Da den Germanen ... fremd waren** = Since ... were foreign *to the Germans.* (*Note the use of the dative here.*)

[25] **die Lautveränderung, -en** = sound change.

[26] **erfassen** (w) = seize, comprehend.

[27] **die Gebirgslandschaft, -en** = mountain region.

[28] **deshalb** = therefore.

[29] **die hochdeutsche Lautverschiebung** = the High German sound shift.

[30] **das Niederdeutsch** = Low German (*a dialect spoken in the coastal areas of Germany, also closely related to Dutch*).

[31] **der Vokal, -s, -e** = vowel.

Die Geschichte der deutschen Sprache wird gewöhnlich in drei Perioden eingeteilt: die althochdeutsche (800–1050), die mittelhochdeutsche (1050–1500) und die neuhochdeutsche[32] (1500–bis zur Gegenwart). Die Schöpfung der Schriftsprache[33] verdanken wir besonders der Bibelübersetzung Martin Luthers, die die Entwicklung der Schriftsprache forderte. Die deutsche Schriftsprache ist nicht mit einem besonderen Dialekt identisch. Sie ist wirklich eine Mischung oder ein Kompromiß. Im Gegensatz[34] zum Französischen oder Englischen ist sie nicht die Sprache eines Hofes,[35] sondern ist wirklich aus der Volkssprache entstanden.[36] Sie stützt sich[37] vor allem[38] auf das Hochdeutsche. Heute werden die Dialekte—aber besonders das Niederdeutsche—von der Schriftsprache immer mehr[39] zurückgedrängt.

21.4 Complete the sentences below using the following words:

lassen, müssen, fahren, gefahren, sprechen, gesprochen, war, hatte.

1. Du hast deinen Bruder abreisen _____.	lassen
2. Wir haben mit unserem Bruder abreisen _____.	müssen
3. Meine Eltern und ich waren nach Berlin _____.	gefahren
4. Robert _____ mit seinen Eltern sprechen müssen.	hatte
5. Er hatte Karl mit dem Lehrer sprechen _____.	lassen
6. Robert hatte mit seinen Eltern nach Berlin _____ müssen.	fahren
7. Leider hatten wir mit Karl nicht _____ können.	sprechen

---

[32] **althochdeutsch** = Old High German; **mittelhochdeutsch** = Middle High German; **neuhochdeutsch** = New (modern) High German.
[33] **die Schriftsprache** = standard German (**die Schrift, -en** = writing).
[34] **Gegensatz** = contrast, opposition.
[35] **der Hof, -es, ue** = court.
[36] **entstanden** = to arise.
[37] **sich stützen** = to support.
[38] **vor allem** = above all.
[39] **immer mehr** = more and more.

8. Gestern habe ich mit Karls Freund _____.   gesprochen

9. Ich _____ mit meinem Freund nach Berlin gefahren.   war

10. Meine Eltern haben mich nicht nach Berlin fahren _____.   lassen

11. Mein Vater _____ mich nicht nach Berlin fahren lassen.   hatte

12. Wir hatten ohne unsere Eltern nach Berlin fahren _____.   müssen

21.5 Word Study

Make a list of all the words in 21.3 which end in:
(a) -*schaft*, (b) -*ung*, and (c) -*(l)er*.

21.51 Complete the following sentences:

1. Wir waren von Berlin _____.
2. Wir hatten mit dem Jungen _____.
3. Wir _____ mit dem jungen Mann sprechen _____.
4. Du hast mich mit dem Mann nicht _____ lassen.
5. Wir _____ euch mit dem Mann abreisen lassen.
6. Wir haben mit dem Wissenschaftler nicht arbeiten _____.
7. Er _____ immer mit seinem Bruder verglichen worden.
8. Der Wissenschaftler hat die Inschrift nicht lesen _____.
9. Viele Menschen _____ zugrunde gehen müssen.
10. Wir hatten die Feinde besiegen _____.
11. Wir hatten das Denkmal nicht _____ dürfen.
12. Der Schriftsteller hat für die Freiheit kämpfen _____.
13. Wir _____ die Bedeutung dieses Wortes nicht verstehen können.
14. Er war so arm, daß er das Geld von seinem Bruder hat _____ müssen.
15. Die Eltern hatten sich von ihren Kindern trennen _____.
16. Um diese Leute zu verstehen, _____ ich eine besondere Sprache lernen müssen.
17. Wir _____ die Feinde leider nicht zurückdrängen können.
18. Nach seiner Reise hat Karl seinen Freunden sehr viel berichten _____.

19. Viele Jahre lang hatten wir uns gegen die Angriffe der Feinde _____ müssen.

20. Die Römer hatten in Deutschland nicht weiter vordringen _____.

21.52 Grammar Study

(a) Write out the infinitive and past participle of every verb used in 21.3.

(b) In the same text, indicate by the special underlining all nominatives and accusatives.

21.53 Complete the following sentences based on 21.3.

1. Deutsch sowie Lateinisch und Griechisch sind indogermanische _____.

2. Die anderen germanischen Sprachen sind mit dem Deutschen sehr nahe _____.

3. Deutsch und Englisch _____ zur Gruppe der westgermanischen Sprachen.

4. Der gotische Bischof Wulfila hat die Bibel ins Gotische _____.

5. Zur Zeit der Bibelübersetzung _____ die Goten in der Gegend des Schwarzen Meeres.

6. Beinahe alle _____ Stämme sind während der Völkerwanderung zugrunde gegangen.

7. Im Jahre 113 hatten die Römer gegen germanische Stämme _____ müssen.

8. Im Jahre 9 n. Chr. waren die Römer im Teutoburger Wald _____ worden.

9. Der römische Schriftsteller Tacitus hat uns sehr viel über die Gebräuche der Germanen _____.

10. Das Wort _____ bedeutete ursprünglich völkisch oder zum Volk gehörig.

11. Die ersten _____ des Deutschen wurden im siebenten und achten Jahrhundert geschrieben.

12. Deutsch hat viele Wörter aus dem Lateinischen _____ müssen.

13. Die hochdeutsche Lautverschiebung hat Deutsch in zwei Gruppen von Dialekten _____.

14. Durch die hochdeutsche Lautverschiebung erklären sich viele _____ zwischen Deutsch und Englisch.

15. Den englischen Wörtern „to" und „time" _____ die deutschen Wörter *zu* und *Zeit*.
16. Man kann die Geschichte der deutschen Sprache in drei Perioden _____.
17. In seiner Bibelübersetzung hat sich Martin Luther besonders auf Hochdeutsch _____.
18. Heute _____ die Schriftsprache die Dialekte immer mehr zurück.

22. Modal Modifications of the Past

22.1 Alle Studenten haben Professor Gründig sehr gern (GERN haben = *to like*). Sogar Günter versäumt (*is absent from, misses*) nie eine seiner Vorlesungen (*lectures*). Professor Gründig lehrt Geschichte (*history*), aber er erzählt oft Geschichten (*stories*) aus seinem Leben.

Professor Gründigs Familie muß einmal sehr reich gewesen sein. Die Familie soll ihr Geld schon vor vielen Jahren verloren haben. Auf jeden Fall ist Professor Gründig in seiner Jugend in der ganzen Welt herumgereist (*traveled about*). Er soll sogar in Indien und Afrika gewesen sein und Löwen (*lions*) und Tiger (*tigers*) gejagt haben (*hunted*). Professor Gründig erzählt oft von seinen Erlebnissen (*adventures*) mit berühmten (*famous*) Leuten. Sogar den Präsidenten Hindenburg und General Ludendorff will er gekannt haben. Nur den Kanzler Bismarck (*chancellor*) kann er einfach nicht gekannt haben. Dazu ist er doch nicht alt genug.

22.2 The German compound past can in turn be modified by the modal auxiliaries. In this modification the auxiliaries (*haben* or *sein*) are replaced by the corresponding form of the modal auxiliaries and move as infinitive to the end of the "verb field."

Robert | hat | viel gearbeitet.

Robert | muß | viel gearbeitet | haben | .

Robert | ist | gestern abgereist.

Robert | soll | gestern abgereist | sein | .

Ich weiß, daß Robert viel gearbeitet | hat | .

Ich weiß, daß Robert viel gearbeitet [haben] [muß] .

Man sagt, daß Robert abgereist [ist] .

Man sagt, daß Robert abgereist [sein] [soll] .

The meaning of the modal modification of the past is generally *possibility* or *supposition*.

Robert muß viel gearbeitet haben.
> *Robert must have worked a lot.*

Robert soll viel gearbeitet haben.
> *Robert is supposed to have worked a lot.*

Robert kann viel gearbeitet haben.
> *Robert may have worked a lot.*

Robert mag viel gearbeitet haben.
> *Robert may have worked a lot.*

Robert will viel gearbeitet haben.
> *Robert pretends to have worked a lot.*

The modal modification of the past must of course be differentiated from the past modification of the modals.

Modal :   Robert [kann] viel [arbeiten] .

Past Modif.:   Robert [hat] viel arbeiten [können] .
              (Robert was able to work a lot.)

Past :   Robert [hat] viel gearbeitet.

Modal Modif.: Robert [kann] viel gearbeitet [haben] .
              (Robert may have worked a lot.)

22.3 Reading Preparation

1. **gelingen (i, a, u)** = to be successful *(used as impersonal verb)*.
   Es **gelang** mir, die Feinde (**der Feind, -s, -e** = enemy) zu besiegen.

2. **das Königreich, -es, -e** = kingdom (**der König, -s, -e** = *king;* **das Reich, -es, -e** = *empire*).
   England ist ein **Königreich**.

3. **gründen** (w) = to found (**der Grund, -es, ⸚e** = *cause,*

foundation). (*Observe the formation of the verb through umlaut and verbal suffix.*)

Unsere Universität wrude vor hundert Jahren **gegründet**.

4. **vereinigen** (w) = to unite. (*Note the prefix* **ver-** *which usually implies completion of the action;* **einig** = *united.*)
Er war Präsident der **Vereinigten** Staaten.

5. **das Fürstentum, -s,** ⁔**er** = principality, princely dominion (**der Fürst, -en, -en** = *prince, sovereign*) (*Note that the suffix* **-tum** *has generally the meaning of place or quality.*)
Lichtenstein ist ein **Fürstentum**.

6. **heutig** = of today (**heute** = *today;* **-ig** *is a common adjectival suffix*).
Ich möchte die **heutige** Zeitung lesen.

7. **römisch** = Roman (**Rom** = *Rome;* **-isch** *is a frequent adjectival suffix*).
Augustus war ein **römischer** Kaiser.

8. **krönen** (w) = to crown (**die Krone, -n** = *crown*). (*The verb is formed by the umlaut* **ö** *and the verbal ending.*)
Karl wurde zum Kaiser **gekrönt**.

9. **der Enkel, -s, -** = grandchild.
Meine Mutter hat jetzt schon zwei **Enkel**.

10. **(sich) streiten (ei, stritt, gestritten)** = to quarrel.
Worüber **streiten sich** die Kinder?

11. **die Herrschaft, -en** = mastery, domination (**der Herr, -n, -en** = *master*) (**-schaft** *is a noun suffix indicating quality*).
Während des Krieges war das Land unter fremder **Herrschaft**.

12. **der Großvater, -s,** ⁔**er** = grandfather (**Großmutter** = *grandmother*).
Mein **Großvater** hat zehn Enkel.

13. **schwören (ö, u, o)** = to swear, pledge.
Der König hat **geschworen**, uns gegen die Feinde zu helfen.

14. **ZUstimmen** (w) = to assent (**die Stimme, -n** = *voice, vote*).
Dieser Entscheidung (*dat.*) kann ich leider nicht **zustimmen**.

15. **der Eid, -es -e** = oath, pledge.
Alle mußten dem König den **Treueid** (**die Treue** = *loyalty*) schwören.

16. **erhalten (ä, ie, a)** = to preserve, receive.
Nur ein Brief des Dichters ist uns **erhalten**.

17. **der Anfang, -es, ⁻e** = beginning (**anfangen, ä, i, a**
    = to begin).
    Proverb: Aller **Anfang** ist schwer.

18. **der Grund, -es, ⁻e** = cause.
    Ich kann den **Grund** für seine Tat (**die Tat, -en**
    = deed) nicht erkennen.

19. **das Lied, -es, -er** = song.
    Ich singe sehr gern die alten **Lieder**.

20. **beweisen (ei, ie, ie)** = to prove.
    In der Wissenschaft muß man alles **beweisen**.

21. **lehrreich** = instructive (**der Lehrer, -s,** = teacher;
    die Lehre, -n = teachings, **-reich** is here an adjectival
    suffix meaning full of).
    Ich las gestern ein **lehrreiches** Buch.

22. **einzig** = only.
    Mein Sohn ist der **einzige** Enkel meines Vaters.

23. **verfassen (w)** = to compose (**fassen (w)** = to hold,
    grasp etc., + perfective prefix **ver-**).
    Diese Oper wurde von Mozart **verfaßt**.

24. **der Held, -en, -en** = hero.
    Auf dem Platz steht ein Denkmal für die **Helden** der
    Freiheitskriege (*Wars of Liberation*).

25. **die Heimat, -en** = home, home country, native land.
    Deutschland ist die **Heimat** meiner Eltern.

26. **der Kampf, -es, ⁻e** = fight, battle.
    Der Kampf gegen die Tuberkulose (*tuberculosis*) ist
    noch immer nicht gewonnen.

27. **töten** = to kill (**der Tod, -es** = death). (Note the
    formation of the verb through umlaut.)
    In diesem Unfall wurden zwei Menschen **getötet**.

28. **menschlich** = human (**der Mensch, -en, -en** = human
    being; **-lich** is an adj. suffix).
    Irren (**das Irren, -s** = to err) ist **menschlich**.

29. **die Liebe** = love.
    Patriotismus ist die **Liebe** zum Vaterland.

30. **unnatürlich** = unnatural (**die Natur, -en** = nature).
    Es ist **unnatürlich** für eine Mutter, ihre Kinder nicht
    zu lieben.

31. **die Ehre, -n** = honor.
    Es war eine große **Ehre,** mit dem Präsidenten zu
    sprechen.

32. **lösen** (w) = to solve.

Das Problem war zu schwer für mich zu **lösen.**

33. **das Gefühl, -s, -e** = feeling (**fühlen** (w) = *to feel*).

Ich habe keinen Schmerz (**der Schmerz, -es, -en** = *pain*) **gefühlt.** Für Musik hat der Junge kein **Gefühl.**

Die althochdeutsche Literatur

Während der Völkerwanderung war es den Franken[1] gelungen, im heutigen Frankreich[2] ein großes Königreich zu gründen. Einer der fränkischen Könige, nämlich[3] Karl der Große, vereinigte die Fürstentümer und Königreiche des heutigen Frankreichs, Italiens und Deutschlands zu einem Großstaat.[4] Im Jahre 800 ließ sich Karl der Große in Rom vom Papst zum römischen Kaiser krönen. Die drei Enkel Karls des Großen stritten sich jedoch um die Herrschaft im Reich. Im Jahre 843 entschlossen sie sich, das Reich ihres Großvaters in drei Teile zu teilen. Das Ostreich entsprach dem heutigen Deutschland. Das Mittelreich[5] erstreckte[6] sich über Holland, die Rheinländer bis zur Schweiz[7] und Italien. Das Westreich war mit dem heutigen Frankreich identisch.

Zur Zeit der Reichsteilung[8] trafen sich Karl, der König des Westreiches und Ludwig, der König des Ostreiches, bei Straßburg. Sie und ihre Heere schwuren, der Reichsteilung zuzustimmen. Die Könige und die Heere schwuren die Eide in französischer und in deutscher Sprache. Diese französischen und deutschen Eide wurden glücklicherweise in einem sehr alten Manuskript bewahrt. Sie sind die ersten wichtigen alten Denkmäler der französischen und der deutschen Sprache. Vom Anfang des neunten Jahrhunderts an kann man also von einer deutschen Sprache und Literatur sprechen.

---

[1] **Franken** = the Franks.
[2] **Frankreich** = France.
[3] **nämlich** = namely.
[4] **Großstaat** = great state, united kingdom (**der Staat, -es, -en** = state).
[5] **das Mittelreich** = the central empire.
[6] **sich erstrecken** (w) = to extend.
[7] **das Rheinland** = country along the Rhine river; **die Schweiz** = Switzerland.
[8] **die Reichsteilung** = division of the empire (*observe the formation of the compound noun* **Reichsteilung** = **Teilung des Reiches**).

Von der althochdeutschen Literatur ist uns leider nur sehr wenig erhalten. Der Grund dafür ist wohl darin zu suchen, daß die altgermanische Literatur heidnisch war und die Kirche versuchte, diese heidnische Literatur zu unterdrücken.[9] Wir wissen z.B.,[10] daß Karl der Große am Ende des achten Jahrhunderts verbat, weltliche[11] Lieder in der Volkssprache aufzuschreiben.[12] Aber gerade das beweist ja, daß eine Literatur in der Volkssprache bestanden haben muß.

Die althochdeutsche Literatur wurde also vor allem von Mönchen[13] geschrieben und zeigt auch ihren christlichen Ursprung. So versuchte der Mönch Notker von St. Gallen (955–1022), die Psalmen der Bibel ins Deutsche zu übersetzen. Der Mönch Otfried von Weißenburg (ca. 870) schrieb ein Evangelienbuch:[14] eine lehrreiche Umarbeitung[15] der Evangelien.[16] Literarisch[17] wichtig sind vor allem das „Ludwigslied" und das „Hildebrandslied". Im „Ludwigslied" wird der Sieg des Königs Ludwig über die Normannen (881) besungen.[18] Das „Hildebrandslied"—leider nur in einem Fragment bewahrt—ist vielleicht das einzig wirklich wichtige nicht-christliche Literaturdenkmal der althochdeutschen Periode.

Das „Hildebrandslied" wurde am Anfang des neunten Jahrhunderts von Mönchen im Kloster[19] Fulda aufgeschrieben. Es muß schon lange vorher verfaßt worden sein, da es klar ist, daß das „Hildebrandslied" sich auf die altgermanische Überlieferung stützen muß. Der Held des „Hildebrandsliedes" ist der tapfere[20] Hildebrand, ein Lehnsmann[21] Theoderichs des Großen. Nach vielen Jahren kehrt Hildebrand wieder in die Heimat zurück. Dort wird er von seinem Sohn zum Zweikampf[22] herausgefordert.[23] Obgleich der Vater seinen

---

[9] **unterdrücken** (w) = to suppress.
[10] **z.B. = zum Beispiel** = for example.
[11] **weltlich** = worldly.
[12] **AUFschreiben, ie, ie** = to write down.
[13] **der Mönch, -es, -e** = monk.
[14] **das Evangelienbuch** = book of the Gospels.
[15] **die Umarbeitung, en** = adaptation, reworking.
[16] **die Evangelien** = the Gospels.
[17] **literarisch** = as literature.
[18] **besingen, i, a, u** = celebrate, sing about.
[19] **das Kloster, -s, ⁻e** = convent, monastery.
[20] **tapfer** = courageous.
[21] **der Lehnsmann, -es, ⁻er** = vassal.
[22] **der Zweikampf, -s, ⁻e** = single combat, duel.
[23] **HERAUSfordern** (w) = to challenge.

Sohn erkennt,[24] kommt es dennoch zum Kampf. Das Ende des Liedes ist uns nicht bewahrt worden. Aber man kann schon denken, was das Ende gewesen sein muß: Der Vater hat den eigenen Sohn im Zweikampf getötet.

Die erste große deutsche Dichtung zeigt also als Hauptmotiv[25] den Konflikt zwischen menschlicher, „natürlicher" Liebe und einem abstrakten, „unnatürlichen" Ehrenprinzip.[26] Der Konflikt wird auf tragische Weise[27] durch den Sieg des Ehrenprinzips gelöst. Den Konflikt zwischen Liebe und Ehre kann man in der deutschen Literatur, oder überhaupt in der deutschen Mentalität immer wiederfinden. Das „Hildebrandslied"— das erste große deutsche Literaturdenkmal—kann also in dieser Beziehung[28] vielleicht als typisch deutsch bezeichnet[29] werden.

22.4 Complete the sentences below using the following words:

muß, soll, haben, sein, sollen, müssen, war, hat.

1. Diese Familie _____ einmal sehr reich gewesen sein. — muß / soll

2. Hans soll mit diesem Mann gestern gesprochen _____. — haben

3. Karl _____ mit diesem Mann gestern sprechen müssen. — hat

4. Ich weiß, daß Karl mit diesem Mann gesprochen haben _____. — muß

5. Wir _____ mit ihm gesprochen haben. — sollen / müssen

6. Ich bin sicher, daß Karl mit ihm hat sprechen _____. — sollen / müssen

7. Karl _____ gestern von Berlin abgereist. — war

8. Karl _____ schon gestern von Berlin abgereist sein. — muß / soll

9. Ich weiß, daß Karl schon gestern von Berlin abgereist _____ muß. — sein

---

[24] **erkennen, erkannte, erkannt** = to recognize.

[25] **das Hauptmotiv** = the main theme; **das Haupt, -es,** ⁓**er** = head. (note the use of *Haupt-* as the first part of a compound with the meaning of main, *chief*).

[26] **das Ehrenprinzip, -s, -e** = principle of honor.

[27] **auf tragische Weise** = in a tragic fashion; **die Weise, -n** = fashion manner.

[28] **in dieser Beziehung** in this respect; **die Beziehung, -en** = relation.

[29] **bezeichnen** (w) = to consider, designate

10. Wir _____ mit Karl von Berlin ab-   haben
    reisen müssen.
11. Wir _____ mit Karl aus Berlin ab-   sollen
    gereist sein.
12. Ich weiß, daß Karl mit Ihnen nach
    Berlin gefahren sein _____.   muß

22.5 Word Study

From the reading selections in 21.3 and 22.3, prepare the following:

(a) List the adjectives ending in -ig, -isch, and -lich.

(b) List the nouns ending in -e. Are all these nouns feminine?

(c) List the verbs which start with the prefix be-.

22.51 Complete the following sentences:

1. Der Wissenschaftler kann das nicht bewiesen _____.
2. Das _____ ein sehr lehrreiches Buch sein.
3. Sie hatten alle dem König den Treueid schwören _____.
4. Der alte Mann _____ zwanzig Enkel haben.
5. Diesem Mann _____ es gelungen sein, die Wahrheit zu beweisen.
6. Die heutige Zeitung _____ diese Geschichte genau berichtet haben.
7. Wir haben nie unter fremder Herrschaft leben _____.
8. Ich bin sicher, daß wir diesem Vorschlag nicht zustimmen _____.
9. Er hat seine eigenen Kinder nicht vor diesem Unfall bewahren _____.
10. Der Schriftsteller soll dieses Buch nicht selbst verfasst _____.
11. Sein einziges Kind _____ an dieser Krankheit gestorben sein.
12. Dieses Problem soll so schwer sein, daß niemand (*nobody*) es lösen _____.
13. Ich habe den Grund zu dieser Tat nie erkennen _____.
14. Er _____ seine Heimat schon als Kind verlassen haben.
15. Er hat sehr viel Schmerzen erleiden _____.
16. Herr und Frau Schmidt _____ sich sehr oft streiten.
17. Wir haben den Wagen nicht selbst reparieren _____.

18. Die Bedeutung dieses Wortes haben wir leider nicht verstehen _____.
19. Der Mann muß einmal sehr reich gewesen _____.
20. Er muß sehr viel Geld gehabt _____.
21. Er kann von seinen eigenen Freunden betrogen _____ sein.

22.52 Grammar Study

(a) In section 22.3 underline all the genitives.

(b) Write out the third person singular simple past of all verbs in 22.3 that do not appear in the simple past tense.

22.53 Complete the following sentences based on 22.3:

1. Das Königreich Frankreich wurde von den _____ gegründet.
2. König _____ gelang es, Frankreich, Italien und Deutschland zu einem Großstaat zu vereinigen.
3. Karl wurde in Rom vom _____ zum Kaiser gekrönt.
4. Die _____ Karls des Großen teilten das Reich in drei Teile.
5. Die sogenannten Straßburger Eide wurden von König Ludwig und von König Karl _____.
6. Die Eide sind sehr wichtige _____ der deutschen und der französischen Sprache.
7. Die Kirche versuchte, die althochdeutsche heidnische Literatur zu _____.
8. Die Versuche, die heidnische Literatur zu unterdrücken, beweisen, daß eine solche Literatur _____ haben muß.
9. Die wichtigen Autoren der althochdeutschen Literatur waren _____.
10. Das „Hildebrandslied" ist ein sehr wichtiges _____ der althochdeutschen Literatur.
11. Das „Hildebrandslied" muß schon vor dem neunten Jahrhundert _____ worden sein.
12. Das „Hildebrandslied" berichtet, wie Hildebrand nach vielen Jahren in seine Heimat _____.
13. Obleich (although) das Ende des „Hildebrandliedes" nicht _____ worden ist, wissen wir dennoch, wie es geendet haben _____.
14. Der Konflikt zwischen Liebe und _____ findet sich sehr oft in der deutschen Literatur.

23. Modifications of the Infinitive

23.1   Günter und sein Freund Gerhard sind wirklich sehr verschiedene *(different)* Naturen. Gerhard glaubt alles tun zu können, Günter hat immer Angst, von seinen Kameraden ausgelacht zu werden *(to be made fun of)*. Bei jeder Gelegenheit *(occasion)* glaubt er, benachteiligt *(discriminated against)* worden zu sein. Immer hat er Angst, einen Fehler *(mistake)* begangen zu haben *(to have committed, made)*. Und trotzdem sind Gerhard und Günter immer zusammen, und der eine scheint ohne den anderen nicht auskommen *(to get along)* zu können.

23.2   All the modifications (modal, passive, past) can be applied to the infinitive.

If the modal modification is applied to the infinitive, the infinitive of the modal replaces the infinitive as last element in the clause.

Ich habe Angst, mit meinem Lehrer | zu ¦ sprechen | .

Modal Modif.:   Ich habe Angst, mit meinem Lehrer | sprechen |

| zu ¦ müssen | .

If the passive modification is applied to the infinitive, the infinitive of *werden* becomes the last element of the clause. The infinitive is converted into the past participle, thus:

Er hat Angst, meinen Freund | zu ¦ schlagen | .

Passive Modif.:   Er hat Angst, von meinem Freund | geschlagen |

| zu ¦ werden | .

If the past modification is applied to the infinitive, the latter is

160

replaced by the infinitive of either *haben* or *sein* and moves into the penultimate position as past participle:

Er hat Angst, meinen Freund $\boxed{\text{zu} \mid \text{beleidigen}}$.

Past Modif.: Er hat Angst, meinen Freund $\boxed{\text{beleidigt}}$ $\boxed{\text{zu} \mid \text{haben}}$.

Er hat Angst, von meinem Freund geschlagen $\boxed{\text{zu} \mid \text{werden}}$.

Past Modif.: Er hat Angst, von meinem Freund geschlagen $\boxed{\text{worden}}$ $\boxed{\text{zu} \mid \text{sein}}$.

23.3 Reading Preparation

1. **golden** = made of gold (**das Gold, -es** = gold).
   Mein Vater gab mir eine **goldene** Uhr.
2. **die Dichtung** = poetry (**dichten** [w] = *to write poetry*;
   der Dichter, -s, - = *poet*).
   Die deutsche **Dichtung** unserer Zeit ist oft schwer zu
   verstehen.
3. **ANsehen (ie, a, gesehen)** = to consider, look at.
   Goethe wird als der größte *(the greatest)* deutsche
   Dichter **angesehen**.
4. **die Gruppe, -n** = group.
   Deutsch gehört zu der **Gruppe** der indogermanischen
   Sprachen.
5. **EINteilen** (w) = to divide, subdivide.
   Die germanischen Sprachen können in drei Gruppen
   eingeteilt werden.
6. **der Inhalt, -es, -e** = contents.
   Ich verstehe den **Inhalt** dieses Buches nicht.
7. **das Vorbild, -es, -er** = example.
   Karl hat sich seinen Lehrer zum **Vorbild** genommen.
8. **volkstümlich** = popular (**das Volkstum, -s, ⁼er**
   = *nationality*).
   Die **volkstümliche** Musik ist das Lieblingsfach des
   Professors Schmidt.
9. **die Heldensage, -n** = heroic epic (**der Held, -en,
   -en** = *hero;* **die Sage, -n** = *saga, epic*).
   Das „Nibelungenlied" ist eine berühmte **Heldensage**.

10. **das Meisterwerk, -s, -** = masterpiece (**der Meister, -s, -** = master; **das Werk, -es, -e** = work, achievement, product).

Faust ist ein **Meisterwerk** der deutschen Dichtung.

11. **der Ritter, -s, -** = knight.

Die Sage von König Arthur und seinen **Rittern** ist sehr berühmt.

12. **die Bedingung, -en** = condition, stipulation.

Diese **Bedingung** kann ich nicht annehmen (*accept*).

13. **heilen** (w) = to heal (sickness).

Von dieser Krankheit kann man nicht **geheilt** werden.

14. **bereit** = ready.

Sind Sie **bereit,** mir zu folgen?

15. **das Blut, -es** = blood.

Blut ist rot.

16. **opfern** (w) = to sacrifice.

Göttern (**der Gott, -es, ̈er** = god) wurden oft Menschen **geopfert.**

17. **ANnehmen (nimmst, a, genommen)** = to accept.

Ein solches Opfer kann ich nicht **annehmen.**

18. **unglücklich** = unhappy (**das Glück, -es** = luck; happiness).

Proverb: Glück im Spiel, **Unglück** in der Liebe.

19. **schicken** (w) = to send.

Der Arzt **schickte** den kranken Schüler nach Hause.

20. **die Reise, -n** = voyage, trip.

Mein Freund wurde auf seiner **Reise** nach Deutschland krank.

21. **heiraten** (w) = to marry.

Mein Freund hat meine Schwester **geheiratet.**

22. **zwingen (i, a, u)** = to force.

Man kann Menschen nicht zur Freiheit **zwingen.**

23. **fliehen (ie, floh, geflohen)** = to flee, run away.

Die Soldaten **flohen** vor dem Feind.

24. **die Heirat, -en** = marriage.

Heirat ist ein Glückspiel (**das Glückspiel, -s, -e** = game of chance).

25. **mächtig** = powerful (**die Macht, ̈e** = power, strength).

Karl der Große war ein **mächtiger** König.

26. **die Schüssel, -n** = dish, bowl.

Mein Freund und ich aßen aus derselben **Schüssel.**

27. **die Kreuzigung, -en** = crucifixion (**das Kreuz, -es, -e** = cross).

Die **Kreuzigung** ist ein Motiv der christlichen Kunst (**die Kunst,** ¨**e** = art).

28. **sammeln** (w) = to collect.
Mein Freund **sammelt** Briefmarken (**die Briefmarke, -n** = *postage stamp*).

29. **die Burg, -en** = castle.
König Artus und seine Ritter wohnten in einer **Burg.**

30. **fallen (ä, ie, a)** = to fall.
Im Krieg fallen = to die in a war.
Mein Großvater ist 1917 im Krieg **gefallen.**

31. **Einsamkeit** = solitude (**einsam** = *lonely*; **-keit** = *is a noun suffix denoting quality of*).
Der Mensch soll nicht in **Einsamkeit** leben.

32. **Unwissenheit** = ignorance (**das Wissen, -s** = *knowledge*).
Der Lehrer konnte die **Unwissenheit** der Schüler nicht verstehen.

33. **erziehen (ie, erzog, erzogen)** = to educate, nurture.
Die Eltern müssen ihre Kinder **erziehen.**

34. **verlassen (ä, ie, a)** = to leave behind, desert (**ver + lassen !**).
Gewöhnlich **verlassen** Eltern ihre Kinder nicht.

35. **verwunden** (w) = to wound (**die Wunde, -n** = *wound*).
Mein Freund wurde im Krieg **verwundet.**

36. **der Anblick, -s, -e** = view (**blicken** [w] = *to view, look*).
Diese Landschaft bietet (**bieten, ie, o, o** = *to present*).
einen schönen **Anblick.**

37. **warnen** (w) = to warn.
Ich wurde vor dieser Gefahr (**die Gefahr, -en** = *danger*) **gewarnt.**

38. **die Krankheit, -en** = sickness (**krank** = *sick*).
Der Arzt versicherte (**versichern** (w) = *to assure*) meinem Freund, ihn von seiner **Krankheit** zu heilen.

39. **stumm** = mute.
Ein taubes (**taub** = *deaf*) Kind kann sprechen lernen. Es muß nicht **stumm** sein.

40. **ziehen (ie, zog, gezogen)** = to draw, move.
Mein Freund **zog** im Land herum (**HERUMziehen** = *to move about*).

41. **bis** = until (*conj. and prep.*).
Ich warte, **bis** mein Freund zurückkehrt.

42. **das Wunder, -s, -** = miracle, wonder.

Dieser Mann kann nur durch ein **Wunder** geheilt werden.
43. **wählen** (w) = to choose, elect.
Er wurde zum Präsidenten **gewählt.**
44. **die Entwicklung, -en** = development (**entwickeln** [w]
= *to develop*).
Dieser Roman (**der Roman, -s, -e** = novel) zeigt die
Entwicklung des Helden.
45. **die Jugend** = youth.
Die Jugend ist eine glückliche Zeit unseres Lebens.
46. **der Irrtum, -es, ̈er** = mistake, error (**irren** [w] = *to
err, be mistaken*).
Der Grund des Unfalls war ein **Irrtum** des Fahrers.
47. **die Sünde, -n** = sin.
Lügen (**lügen** [w] = *to lie*) ist eine **Sünde.**
48. **genau** = exact.
Ich werde meinen Freund **genau** beschreiben.
49. **die Erlösung, -en** = salvation, redemption, deliverance
(**erlösen** [w] = *to save*).
Für den Kranken war der Tod eine **Erlösung.**
50. **die Weisheit** = wisdom (**weise** = *wise*).
König Salomon war wegen (**wegen** = *because of*) seiner
Weisheit berühmt.

Die Blütezeit[1] der Mittelhochdeutschen Dichtung:
(1) Das höfische Epos[2]

Eine ganz kurze Periode von vierzig Jahren (1180–1220)
kann als das erste goldene Zeitalter der deutschen Literatur
angesehen werden. Innerhalb[3] dieser vierzig Jahre, etwa
der Lebensdauer[4] einer Generation, wurden alle großen
Heldenlieder[5] der mittelhochdeutschen Dichtung verfaßt.
Diese Epen können in zwei Gruppen eingeteilt werden:
Die *höfischen Epen,* die von bekannten Autoren[6] verfaßt
wurden (ihr Inhalt stützt sich auf bekannte—gewöhnlich

---

[1] **die Blütezeit, -en** = Golden Age, classical period; **die Blüte, -n** = blossom, flower.
[2] **das höfische Epos** = courtly epic; **der Hof, -es, ̈e** = court; **das Epos, -, Epen** = epic.
[3] **innerhalb** = within.
[4] **die Lebensdauer** = lifespan.
[5] **das Heldenlied, -es, -er** = heroic epic.
[6] **der Autor, -s, -en** = author.

französische—Vorbilder); die *Heldenepen,* die von unbekannten Verfassern[7] geschrieben wurden (ihr Inhalt soll auf die volkstümlichen Heldensagen zurückgehen).

Wichtige Autoren der höfischen Epik sind Hartmann von Aue, Gottfried von Straßburg und Wolfram von Eschenbach. Hartmann von Aue schrieb vier epische[8] Romane; drei von ihnen („Erec", „Iwein", „Gregorius auf dem Stein") folgen französischen Vorbildern. Die Germanistik[9] glaubt jedoch, Hartmanns vierten Roman, den „Armen Heinrich", als sein Meisterwerk ansehen zu müssen. Der Stoff des Romans stammt vielleicht aus Italien. Der Roman vom armen Heinrich erzählt die folgende Geschichte: Ein Ritter erkrankt an Aussatz.[10] Er kann nur unter *einer* Bedingung geheilt werden: Eine Jungfrau muß bereit sein, ihr Blut für ihn zu geben und sich für ihn zu opfern. Die junge Tochter eines Lehnsmannes des Ritters ist bereit, ihr Leben für den Ritter zu geben. Als das Mädchen schon zum Tod bereit ist, entschließt sich der Ritter, ein solches Opfer nicht anzunehmen. Er wird dann doch durch ein Wunder geheilt und heiratet das opferbereite Mädchen.[11]

Der berühmte Roman „Tristan und Isolde" ist das Werk Gottfrieds von Straßburg. Der Roman folgt französischem Vorbild. Er erzählt die Geschichte einer unglücklichen Liebe: Tristan wird von seinem Onkel Mark, dem König von Cornwall, nach Irland geschickt, um die Prinzessin Isolde — die künftige[12] Frau seines Onkels — nach Cornwall zu bringen. Auf der Reise nach Cornwall trinken Isolde und Tristan einen Liebestrank,[13] der eigentlich für Isolde und Mark bestimmt[14] war. Isolde heiratet König Mark, aber der Liebestrank zwingt Tristan und Isolde zur Liebe und zum Ehebruch.[15] Nach vielen Abenteuern[16] flieht Tristan von Cornwall nach Britannien. Dort versucht er, durch die Heirat einer anderen Isolde (Isolde von Britannien) seine Liebe zur Frau seines Onkels zu vergessen. Doch der

---

[7] **der Verfasser, -s, -** = author, composer.
[8] **episch** = epic.
[9] **die Germanistik** = study of German language and literature.
[10] **der Aussatz, -es** = leprosy.
[11] **heiratet . . . Mädchen** = marries the maiden who was ready to sacrifice herself.
[12] **künftig** = future.
[13] **der Liebestrank, -es, ⸚e** = love potion.
[14] **bestimmt** = destined.
[15] **der Ehebruch, -es, ⸚e** = adultery.
[16] **das Abenteuer, -s, -** = adventure.

Liebestrank ist zu mächtig.—Gottfried von Straßburg hat die Geschichte von Tristan und Isolde selbst nicht beendigt.[17] Die französischen Vorbilder hören in verschiedenen[18] Weisen auf. Aber in allen Fassungen[19] des Tristanromans ist das Ende immer der tragische Tod Tristans und seiner geliebten Isolde.

Das Meisterwerk Wolframs von Eschenbach ist der Parzivalroman. Das Vorbild des Romans ist das französische Parzivalepos von Chretien de Troyes. Das Hauptmotiv des Romanes ist die Gralslegende.[20] Über den Ursprung der Legende ist man sich nicht einig. Im französischen Epos soll der Gral die Schale sein, aus der (from which) das heilige Abendmahl[21] gegessen und in der (in which) bei der Kreuzigung das Blut Jesu aufgefangen wurde.[22] Nach der Legende[23] soll der Gral von den Gralsrittern und dem König des Grals in einer entlegenen[24] Burg gehütet[25] werden. Das Parzivalepos erzählt, wie Parzival zum Gralskönig wird.

Parzivals Vater, ein berühmter Held, war im Kampf gefallen. Deshalb wird Parzival von seiner Mutter in Einsamkeit und Unwissenheit erzogen. Die Mutter hofft, ihren Sohn vor dem Schicksal[26] seines Vaters bewahren[27] zu können. Der junge Parzival verläßt jedoch seine Mutter und geht in die Welt hinaus, ohne zu wissen, daß er dadurch das Herz seiner Mutter bricht. Nach vielen Abenteuern gelangt[28] er zum Hofe des Königs Artus, wird ein Ritter der Tafelrunde[29] und heiratet die schöne Kondwiramur.

Jedoch verläßt er wieder die Tafelrunde und seine Familie und gelangt endlich zur Gralsburg. Dort sieht er den Gralskönig Amfortas. Der König war durch einen Speer[30] verwundet worden, und nur durch den Anblick des Grals kann der kranke König leben. Parzival war vorher am Hofe des Königs

---

[17] **beendigen** (w) = to finish, end.
[18] **verschieden** = different(ly), various(ly).
[19] **die Fassung, -en** = version.
[20] **die Gralslegende, -en** = legend of the Holy Grail.
[21] **das heilige Abendmahl** = the Last Supper.
[22] **AUFfangen (ä, i, a)** = to catch, capture.
[23] **nach der Legende** = according to the legend.
[24] **entlegen** = distant, out of the way.
[25] **hüten** (w) = to care for, guard.
[26] **das Schicksal, -s, -e** = fate.
[27] **bewahren** (w) = to protect.
[28] **gelangen** (w) = to arrive at.
[29] **die Tafelrunde, -n** = Round Table.
[30] **der Speer, -es, -e** = spear.

Artus gewarnt worden, keine vorschnellen[31] Fragen zu stellen. Deshalb glaubt er sich nach der Ursache der Krankheit des Königs nicht erkundigen[32] zu dürfen. Stumm betrachtet[33] Parzival den kranken König und verläßt die Gralsburg, ohne die wichtige Frage nach dem Grund der Krankheit des Königs gestellt zu haben.

Fünf Jahre lang zieht Parzival von Abenteuer zu Abenteuer, bis er wieder zur Gralsburg zurückkehren darf. Dieses Mal stellt er die wichtige Frage. Der König wird durch ein Wunder geheilt, und Parzival wird selbst zum Gralskönig gewählt.

Das Parzivalepos ist ein symbolischer[34] Entwicklungsroman.[35] Er zeigt die langsame Entwicklung des Helden von Jugend und Unwissenheit über Irrtum und Sünde zu Sühne[36] und Erkenntnis.[37] Über die genaue symbolische Bedeutung des Romanes streiten sich noch die Gelehrten.[38] Es ist jedoch klar, daß der Gral ein Symbol für Erkenntnis und Erlösung sein muß. Parzivals Suche[39] nach dem Gral ist wohl eine Parallele zum Streben[40] des Menschen nach Weisheit und Erlösung.

23.4 Complete the sentences below using the following words:

müssen, können, werden, haben, sein, verstehen, verstanden.

1. Es ist sehr schwer, dieses Buch zu
   _____.   verstehen
2. Hans glaubt, dieses Buch _____ zu   verstanden
   haben.
3. Hans glaubt, von seinen Freunden
   nicht verstanden worden zu _____.   sein
4. Hans hat Angst, von seinem Bruder
   ausgelacht zu _____.   werden

---

[31] **vorschnell** = hasty, rash.
[32] **sich erkundigen** (w) = to inquire.
[33] **betrachten** (w) = to contemplate, look at.
[34] **symbolisch** = symbolic.
[35] **der Entwicklungsroman** = developmental novel, *Bildungsroman*.
[36] **die Sühne, -n** = atonement.
[37] **die Erkenntnis, -se** = knowledge, recognition.
[38] **der Gelehrte, -n, -n** = scholar.
[39] **die Suche** = search.
[40] **das Streben, -s, -** = strife, struggle, aspiration.

5. Die Eltern glauben, ihr Kind gegen
   alle Menschen verteidigen zu _____.   müssen / können
6. Er hat Angst, dieses Buch nicht
   _____ zu können.   verstehen
7. Robert glaubt, mit dem Fürsten gesprochen zu _____.   haben
8. Der Professor spricht, ohne von den
   Schülern verstanden zu _____.   werden
9. Er hat zehn Jahre in Paris gelebt,
   ohne je in das Museum gegangen
   zu _____.   sein
10. Wir haben die Antwort gelernt, ohne
    sie _____ zu haben.   verstanden
11. Man kann dieses Buch verstehen,
    ohne intelligent zu _____.   sein
12. Er sah den Unfall, ohne helfen zu
    _____.   können

23.5 Word Study

From the reading selections in 21.3, 22.3, and 23.3, prepare
the following:

(a) List the nouns ending in -*heit*, -*keit*, -*tum*, and -*haft*.

(b) List the verbs which start with the prefix *ver*-. What appears
to be the meaning of this prefix?

23.51 Complete the following sentences:

1. Wir hoffen, diese Dichtung verstanden zu _____.
2. Dieses Buch kann als ein wichtiges Denkmal der deutschen
   Literatur angesehen _____.
3. Man kann ein Buch lesen, ohne seinen Inhalt verstehen
   zu _____.
4. Hans glaubt, dem Beispiel seines Vaters gefolgt zu _____.
5. Wir hoffen, alle Meisterwerke der deutschen Literatur
   lesen zu _____.
6. Die Frau hofft, von ihrer Krankheit geheilt worden zu
   _____.
7. Ein solches Opfer glaube ich nicht _____ zu können.
8. Seine Schwester _____ einen reichen Mann geheiratet
   haben.

9. Der Bürgermeister war sicher, zum Präsidenten _____ worden zu sein.
10. Er versteht und spricht Französisch, ohne je Deutschland verlassen zu _____.
11. Er reiste viele, ohne Erlösung finden zu _____.
12. Er hatte immer seinen Freund besucht, ohne von ihm _____ worden zu sein.
13. Er glaubte, ein Wunder _____ zu haben.
14. Wir fuhren nach Berlin, um mit Herrn Dr. Schmidt sprechen zu _____.
15. Sie starb, ohne je glücklich _____ zu sein.
16. Er glaubte, mir nicht helfen zu _____.
17. Karl glaubte, von seinen eigenen Freunden _____ worden zu sein.
18. Er hofft, das Mädchen heiraten zu _____.
19. Der Arzt glaubt, diesen Kranken _____ zu können.
20. Das Mädchen war sicher, von ihrem Verlobten _____ worden zu sein.

23.52 Grammar Study

(a) Write out the first person singular simple past and compound past of all strong verbs used in 23.3.

(b) Underline all the datives in 23.3.

23.53 Mark the following sentences true or false with reference to 23.3:

1. Die erste Blütezeit der deutschen Literatur dauerte drei Jahrhunderte.
2. Viele der höfischen Epen der deutschen Literatur stützen sich auf französische Vorbilder.
3. Die höfischen Epen der französischen Literatur wurden von unbekannten Verfassern geschrieben.
4. Der Roman vom armen Heinrich erzählt, wie eine Jungfrau ihr Leben für einen Ritter opfert.
5. Der Roman vom armen Heinrich endet mit dem tragischen Tode des Helden.
6. Tristan und Isolde werden durch einen Liebestrank zur unglücklichen Liebe und zum Ehebruch gezwungen.
7. Tristan lebt viele Jahre, ohne die Frau seines Onkels vergessen zu können.

8. Das Hauptmotiv der Parzivalsage ist die unglückliche Liebe des Helden.
9. Der Gral ist in einer einsamen Burg, wo er von den Gralsrittern behütet wird.
10. Parzivals Mutter hofft, daß ihr Sohn zum Gralskönig gewählt wird.
11. Parzival heiratet Kondwiramur, um sie zur Königin des Grals zu machen.
12. Parzival fragt nicht nach Amfortas Krankheit, weil er Angst hat, vorschnelle Fragen zu stellen.
13. Parzival verläßt die Gralsburg, weil er versucht, den König von seiner Krankheit zu heilen.
14. Am Ende des Romans wird Parzival zum Gralskönig gewählt.
15. Während des ganzen Romans entwickelt sich der Charakter des Helden nur sehr wenig.

24. Relative Clauses

24.1 Gerhard Müller, dessen Freund Günter wir schon kennen, ist ein sehr guter Student. Außer (besides) seinem Freund Günter, mit dem er viel Zeit verbringt (spends), hat er noch andere Freunde, mit denen er oft arbeitet. Sehr oft sieht man ihn mit Karl und Hans, die ihn beide bewundern, weil er nicht nur ein guter Student, sondern auch ein ausgezeichneter Fußballspieler ist. Professor Schmidt, dessen Student Gerhard ist, versteht nicht, wie man ein guter Student und auch ein guter Fußballspieler sein kann. Aber Gerhard kann eben alles. (Note the omission of the infinitive machen: Gerhard can [do] everything.)

24.2 The German relative pronouns have the following forms:

| | Singular | | | Plural |
	Masc.	Fem.	Neut.	Masc. Fem. Neut.
Nom.	der	die	das	die
Gen.	dessen*	deren*	dessen*	deren*
Dat.	dem	der	dem	denen*
Acc.	den	die	das	die

Note that the relative pronoun has the forms of the definite article with the exception of the asterisked forms—in other words, of all the genitives and the dative plural.

German also uses a relative pronoun *welcher*. The latter takes the form of the *der*-words and has, for all practical purposes, no genitive form:

	Singular			**Plural**
	Masc.	*Fem.*	*Neut.*	*Masc. Fem. Neut.*
Nom. Gen.	welcher	welche	welches	welche
Dat.	welchem	welcher	welchem	welchen
Acc.	welchen	welche	welches	welche

Examples:

Ich suche einen Mann (eine Frau, ein Kind), der (die, das) viel Geld hat.

Ich suche den Mann (die Frau, das Kind), dessen (deren, dessen) Onkel du kennst.

Ich suche einen Mann (eine Frau, ein Kind), dem (der, dem) ich schreiben kann.

Ich suche einen Mann (eine Frau, ein Kind), den (die, das) du nicht kennst.

Welcher is used somewhat less frequently than *der*. It is, however, always used in the expression "the one who," "those who": *derjenige (diejenige, dasjenige) welcher (welche, welches)*. Note that the element *-jenig* is declined like a weak adjective.

Derjenige, welcher die Antwort weiß, wird belohnt.

Diejenigen, welche die Antwort wissen, werden belohnt.

However, much more frequent than *derjenige welcher* is the use of *wer* and *was* (the interrogative pronouns) as relatives:

Wer die Antwort nicht weiß, wird bestraft.

(He who doesn't know the answer will be punished.)

Wer mir folgt, wird belohnt werden.

(He who follows me will be rewarded.)

Es ist nicht alles Gold, was glänzt.

(All that glitters is not gold.)

Vieles, was er sagt, ist richtig.

(Much of what he says is correct.)

Although the relative pronoun may be omitted in English, it *must* be expressed in German:

This is not the man (whom) I know.

Das ist nicht der Mann, den ich kenne.

24.3 Reading Preparation

1. **vertreten (-trittst, -trat, vertreten)**=to represent.
   Der Präsident wurde vom Vizepräsidenten **vertreten.**
2. **handeln** (w)=to act, deal with; to be about, treat of.
3. **die Prinzessin, -nen**=princess (*masc.* **der Prinz, -en**).
   Prinzessin Margarethe ist die Schwester der Königin
   von England.
4. **verloben** (w)=to become engaged (**der Verlobte,
   -en, -en; die Verlobte, -en**=*fiancé(e)*).
   Meine Schwester ist mit meinem Freund **verlobt.**
5. **rauben** (w)=to rob.
   Gestern haben zwei Leute in einer Bank (**die Bank,
   -en**=*bank*) 100 000 Dollar **geraubt.**
6. **die Widerstandskraft, ⸚e**=power of resistance (**der
   Widerstand, -s, ⸚e**=*resistance*; **die Kraft, ⸚e**=
   power, strength).
   Gegen diese Krankheit habe ich leider keine **Widerstandskraft.**
7. **treu**=faithful (**die Treue**=*loyalty*).
   Er schwor seiner Verlobten, ihr immer **treu** zu bleiben.
8. **die Hilfe**=help (**helfen i, a, o**=to help).
   Ohne die **Hilfe** meines Freundes kann ich nicht gewinnen.
9. **befreien** (w)=to liberate (**frei**=*free*).
   Die Soldaten (**der Soldat, -en, -en**=*soldier*) wurden
   von ihren Freunden **befreit.**
10. **die Gattin, -nen**[1]=spouse, wife (**der Gatte, -n, -n**=
    spouse, husband).
    Herr Schmidt und seine **Gattin** sind gestern nach Berlin
    abgereist.
11. **ähnlich**=similar (**die Ähnlichkeit, -en**=*similarity*).
    Ich bin meinem Bruder sehr **ähnlich.**
12. **vernichten** (w)=to destroy.
    Das Heer des Feindes wurde **vernichtet.**
13. **die Ermordung, -en**=murder, slaying (**der Mord,
    -es, -e**=*murder*; **morden** (w)=to murder; **ermorden**
    =to murder; **der Mörder, -s, -**=*murderer*).
    Der Roman endet mit der **Ermordung** des Helden.
14. **die Witwe, -n**=widow (**der Witwer, -s, -**=*widower*).
    Die **Witwe** des Königs heiratete seinen Bruder.
15. **fürchterlich**=horrible, fearful (**die Furcht**=*fear*;
    fürchten (w)=to fear).
    Gestern sahen wir einen **fürchterlichen** Unfall.

16. **(sich) rächen** = to take vengeance, avenge oneself (**die Rache, -n** = revenge).
    Die Königin wollte den Mord ihres Gatten **rächen.**
17. **die Schönheit, -en** = beauty (**schön** = *beautiful*).
    Helena war wegen ihrer **Schönheit** berühmt.
18. **der Dienst, -es, -e** = service; service station (**dienen** [w] = *to serve;* **der Diener, -s, -** = *servant*).
    Der Präsident steht im **Dienst** des Volkes.
    Ich muß den Wagen beim Shell **Dienst** (*service station*) *reparieren lassen.*
19. **(sich) baden** (w) = to take a bath (**das Bad, -es, ⁀er** = bath). **sich duschen** = to take a shower.
    Ich **bade** (mich) jeden Morgen.
20. **unverwundbar** = invulnerable (**die Wunde, -n** = wound; **verwunden** [w] = to wound).
    Der griechische Held Achilles war fast **unverwundbar.**
21. **die Stelle, -n** = place, location; job, position (**stellen** [w] = *to put*).
    Ich kann mich an diese **Stelle** nicht erinnern.
    Mein Freund sucht jetzt eine **Stelle** (*job*).
22. **die Schulter, -n** = shoulder.
    Der Vater stützte sich auf die **Schulter** seines Sohnes.
23. **zufällig** = accidental, by chance (**der Zufall, -s, ⁀e** = *accident*).
    Gestern habe ich **zufällig** meinen Freund getroffen.
24. **bedecken** (w) = to cover (**die Decke, -n** = *cover*).
    Im Winter sind die Straßen mit Schnee (**der Schnee, -s** = *snow*) **bedeckt.**
25. **unsichtbar** = invisible (**die Sicht, -en** = *view*).
    Der Zauberer (**der Zauberer, -s** = *magician*) konnte sich **unsichtbar** machen.
26. **der Schatz, -es, ⁀e** = treasure; *also* sweetheart, darling.
    Die Spanier kamen nach Amerika, um nach **Schätzen** zu suchen.
27. **ABnehmen (nimmst, nahm, genommen)** = to take away; *also*, to take off weight.
    Das Geld wurde mir von den Männern **abgenommen.**
    Durch ihre Krankheit hat die Frau schon zwanzig Pfund **abgenommen.**
28. **erfahren (ä, u, a)** = to find out, experience (**die Erfahrung, -en** = *experience*).
    Ich habe **erfahren,** daß Sie ein Buch schreiben wollen.
29. **beleidigen** (w) = to offend.

Ich hoffe, daß ich Sie nicht **beleidigt** habe.

30. **der Traum, -es,** ⁼e = dream (**träumen** [w] = to dream).
Gestern hatte ich einen sehr schönen **Traum.**

31. **beunruhigen** = to disquiet upset, bother, disconcert (**die Ruhe** = quiet, rest; **ruhig** = quiet; **unruhig** = restless).
Die politische Lage **beunruhigt** mich sehr.

32. **versprechen (i, a, o)** = to promise.
Mein Freund hat mir **versprochen,** mir zu helfen.

33. **beschützen** (w) = to defend, protect (**der Schutz, -es,** ⁼e = defense, shelter, protection).
Wir werden unsere Heimat vor allen Feinden **beschützen.**

34. **der Mantel, -s,** ⁼ = overcoat.
Ich möchte mir einen neuen **Mantel** kaufen.

35. **falsch** = false, wrong; unreliable, wicked.
Günter gibt immer die **falsche** Antwort.

36. **feig** = cowardly.
Die **feigen** Soldaten flohen vor dem Feind.

37. **versenken** (w) = to sink.
Im Krieg wurden viele Schiffe (**das Schiff, -es, -e** = ship) durch deutsche Unterseeboote (**das Unterseeboot, -es, -e** = submarine) **versenkt.**

38. **preisgeben (i, a, e)** = to reveal, expose.
Das Geheimnis (**das Geheimnis, -ses, -se** = secret) werden wir niemand(em) **preisgeben.**

39. **zögern** (w) = to hesitate.
Er **zögerte** lange, bevor er mir antwortete.

40. **überzeugen** (w) = to persuade, convince (**die Überzeugung, -en** = conviction).
Ich bin **überzeugt,** daß ich recht habe.

41. **reiten** = to ride on horseback.
Die Hunnen konnten sehr gut und lange **reiten.**

42. **empfangen (ä, i, a)** = to receive (**der Empfang, -s,** ⁼e = reception).
Der Fürst wurde von der Königin **empfangen.**

43. **TEILnehmen (nimmst, nahm, genommen)** = to take part, participate.
Ich möchte an dieser Konferenz auch gerne **teilnehmen.**

44. **binden (i, a, u)** = to bind, tie.
Die Gefangenen (**der Gefangene, -n, -n** = prisoner) wurden mit **gebundenen** Händen in das Zimmer gebracht.

45. **erschlagen (ä, u, a)** = to kill, slay (**schlagen** = to beat).

Viele Soldaten wurden vom Feind **erschlagen.**

46. **der Zorn, -es** = wrath, anger.

    Wir alle fürchten den **Zorn** des Herrn (here, Lord).

47. **der Fluch, -es, ⸚e** = curse.

    Ein **Fluch** lastet (**lasten** [w] = to weigh upon) auf dem Schatz des Königs.

48. **der Besitzer, -s, -** = possessor (**besitzen, besitzt, besaß, besessen** = to possess).

    Wer ist der glückliche **Besitzer** dieses Wagens?

49. **die Pflicht, -en** = duty, obligation.

    Es ist unsere **Pflicht,** für die Freiheit zu kämpfen.

50. **bezwingen (i, a, u)** = to conquer, overcome, subdue.

    Wir werden unsere Feinde **bezwingen.**

51. **die Kammer, -n** = chamber, room.

    Die **Kammer** war klein, aber sehr sauber (clean).

52. **unvermeidlich** = unavoidable (**vermeiden, ie, ie** = to avoid).

    Ein Konflikt zwischen zwei Staaten ist selten (rarely) **unvermeidlich.**

53. **scheinen (ei, ie, ie)** = to appear, seem; to shine.

    Mein Freund hat Kopfschmerzen und **scheint** krank zu sein.

    Die Sonne **scheint.**

54. **fesseln** (w) = to fetter, chain.

    Die Gefangenen wurden **gefesselt.**

Das goldene Zeitalter der mittelhochdeutschen Dichtung: (2) Das Heldenepos

Das Heldenepos ist vor allem durch zwei berühmte Epen vertreten: Das Heldengedicht[1] von Kudrun und das Nibelungenlied. Die Kudrunsage besteht aus drei Teilen, von denen nur der dritte von Kudrun handelt. Die ersten zwei Teile erzählen die Abenteuer, die von Kudruns Eltern und Großeltern bestanden wurden. In der Kudrunsage wird berichtet, wie die Prinzessin Kudrun, die mit dem Königssohn[2] Herwig verlobt ist, vom Normannenfürsten[3] Hartmut geraubt wird. Hartmut versucht, Kudrun zu zwingen, seine Frau zu

---

[1] **das Heldengedicht, -es, -e** = heroic poem.

[2] **der Königssohn, -es, ⸚e** = son of a king, prince.

[3] **der Normannenfürst, -en, -en** = Norman prince.

werden. Trotz aller Versuche Hartmuts und seiner grausa-men[4] Mutter Gerlind, Kudruns Widerstandskraft zu brechen, bleibt sie ihrem Verlobten Herwig treu. Nach vielen Jahren wird Kudrun endlich von ihrem Verlobten mit der Hilfe seines Freundes Wate befreit. Gudrun und Herwig heiraten.

Mit Recht ist die Kudrunsage oft mit der Sage von Odysseus verglichen worden. Die Sage von Odysseus erzählt ja auch—so wie die Kudrunsage—von der Treue einer Frau nämlich Odysseus' Gattin Penelope. Das Nibelungenlied nun ist dem anderen großen griechischen Epos, der Ilias, ähnlich. Die Nibelungensage berichtet, ähnlich der Ilias, wie ein ganzes Reich durch die Leidenschaft[5] einer Frau ver-nichtet wird.

Das Nibelungenlied kann in zwei Teile eingeteilt werden. Der erste erzählt von den Taten des Helden Siegfried, von seiner Heirat mit der Prinzessin Kriemhild und von seiner Ermordung. Der zweite Teil berichtet, wie Siegfrieds Witwe den Hunnenkönig[6] Attila heiratet und sich durch ihn an den Mördern Siegrieds fürchterlich rächt. Die beiden Teile der Sage werden also durch den Charakter Kriemhilds zusammen-gehalten.[7] Mit Recht kann man daher sagen, daß Kriemhild als die Hauptperson des Dramas betrachtet werden muß.

Siegfried, der Sohn des Königs Siegmund und der Königin Sieglinde, hört von der Schönheit der Prinzessin Kriemhild und entschließt sich, sie zu heiraten. Er zieht nach Worms, wo Kriemhild mit ihren Brüdern Gunther, Gernot und Gieselher lebt. Im Dienst Gunthers, des Königs der Bur-gunder, vollbringt[8] Siegfried heldenhafte[9] Taten. Schon in seiner Jugend hat er einen furchtbaren Drachen[10] getötet, in dessen Blut er sich dann gebadet hat. Durch dieses Blut ist Siegfried fast unverwundbar geworden; nur an der Stelle zwischen den Schultern, die zufällig während seines Bades durch ein Lindenblatt[11] bedeckt wurde, kann Siegfried verwundet werden.

---

[4] **grausam** = cruel.
[5] **die Leidenschaft** = passion.
[6] **der Hunnenkönig, -s, -e** = king of the Huns.
[7] **ZUSAMMENhalten (ä, ie, a)** = to hold together.
[8] **vollbringen (vollbringst, vollbrachte, vollbracht)** = to accomplish.
[9] **heldenhaft** = heroic.
[10] **der Drachen, -s, -** = dragon.
[11] **das Lindenblatt, -es, ̈er** = leaf of a linden tree.

Bevor Siegfried Kriemhild heiraten kann, muß er dem
König Gunther helfen, Königin Brunhilde von Island[12] im
Zweikampf zu besiegen. Mit Hilfe einer Tarnkappe,[13] mit
der er sich unsichtbar machen kann, gelingt es Siegfried,
Gunther zum Sieg über Brunhilde zu verhelfen. Siegfried
fährt dann zum Land der Nibelungen und kehrt von dort
mit dem Schatz der Nibelungen nach Worms zurück. Kriemhild wird Siegfrieds Frau und zieht mit ihm in die Nieder-
lande. Gunther heiratet Königin Brunhilde.

Nach zehn Jahren besuchen Siegfried und Kriemhild Kriemhilds Bruder Gunther in Worms. Während des Besuches[14]
kommt es zu einem Streit[15] zwischen Brunhilde und Kriemhild. Kriemhild zeigt Brunhilde einen Gürtel[16] und einen
Ring, die ihr (Brunhilde) von dem unsichtbaren Siegfried
einst in ihrer Kammer abgenommen worden waren. Brunhilde
erfährt, daß sie nicht durch Gunther, sondern durch Siegfried
bezwungen worden war. Sie entschließt sich, an Siegfried
Rache zu nehmen.

Für ihre Rache benutzt Brunhilde Hagen, den Gefolgsmann[17]
der Burgunderkönige. Hagen, der sich von Siegfried
beleidigt fühlt, ist bereit, Brunhildes Ehre zu rächen. Kriemhild ist durch einen Traum, der den Tod Siegfrieds
andeutet,[18] beunruhigt. Hagen verspricht Kriemhild, ihren
Mann gegen alle Feinde und Unfälle zu beschützen. Um
Hagen zu helfen, stickt[19] Kriemhild auf Siegfrieds Mantel ein
Zeichen[20], das die Stelle angibt,[21] an der Siegfried verwundbar ist. Dadurch wird es Hagen möglich, Siegfried mit
einem Speer zu töten.

Kriemhild, die durch diesen feigen Mord zur Witwe geworden ist, zieht nach Worms und bringt den Schatz der
Nibelungen mit. Ihr Bruder Gunther nimmt ihr den Schatz
ab. Die Brüder Gunther, Gernot und Gieselher beginnen,
sich wegen des Nibelungenschatzes zu streiten. Hagen

---

[12] **Island** = Iceland.
[13] **die Tarnkappe** = magic cloak.
[14] **der Besuch, -es, -e** = visit.
[15] **der Streit, -es, -e** = strife, quarrel.
[16] **der Gürtel, -s, -** = belt (girdle).
[17] **der Gefolgsmann -es, ⁻er** = vassal, follower.
[18] **andeuten** (w) = to indicate, hint at.
[19] **sticken** (w) = to embroider.
[20] **das Zeichen, -s, -** = sign.
[21] **ANgeben, i, a, e** = to indicate.

entschließt sich, den Schatz im Rhein an einer Stelle zu versenken, die nie verraten werden soll.

Der Hunnenkönig Etzel, der auch von der Schönheit Kriemhilds gehört hat, hält um Kriemhilds Hand an.[22] Kriemhild zögert lange, aber entschließt sich endlich, ins Hunnenreich[23] zu ziehen und Etzels Frau zu werden. Dreizehn Jahre lebt Kriemhild als Etzels Frau im Hunnenreich, jedoch ohne den Tod Siegfrieds zu vergessen. Endlich scheint die Gelegenheit der Rache gekommen zu sein. Kriemhild überzeugt Etzel, die Burgunder zu einem Besuch im Hunnenreich einzuladen. Die Burgunder werden durch ein Omen und durch ihre Freunde vor der Einladung Etzels gewarnt. Nichtsdestoweniger[24] reiten sie ins Hunnenreich.

Im Hunnenreich werden die Burgunder zuerst freundlich empfangen. Jedoch während des königlichen Festmahls[25] in Etzels Burg kommt es zu einem Streit. Hagen ermordet Etzels und Kriemhilds Sohn Ortlieb. Dann folgt ein fürchterliches Gemetzel,[26] in dem hunderte von Hunnen und alle Burgunder mit Ausnahme[27] Hagens und Gunthers getötet werden. Hagen und Gunther werden vom König Dietrich, der auch am Festmahl in Attilas Burg teilgenommen hat, gefesselt und zu Kriemhild gebracht. Kriemhild möchte wissen, wo der Schatz der Nibelungen versenkt worden ist. Hagen gibt vor,[28] das Geheimnis des Nibelungenschatzes nur nach dem Tod Gunthers preisgeben zu können. Aber nachdem Gunther getötet worden ist, sagt er Kriemhild, daß er das Geheimnis mit sich in den Tod nehmen wird. Kriemhilde erschlägt selbst den Mörder ihres ersten Mannes. Hildebrand, der Gefolgsmann Dietrichs, ist empört[29] über Hagens Ende durch eine Frau. In seinem Zorn tötet er Königin Kriemhild.

Das große deutsche Epos endet also mit einem Gemetzel und mit dem Tod der Hauptpersonen.[30] Als Siegfried einst den Schatz der Nibelungen gewonnen hatte war dieser Schatz

---

[22] **um die Hand . . . ANhalten, ie, a** = to ask for Kriemhild's hand.
[23] **das Hunnenreich, -s** = empire of the Huns.
[24] **nichtsdestoweniger** = nevertheless.
[25] **das Festmahl** = banquet.
[26] **das Gemetzel -s** = massacre, slaughter.
[27] **die Ausnahme, -n** = exception.
[28] **VORgeben (i, a, e)** = to pretend.
[29] **empört** = outraged.
[30] **die Hauptperson, -en** = chief character.

mit einem Fluch belegt worden.[31] Dieser Fluch, der jedem Besitzer des Schatzes Tod und Verderben[32] bringen sollte, ist symbolisch für den düsteren[33] Fatalismus, der das Hauptmotiv der Handlung zu sein scheint. Als wir schon im Hildebrandslied gesehen haben, kann der Konflikt zwischen Menschlichkeit[34] und Ehre oft zu einem unvermeidlichen bitteren Ende führen.

24.4 Replace the blanks by the correct form of the relative pronoun:

1. Das ist ein Junge, _____ sicher viel Erfolg haben wird.   der

2. Ist das der Junge, _____ Eltern mir gestern geholfen haben?   dessen

3. Wo ist das Mädchen, _____ Sie das Buch verkauft haben?   dem

4. Die Kinder, _____ Eltern nicht hier waren, konnten nicht miteinander (with each other) spielen.   deren

5. Sind das die Jungen, _____ Sie das Geld gegeben haben?   denen

6. Ist das der Junge, _____ Sie gestern getroffen haben?   den

7. Das ist doch nicht die Frau, _____ Sie so bewundert haben?   die

8. Ich weiß, daß die Bücher, _____ Sie gestern gekauft haben, heute nicht mehr zu haben sind.   die

9. Das ist der Mann, mit _____ Hilfe wir vielleicht siegen können.   dessen

10. Das ist der Mann, mit _____ Sie gestern gesprochen haben.   dem

24.5 Word Study

From lessons 21–24, prepare the following:

(a) List the adjectives ending in the suffix -*bar*.

---

[31] **belegen** (w) = to inflict.
[32] **das Verderben** = ruin.
[33] **düster** = dark, gloomy.
[34] **Menschlichkeit** = humanity, "humanness."

(b) List the verbs beginning with the prefix *er-*. What seems to be the meaning of this prefix?

(c) List the adjectives beginning with the prefix *un-*.

24.51 Complete the following sentences:

1. Diejenigen, welche uns geholfen _____, müssen belohnt werden.
2. Ist das das junge Mädchen, mit dem _____ verlobt war?
3. Ich verstehe nicht, warum der Mann, _____ diese Geschichte berichtet hat, nicht belohnt worden ist.
4. Ich möchte den Mann sehen, mit _____ Hilfe dein Freund befreit worden ist.
5. Es handelt sich hier um eine Geschichte, _____ allen Deutschen gut bekannt sein muß.
6. Der Held des Romans ist _____, dessen Taten das Hauptmotiv der Handlung sind.
7. Die Witwe, _____ ihren Mann nicht vergessen konnte, lud keinen ihrer Freunde mehr ein.
8. Sie war ein Mädchen, _____ Schönheit in ganz Deutschland bekannt war.
9. Wo sind die Schätze, _____ der König uns versprochen hat?
10. Wo sind die Männer, _____ wir das Geheimnis verraten haben?
11. Ich möchte keine Romane lesen, _____ Handlung mir nicht klar ist.
12. Das ist ein Mann, _____ Widerstandskraft wir alle bewundern müssen.
13. Kennen Sie alle die _____, die an der Konferenz teilgenommen haben?
14. Ich kenne den Mann, in _____ Dienst Sie so lange gearbeitet haben.
15. Kennen Sie den _____, dem Sie ihre Hilfe versprochen haben?
16. Achilles ist ein griechischer _____, dessen Taten in der „Ilias" besungen werden.
17. Mein Freund, _____ seine Eltern gewarnt hatten, wollte nicht nach Berlin reisen.
18. Der Fürst verließ die Soldaten, _____ er seinen Schutz versprochen hatte.

19. Die Gefangenen, welchen der König die Freiheit versprochen _____, wurden gefesselt.

20. Der Ritter konnte seinen Vater, _____ der Zauberer unsichtbar gemacht hatte, nicht mehr sehen.

21. Das ist ein Traum, _____ Bedeutung ich nicht verstehen kann.

22. Diejenigen, _____ nicht befreit worden waren, wurden von den Soldaten erschlagen.

24.52 Grammar Study

(a) Underline all the <u>accusatives</u> in 24.3.

(b) Write out the third person singular simple past of the strong verbs in 24.3.

24.53 Complete the following sentences with reference to the reading selection 24.3.

1. Die Gudrunsage besteht aus drei _____, von denen nur der dritte von der Prinzessin Gudrun berichtet.

2. Herwig, der der _____ Gudruns ist, gelingt es, die Prinzessin zu befreien.

3. Hartmut, der Gudrun aus dem Haus der Eltern raubt, versucht sie zu _____, seine Frau zu werden.

4. Die Gudrunsage berichtet von einer Frau, _____ ihrem geliebten Mann _____ bleibt.

5. In der „Ilias", wie im „Nibelungenlied", wird ein ganzes Reich wegen der Leidenschaft einer Frau _____.

6. Kriemhild, deren _____ an den Mördern ihres Gatten das Hauptmotiv des zweiten Teiles der Sage ist, kann als Hauptperson der Sage _____ werden.

7. Siegfried entschließt sich, Kriemhild zu heiraten, weil er von ihrer _____ gehört hat.

8. Siegfried wurde durch das Blut des Drachen, den er _____ hatte, fast unverwundbar.

9. Siegfried konnte Gunther helfen, Brunhilde zu besiegen, weil er eine Tarnkappe hatte, mit deren Hilfe er sich _____ machen konnte.

10. Nachdem Siegfried aus dem Land der Nibelungen _____ war, heiratete er Kriemhild.

11. Während eines Streites _____ Kriemhild der Königin Brunhilde den Gürtel und den Ring, die Siegfried ihr abgenommen hatte.

12. Kriemhild, die glaubt, daß Hagen ihren Gatten beschützen wird, gibt ihm selbst die Möglichkeit, Siegfried zu _____.

13. Hagen versenkt den Schatz der Nibelungen in den Rhein an einer Stelle, die nur ihm und den drei Brüdern der Königin _____ ist.

14. Kriemhild entschließt sich nach langem Zögern, den König der Hunnen, der um ihre Hand anhält, zu _____.

15. Kriemhild, die nun im Hunnenreich lebt, ohne ihren ersten Gatten vergessen zu _____, hofft, den Tod Siegfrieds zu rächen.

16. Während des Festmahls kommt es zu einem Gemetzel, in dem beinahe alle Burgunder _____ werden.

17. Hagen findet den Tod durch die Hand Kriemhilds, die den Tod ihres ersten Gatten _____.

18. Kriemhild wird von Hildebrand, der über den _____ Hagens empört ist, erschlagen.

19. Die Burgunder und Siegfried sind die Opfer eines _____, der jedem Besitzer des Nibelungenschatzes Tod und Verderben bringt.

20. Die Sage, deren Hauptmotiv ein düsterer Fatalismus ist, endet mit dem _____ der Hauptpersonen.

25. Declension of Adjectives
Conjunctions

25.1 Wenn *(when)* Günter und Gerhard zusammenkommen *(get together)*, sprechen sie oft über Professor Gründig. Guter, alter Professor Gründig! Er ist das Lieblingsthema aller Schüler. Niemand weiß, wann *(when)* er geboren ist *(was born)*. Als *(when)* der erste Weltkrieg begann, muß er wenigstens *(at least)* zwanzig Jahre alt gewesen sein, denn er hat den Krieg als deutscher Offizier mitgemacht *(participated)*. Deshalb kann er auch soviel über den Krieg erzählen. Obgleich *(although)* er auch im zweiten Weltkrieg gekämpft hat, spricht er nie darüber. Heute haßt *(hates)* er jeden Krieg. Jeder weiß, daß er im Krieg oft verwundet *(wounded)* worden ist, ohne viele Auszeichnungen *(decorations)* erhalten zu haben. Auf jeden Fall sind Günter und Gerhard sich darüber einig *(in agreement)*, daß es nicht schlecht *(bad)* ist, in Professor Gründigs Seminar *(symposium)* zu sein.

25.11 The "strong" declension of the adjective is used if the adjective modifying the noun is *not* preceded by the article or any other determinative (*der-* or *ein*-word). The endings of the strong adjectives are simply those of the *der*-words. The only exception to this rule occurs in the genitive singular of the masculine and neuter where the ending *-en*, instead of *-es*, is used. However, the use of the genitive of strong declension is extremely rare, and expressions like *ein Glas kühlen Weines* (a glass of cool wine) are archaic. In normal speech the genitive is replaced by the same case used for the noun indicating the quantity:

Nom.	Das ist ein Glas kaltes Bier.
	Das ist ein Glas gute Milch.
Acc.	Ich trinke ein Glas kaltes Wasser.

The endings of the strong adjective declension are:

Singular

	Masc.		Fem.		Neut.	
N.	gut **er**	Wein	gut **e**	Milch	gut **es**	Bier
G.	gut **en**	Weines	gut **er**	Milch	gut **en**	Bieres
D.	gut **em**	Wein	gut **er**	Milch	gut **em**	Bier(e)
A.	gut **en**	Wein	gut **e**	Milch	gut **es**	Bier

Plural

		Masc.	Fem.	Neut.
N.	gut **e**	Männer	Frauen	Kinder
G.	gut **er**	Männer	Frauen	Kinder
D.	gut **en**	Männern	Frauen	Kindern
A.	gut **e**	Männer	Frauen	Kinder

25.2 It is necessary to distinguish between *subordinating* and *coordinating* conjunctions. Subordinating conjunctions introduce subordinate clauses. In subordinate clauses introduced by subordinating conjunctions, the finite verb stands at the end of the clause. Some of the most important subordinating conjunctions are:

als ob (*as if*)	damit (*in order*	seit (*since*)
bis (*until*)	*that*)	sobald (*as soon*
ehe, bevor	nachdem (*after*)	*as*)
(*before*)	ob (*whether*)	so daß (*so that*)
da, weil (*since,*	obwohl, obgleich	während (*while*)
because)	(*although*)	wie (*how*)

Do not confuse the words *als*, *wenn*, and *wann*. *Als* is used for "when" in referring to a single event in the past:

Als ich nach Hause kam, war es spät.

Wenn is used to refer to future or to repeated events:

Wenn ich nach London komme, regnet es immer.

Neither *als* nor *wenn* should be confused with the interrogative *wann*:

> Wann kommt der Zug an?

Coordinating conjunctions introduce main clauses and act as a connecting link between main clauses. Coordinating conjunctions do not count as parts of the clause which they introduce. Thus they do not affect the word order; e.g., *Karl ist sehr jung,* **aber** *er ist sehr klug.* Note that the main clause *er ist sehr klug,* which is linked to the preceding clause by the conjunction *aber,* has the finite verb in the expected second place, since *aber* is not considered part of the clause as such.

Some of the most important coordinating conjunctions are:

aber *(but, yet)*	entweder ... oder *(either ... or)*
denn *(for)*	nicht nur ... sondern auch *(not only*
oder *(yet, or)*	*... but also)*
sondern *(yet, but)*	sowohl ... als auch *(as well ... as)*
und *(and)*	

Distinguished from both subordinating and coordinating conjunctions are connecting adverbs that function as part of the sentence in which they stand. If a connecting adverb stands at the beginning of a main clause, it is immediately followed by the finite verb. Compare the word order in the examples:

> Robert arbeitet sehr viel.
> Robert hat Angst vor der Prüfung, deshalb *(therefore)* arbeitet er sehr viel.

Some important connecting adverbs are:

also	deshalb	*(therefore,*
daher	deswegen	*hence, for*
darum	folglich	*that reason)*

25.3 Reading Preparation

1. **schaffen (a, schuf, a)** = to create, produce; *(coll.)* to work.
   Gott hat die Welt **geschaffen.**
2. **sofort** = immediately.
   Ich werde die Aufgabe **sofort** abschreiben.

3. **der Angriff, -es, -e** = attack (**ANgreifen, ei, griff, gegriffen** = to attack).
Der zweite Weltkrieg begann mit dem deutschen **Angriff** auf Polen.

4. **ausländisch** = foreign (**aus + Land !**).
Unsere Universität hat viele **ausländische** Studenten.

5. **EINdringen (i, a, u)** = to enter, force oneself into, penetrate.
Die Räuber versuchten, in die Burg **einzudringen**.

6. **(be)drohen** (w) = to threaten.
Der Kaiser **drohte**, ihm Krieg zu erklären (**erklären** [w] = *to declare*).

7. **feindlich** = hostile, inimical (**der Feind, -es, -e** = *enemy*).
Feindliche Heere bedrohen unser Land.

8. **sichern** (w) = to secure (**sicher** = *certain, secure;* **die Sicherheit, -en** = *security*).
Unsere Freiheit muß **gesichert** werden.

9. **der Zusammenbruch, es, ⁼e** = collapse (**ZUSAMMENbrechen, i, a, o** = *to collapse*).
Der Krieg endete mit dem **Zusammenbruch** der feindlichen Macht (**die Macht, ⁼e** = *power*).

10. **die Einheit, -en** = unity (**ein** + *noun suffix* **-heit**).
Die **Einheit** Deutschlands ist ein Ziel (**das Ziel, -es, -e** = *goal*) der deutschen Politiker.

11. **NACHjagen** (w) = to hunt after (**jagen** [w] = *to hunt*).
Wir alle **jagen** dem Glück **nach**.

12. **ZERfallen (ä, fiel, a)** = to fall apart.
Nach dem Tode Alexanders **zerfiel** sein Königreich.

13. **(sich) kümmern** (w) = to take care of (**der Kummer, -s, -** = *care*).
Diese Frau **kümmert** sich nicht um ihre Kinder.

14. **sterben (i, a, o)** = to die.
Napoleon ist 1821 **gestorben**.

15. **hinterlassen (ä, ie, a)** = to leave (behind).
Der Mann hat seinen Kindern viel Geld **hinterlassen**.

16. **zertrümmern** (w) = to shatter, crush.
Bei diesem Unfall wurde ein Auto **zertrümmert**.

17. **endgültig** = final, conclusive (**das Ende** + **gültig**)
Morgen werde ich die **endgültige** Entscheidung treffen.

18. **regieren** (w) (*p.p.* **regiert**) = to reign, govern (**die Regierung, -en** = *regime, government*).
Ludwig XIV. **regierte** von 1643 bis 1715.

19. **unabhängig** = independent (**abhängig** = *dependent ;*
die Unabhängigkeit, -en = *independence*).
San Marino ist ein kleiner, aber **unabhängiger** Staat.

20. **verhindern** (w)=to prevent (**hindern** [w]=*to hinder*).
Wir konnten den Sieg des Feindes nicht **verhindern.**

21. **obwohl** = although.
Obwohl er arm ist, ist er doch glücklich.

22. **die Sonne, -n** = sun.
Nach Regen (**der Regen, -s, -** = *rain*) scheint wieder
die **Sonne.**

23. **UNTERgehen (ging, gegangen)** = to perish ; to set
(sun).
Am Abend **geht** die Sonne **unter.**

24. **zerreißen (ei, i, i)** = to tear apart (**zer + reißen**).
Ich habe mein Hemd (**des Hemd, -es, -en** = *shirt*)
zerrissen.

25. **allmählich** = gradual(ly).
Mein Freund wurde **allmählich** krank.

26. **spalten** (w) = to split.
Um ein Feuer (**das Feuer, -s, -** = *fire*) zu machen, muß
man Holz (**das Holz, -es** = *wood*) **spalten.**

27. **der Standpunkt, -es, -e** = point of view.
Der Minister versuchte, den **Standpunkt** seiner Regierung zu erklären.

28. **die Niederlage, -n** = defeat.
Der Krieg endete mit der **Niederlage** des Feindes.

29. **die Verwüstung, -en** = devastation (**verwüsten** (w)
= *to lay waste ;* **die Wüste, -en** = *desert*).
Der Krieg endete mit der **Verwüstung** Deutschlands.

30. **fechten (i, focht, gefochten)** = to fight, fence.
Die Studenten **fechten.**

31. **völlig** = complete(ly) (**voll** = *full*).
Liberien ist ein **völlig** unabhängiger Staat.

32. **verteidigen** (w) = to defend.
Wir werden unsere Meinung (**die Meinung, -en** =
opinion, view) gegen jeden **verteidigen.**

33. **wiederHERstellen** (w) = to restore.
Nach dem Kriege wurde die zerstörte (**zerstören** (w)
= *to destroy*) Kirche **wiederhergestellt.**

34. **einwilligen** = to acquiesce, consent, permit.
Er wird nicht in den Plan **einwilligen.**

35. **vergrößern** = increase (**groß** = *great, big*).
Ich möchte dieses Photo gern **vergrößern** lassen.

36. **besetzen** (w) = to occupy.
Wir haben versucht unsere Freunde anzurufen, aber das
Telefon war immer besetzt.
37. **behalten (ä, ie, a)** = to keep.
Wenn dir das Buch gefällt, kannst du es **behalten**.
38. **AUFlösen** (w) = to dissolve (**die Auflösung, -en** =
dissolution).
Zucker (**der Zucker, -s** = *sugar*) **löst** sich in Wasser
auf.
39. **der Zustand, -es, ²e** = state, state of affairs.
In meinem **Zustand** kann ich nicht arbeiten.
40. **die Tatsache, -n** = fact.
Tatsachen kann man nicht leugnen (**leugnen** [w] =
to deny).

Zur deutschen Geschichte (I)

Das deutsche Reich, das durch die Teilung des Reiches Karls
des Großen geschaffen worden war, mußte sich sofort gegen
die Angriffe ausländischer Stämme wehren. Im Norden war
das Reich den Angriffen der Normannen ausgesetzt,[1] im
Westen und Süden drangen Sarazenen und Araber in Europa
ein, und im Osten bedrohten feindliche ungarische[2] Heere
die deutschen Siedler.[3] Im zehnten Jahrhundert gelang es
jedoch einem neuen Herrscherhaus,[4] den sächsischen[5] Kaisern,
das Reich zu bewahren, die Ungarn zu besiegen und die
deutsche Herrschaft in Nord- und Mittelitalien zu sichern.

Jedoch ist die weitere[6] Entwicklung[7] Deutschlands im
großen und ganzen die Geschichte des langsamen Zusam-
menbruchs politischer Einheit. Der Hauptgrund für diesen
Zusammenbruch war vielleicht das Streben der deutschen
Kaiser, die Vorherrschaft[8] über Italien und mit ihr den
Mythos eines „römisch-deutschen Reiches" zu bewahren.

---

[1] **AUSsetzen** (w) = to expose.
[2] **ungarisch** = Hungarian; **der Ungar, -en, -en** = Hungarian.
[3] **der Siedler, -s, -** = settler.
[4] **das Herrscherhaus, -es, ²er** = dynasty.
[5] **sächsisch** = Saxon; **Sachsen** = Saxony.
[6] **weiter** = further.
[7] **die Entwicklung** = development.
[8] **die Vorherrschaft** = domination.

Die Dynastien der fränkischen Kaiser (1024–1125) und der Hohenstaufen (1138–1250), die der sächsischen Dynastie folgten, stritten sich nicht nur mit den Päpsten[9] um die Vorherrschaft im Reich und in Italien, sondern mußten auch die Einheit des Reiches gegen die Auflehnung[10] deutscher Fürsten und italienischer Städte bewahren. Während die deutschen Kaiser dem Traum eines römisch-deutschen Reiches nachjagten, zerfiel das Reich. Die langen Kriege in Italien machten es den Kaisern unmöglich, sich um das eigentliche Deutschland zu kümmern. Als 1250 der letzte der Hohenstaufen, Kaiser Friedrich II., starb, hinterließ er nicht nur ein herrenloses,[11] sondern auch politisch zertrümmertes Reich.

Nach einer kurzen „kaiserlosen"[12] Zeit (1250–1272) fiel die Herrschaft des deutschen Reiches an das Fürstenhaus der Habsburger. Mit einigen wenigen Ausnahmen blieben die Habsburger deutsche Kaiser bis zum endgültigen Zusammenbruch des sogenannten[13] ersten deutschen Reiches (1805). Die habsburgischen Kaiser konnten das Reich vor der politischen Zertrümmerung nicht bewahren. Ein „römisch-deutsches Reich" unter der Herrschaft habsburgischer Kaiser gab es nur dem Namen nach.[14] Die deutschen Fürsten regierten als unabhängige Herrscher. Viele deutsche Städte wurden politisch unabhängig. Viele nördliche Städte vereinigten sich zu einem mächtigen Bund (die Hansa),[15] der besonders im 14. Jahrhundert von großer politischer und wirtschaftlicher[16] Bedeutung war.

Obwohl die Habsburger den Zusammenbruch des deutschen Reiches nicht verhindern konnten, gelang es ihnen doch, einen großen mächtigen Staat zu gründen. Durch Krieg und Heirat erstreckten[17] sie ihre Macht über Österreich, Böhmen[18] und endlich Ungarn. Am Anfang des 16. Jahrhunderts wurden sogar[19] Burgund, Spanien und die spani-

---

[9] **der Papst, -es, ⸚e** = pope.
[10] **die Auflehnung, -en** = mutiny, revolt.
[11] **herrenlos** = without a master; **Herr** + **los** (without).
[12] **kaiserlos** = without an emperor.
[13] **sogenannt** = so-called.
[14] **nur dem Namen nach** = in name only.
[15] **die Hansa** = The Hanseatic League.
[16] **wirtschaftlich** = economic.
[17] **erstrecken** (w) = to extend, reach out.
[18] **Böhmen** = Bohemia.
[19] **sogar** = even.

schen Kolonien habsburgische Länder. Mit Recht kann man vom habsburgischen Kaiser Karl V. (1519–1556) sagen, daß in seinem Reich die Sonne nie unterging. Jedoch war das habsburgische Weltreich Karls V. von kurzer Dauer.[20] Das spanische Reich wurde von dem österreichisch-italienisch-deutschen Reich wieder getrennt. Und das deutsche Reich selbst blieb politisch uneinig[21] und zerrissen.

Unter der Herrschaft Karls V. kam es zur Reformation, die zum endgültigen Zusammenbruch der deutschen Reichseinheit und sogar zu einem Religionskrieg führte. Karl V. entschloß sich, für den Katholizismus und gegen den Protestantismus zu kämpfen, und gründete damit die Tradition der katholisch-habsburgischen Politik. Jedoch blieben nur Österreich, Bayern[22] und Teile des Rheinlandes katholisch. Nord- und Mitteldeutschland wurden allmählich protestantisch. Das Reich, das schon politisch uneinig war, wurde dadurch jetzt auch religiös gespalten.

Zum Krieg zwischen den protestantischen und katholischen Mächten kam es endlich am Anfang des 17. Jahrhunderts. Der Krieg, der dreißig Jahre dauerte (1618–1648), brachte keine politische Entscheidung und keinen Sieg.[23] Wie jeder lange Krieg endete er mit der Niederlage aller Teilnehmer,[24] aber besonders mit der völligen Verwüstung Deutschlands, auf dessen Boden[25] der Krieg ausgefochten worden war. In dem verwüsteten Deutschland erreichten die Fürsten völlige politische Unabhängigkeit.

Nach dem Dreißigjährigen Krieg[26] war es den Habsburgern nur noch möglich, das Zentrum ihrer eigenen Macht zu verteidigen. Es gelang ihnen, die Türken aus Ungarn zurückzudrängen[27] und die eigene Macht in Osteuropa zu erweitern.[28] Jedoch, die Versuche, die eigene Macht in Deutschland oder Westeuropa wiederherzustellen, waren vergeblich.[29] So verloren die Habsburger am Anfang des 18. Jahrhunderts einen Krieg gegen Frankreich und mußten

---

[20] **die Dauer, -n** = duration.
[21] **uneinig** = disunited.
[22] **Bayern** = Bavaria.
[23] **der Sieg** = victory.
[24] **der Teilnehmer, -s, -** = participant.
[25] **der Boden, -s, ⸚** = *here*, territory, soil.
[26] **der Dreißigjährige Krieg** = the Thirty Years' War.
[27] **ZURÜCKdrängen** (w) = to drive back.
[28] **erweitern** (w) = to enlarge.
[29] **vergeblich** = in vain, futile.

einwilligen, daß ein bourbonischer Prinz zum spanischen König gewählt wurde.

Während die Macht der Habsburger in Deutschland immer mehr abnahm, gelang es den Herrschern von Preußen, den Hohenzollern, ihre Macht allmählich zu vergrößern. Schon im 17. Jahrhundert hatten die Hohenzollern Schweden und Polen besiegt. Als im 18. Jahrhundert der preußische König Friedrich II. (der Große) versuchte, Schlesien[30] zu besetzen, kam es zum Krieg zwischen Preußen und Österreich. Obwohl andere europäische Großmächte, wie Frankreich und Rußland, auf der Seite Österreichs in den Krieg eintraten, wurden die Hohenzollern nicht besiegt und durften Schlesien behalten (1763). Preußen wurde dadurch zu einer neuen europäischen Großmacht und zum politischen Zentrum einer möglichen deutschen Einheit.

Doch sollten mehr als hundert Jahre vergehen,[31] ehe[32] Preußen offiziell zum Mittelpunkt[33] eines neuen deutschen Reiches werden konnte. Erst kam der völlige und offizielle Zusammenbruch des sogenannten ersten deutschen Reiches unter der Habsburg Dynastie. Am Anfang des 19. Jahrhunderts drangen die Franzosen unter Napoleon siegreich[34] in Deutschland ein, vernichteten die preußischen wie auch die österreichischen Heere. 1806 befahl der französische Kaiser, das deutsche Kaiserreich aufzulösen. Aber die offizielle Auflösung des Reiches war nur die Bestätigung[35] eines Zustandes, der schon seit Jahrhunderten eine Tatsache europäischer Politik gewesen war.

25.4 Complete the sentences below with the following words: *bevor, weil, bis, aber, sondern, deshalb.*

1. Ich sah ihren Bruder, _____ er von Berlin abreiste.

bevor

2. Das deutsche Reich mußte nicht nur im Osten, _____ auch im Süden verteidigt werden.

sondern

---

[30] **Schlesien** = Silesia.
[31] **vergehen, -gang, -gangen** = to go by, pass.
[32] **ehe** = before.
[33] **der Mittelpunkt, es, ⸚e** = center.
[34] **siegreich** = victoriously.
[35] **die Bestätigung, -en** = confirmation.

3. Das Reich zerfiel, _____ die deutschen Kaiser so viel Zeit in Italien verbrachten.   weil

4. Die Kaiser versuchten, das Reich zusammen-zuhalten, _____ sie konnten ihre Feinde nicht besiegen.   aber

5. Die Fürsten wollten kein starkes Reich, _____ wollten sie keine starken Fürsten zum Kaiser wählen.   deshalb

6. Die Habsburger kämpften gegen die Türken, _____ die Türken aus Ungarn verdrängt wurden.   bis

7. _____ Rudolf zum deutschen Kaiser gewählt wurde, hatte das Reich keinen Herrscher.   bevor

8. Preußen wurde eine Großmacht, _____ Friedrich der Große ein kluger Politiker und Soldat war.   weil

9. Die Habsburger verloren den Krieg gegen die Bourbonen, _____ mußten sie zugeben, daß ein Bourbone König von Spanien wurde.   deshalb

10. Napoleon konnte die Auflösung des Reiches befehlen, _____ er alle seine Feinde besiegt hatte.   weil

25.41 Indicate the case and number of the adjectives and nouns in italics:

	(1)	(2)
1. *Guten Menschen*[1] kann man *guten Rat*[2] geben.	Dat. p.	Acc. s.
2. *Kluge Schüler*[1] machen immer *ihre Aufgaben*[2].	Nom. p.	Acc. p.
3. *Gutes Bier*[1] trinkt jeder gern.	Acc. s.	
4. *Guten Wein*[1] trinken *viele alte* und *junge Franzosen*[2].	Acc. s.	Nom. p.
5. *Gutes Bier*[1] muß man langsam trinken.	Acc. s.	
6. *Guten Menschen*[1] gefallen *gute Bücher*[2].	Dat. p.	Nom. p.
7. Wir brauchen nicht *guten Rat*[1], sondern *gute Freunde*[2].	Acc. s.	Acc. p.
8. Die Freundschaft *guter Leute*[1] kann *allen Menschen*[2] helfen.	Gen. p.	Dat. p.

25.5 Word Study

(a) List all the verbs in lessons 21–25 which begin with the prefix *zer-*. What seems to be the meaning of this prefix?

(b) List all the verbs in lessons 21–25 which are compounds of *lassen, fallen,* or *nehmen.*

25.51 Complete the following sentences:

1. Er hatte Angst, _____ er von seinen Freunden bedroht wurde.

2. Der Mann ist reich, denn seine Eltern haben ihm viel Geld _____.

3. Wir kämpften mit großem Mut, aber wir konnten den Sieg des Feindes nicht _____.

4. Obwohl wir sehr früh aufgestanden waren, konnten wir unser Ziel nicht _____.

5. Die Feinde drangen in die Burg ein, _____ die Soldaten sie nicht verteidigen konnten.

6. Ich möchte dieses Bild vergrößern lassen, _____ es mir sehr gut gefällt.

7. Der Minister versuchte uns zu überzeugen, _____ er konnte den Standpunkt seiner Regierung nicht erklären.

8. Er sprach mit uns, _____ es ihm gelang, uns zu überzeugen.

9. Wir reisen sofort ab, _____ wir nicht zu spät in Berlin ankommen.

10. Der Professor hat entweder das Buch behalten, oder er hat es seinem _____ geschickt.

11. Wir haben nicht nur das Buch gelessen, _____ wir haben auch seine Bedeutung verstanden.

12. _____ der Krieg mit der Niederlage des Feindes endete, kann man nicht sagen, daß wir ihn gewonnen haben.

13. Wir müssen unser Heer vergrößern, _____ viele Feinde bedrohen unser Land.

14. Ich lerne fremde Sprachen, _____ ich den Standpunkt anderer Völker verstehen kann.

15. _____ er zum Präsidenten gewählt worden war, war er dennoch nicht glücklich.

16. Meine Eltern haben mir viel Geld hinterlassen, _____ bin ich jetzt reich.

17. Wir erreichten unser Ziel, _____ die Sonne unterging.
18. _____ die Sonne untergegangen ist, ist es sehr kalt.
19. Wir möchten Ihnen helfen; _____ wir haben sehr wenig Geld.
20. Der Mann arbeitete, _____ seine Kinder studieren konnten.

25.52 Grammar Study

(a) Underline all the genitives in the reading selection 25.3.

(b) Write out the past participles of all strong verbs used in 25.3.

25.53 Mark the following sentences true or false according to 25.3:

1. Die sächsischen Kaiser konnten die Reichseinheit gegen die Angriffe der Italiener und Franzosen nicht bewahren.
2. Der Kampf zwischen den Kaisern und den Päpsten war einer der Gründe für den Zusammenbruch des Reiches.
3. Durch die langen Kriege in Italien gelang es den Kaisern, ihre Macht in Deutschland allmählich zu vergrößern.
4. Rudolf von Habsburg wurde zum deutschen Kaiser gewählt, weil die Fürsten nach der kaiserlosen Zeit ein starkes, vereinigtes Reich wollten.
5. Die große Macht des Hauses Habsburg erklärt sich vor allem durch die Einheit des deutschen Reiches.
6. Der habsburgische Kaiser Karl V. soll in einem Reich geherrscht haben, in dem die Sonne nie unterging.
7. Durch die Reformation wurde das Reich nicht nur vom politischen, sondern auch vom religiösen Standpunkt aus gespalten.
8. Am Ende des Dreißigjährigen Krieges wurde die Einheit des deutschen Reiches für kurze Zeit wiederhergestellt.
9. Im 18. Jahrhundert konnten die Habsburger viele ursprünglich deutsche Länder für das Reich wiedergewinnen.
10. Obgleich Friedrich der Große gegen die anderen europäischen Großmächte kämpfen mußte, gelang es ihm, Schlesien zu behalten.
11. Das erste deutsche Reich dauerte dem Namen nach bis zum Anfang des 19. Jahrhunderts.
12. Eine der Tatsachen der europäischen Politik war, daß das Habsburgerreich ein Zentrum der deutschen Einheit wurde.

26. Subjunctive I

Gestern kam Karl ganz aufgeregt (excited) in die Akademie. Sein Vater hatte ihm erzählt, daß sein Kollege, Dr. Eckart, eine alte Zeitung von 1944 gefunden habe. In der Zeitung sei ein Artikel über einen General Walter Gründig gewesen. Dr. Eckart sei ganz sicher, daß Professor Gründig derselbe Mann wie General Gründig sei. Nach dem Artikel sei General Gründig Befehlshaber (commander) einer Division an der Ostfront (eastern front) gewesen. Dr. Eckart erinnere sich jetzt sogar noch an den Namen. General Gründig habe bei Stalingrad gekämpft und sei dann in russische Gefangenschaft (captivity) geraten (fallen).

Natürlich möchten alle Schüler Professor Gründig fragen, ob er wirklich jener General sei. Alle versuchen, Gerhard zu überzeugen, daß er Professor Gründig fragen müsse, da er doch Professor Gründigs Lieblingsschüler (favorite pupil) sei. Aber Gerhard hat Angst, und so wissen die Schüler immer noch nicht, wer Professor Gründig wirklich ist.

26.2 Subjunctive I is formed from the infinitive of the verb by dropping the infinitive ending and adding the following endings:

Infinitive:	geben		
Subjunctive I:	ich	gebe	wir geben
	du	gebest	ihr gebet
	er	gebe	sie geben

For the vast majority of the German verbs subjunctive I is thus identical with the present tense except in the *du, er, ihr* forms. Note also that subjunctive I is formed from the *infinitive*, not from the present. Thus in the case of the modals or the verb *wissen*, subjunctive I is *not* like the singular of the present tense. The verb *sein* forms an irregular subjunctive.

Infinitive :		können	wissen	sein
Subjunctive I:	ich	könne	wisse	sei
	du	könnest	wissest	seist
	er	könne	wisse	sei
	wir	können	wissen	seien
	ihr	könnet	wisset	seiet
	sie	können	wissen	seien

The two main uses of the subjunctive I are:

(a) It is used as a "third person imperative" in expressions like:

> Lang lebe der König! *(Long live the king!)*
> Er lebe hoch! *(Long may he live!)*
> Rette sich, wer kann! *(Every man for himself!)*

(b) It is used to express "reported" speech, i.e., in indirect discourse:

> „Robert arbeitet sehr viel."
> Mein Vater schrieb, daß Robert sehr viel *arbeite.*

Direct discourse is thus changed to indirect discourse by replacing the indicative form by the subjunctive:

Robert | hat | viel gearbeitet.

Mein Vater schrieb, daß Robert viel gearbeitet | habe | .*

Robert | ist | von Berlin abgereist.

Mein Vater schrieb, daß Robert von Berlin abgereist | sei | .

Robert | wird | immer geschlagen.

Mein Vater schrieb, daß Robert immer geschlagen | werde | .

Robert | wird | immer arbeiten.

Mein Vater schreibt, daß Robert immer arbeiten | werde | .

26.3 Reading Preparation

1. **die Hälfte, -n** = half (**halb** = *half*).
   Ich habe nur die **Hälfte** meiner Arbeit gemacht.

---

* Note that in indirect discourse it is possible to omit the conjunction *daß.* In such case the finite verb reverts back to its second place: *Mein Vater schrieb, Robert* **habe** *viel gearbeitet.*

2. **die Zerrissenheit, -en** = disruption ; condition of being torn apart. (**zer** = *apart* + **reißen ei, i, i** = *tear*.)
Die politische und wirtschaftliche **Zerrissenheit** Europas ist noch immer ein Problem.

3. **die Ungewißheit -en** = uncertainty (**wissen** = *to know* ; **gewiß** = *certain, sure*).
Die Ungewißheit der politischen Lage dauert noch immer an.

4. **ZUSAMMENfallen (ä, ie, a)** = *to coincide; to collapse.*
Mein Geburtstag (**der Geburtstag, -es, -e** = *birthday*) **fällt** mit dem meiner Schwester **zusammen.**
Die alten Häuser **fielen zusammen.**

5. **gebären (ie, a, o)** = to give birth (**die Geburt, -n** = *birth*).
Ich bin in Österreich **geboren.**

6. **der Beruf, -es, -e** = profession.
Der Beruf meines Vaters ist Lehrer.

7. **die Beschäftigung, -en** = occupation (**beschäftigen** [w] = *to occupy with, employ, be busy*).
Was ist ihre **Beschäftigung**?

8. **VORwerfen (i, a, o)** = to reproach.
Man soll einem Menschen seine Armut nicht **vorwerfen.**

9. **die Erfahrung, -en** = experience (**erfahren ä, u, a** = *to learn, find out*).
Erfahrung ist der beste Lehrer.

10. **widmen** (w) = to devote, dedicate.
Der Dichter hat das Buch seiner Frau **gewidmet.**

11. **verbringen (i, verbrachte, verbracht)** = to pass, spend.
Letzten Sommer **verbrachte** ich zwei Wochen in Paris.

12. **die Tätigkeit, -en** = activity (**die Tat, -en** = *deed; **tätig** = *active*).
Die **Tätigkeiten** dieses Mannes sind sehr verdächtig (*suspicious*).

13. **mißlingen (i, a, u)** = to be unsuccessful, fail.
Meine Versuche, ihn zu überzeugen, **mißlangen.**

14. **überleben** (w) = to survive.
Meine Tante hat meinen Onkel um zehn Jahre **überlebt.**

15. **EINsehen (ie, sah, eingesehen)** = to understand, grasp.
Ich kann nicht **einsehen,** warum Sie das nicht lernen wollen.

16. **die Nachahmung, -en** = imitation (**NACHahmen** [w]
= *to imitate*).
Dichtung ist nicht **Nachahmung** der Natur.

17. **der Einfluß, -es, ⸚e** = influence.
Der Mann steht noch immer unter dem **Einfluß** seiner
Mutter.

18. **wiederholen** (w) = to repeat.
Können Sie dieses Wort **wiederholen?**
(*Note that* **wiederholen** *should be distinguished from*
WIEDER holen = to get again, fetch again); *e.g.,*
Ich habe das Buch aus der Bibliothek **wieder geholt.**

19. **selbständig** = independent (**die Selbständigkeit,
-en** = *independence, self-sufficiency*).
Jeder junge Mann möchte gern **selbständig** sein.

20. **der Bürger, -s, -** = citizen, commoner (**bürgerlich**
= *common, bourgeois*).
Ein einfacher **Bürger** konnte keine Prinzessin heiraten.

21. **verführen** (w) = to seduce.
Der Mann versuchte, das Mädchen zu **verführen.**

22. **treiben (ei, ie, ie)** = drive, spin on.
Der Junge hat ihn aus dem Haus **getrieben.**

23. **besitzen (i, besaß, besessen)** = to own.
Mein Onkel **besitzt** eine große Fabrik (**die Fabrik,
-en** = *factory*).

24. **weise** = wise (**die Weisheit** = *wisdom*).
Mein Lehrer ist ein sehr **weiser** Mann.

25. **wunderbar** = marvelous, wonderful (**das Wunder,
-s, -** = *miracle*).
Ich habe ein **wunderbares** Buch gelesen.

26. **geheim** = secret (**das Geheimnis, -ses, -sse** = *secret*).
Die beiden Staaten hielten den Vertrag (**der Vertrag,
-es, ⸚e** = *treaty*) **geheim.**

27. **tragen (ä, u, a)** = to carry, wear (**der Träger, -s,
-** = *carrier*).
Ich **trage** einen grünen Mantel.

28. **der Künstler, -s, -** = artist (**die Kunst, ⸚e** = *art*).
Leonardo da Vinci war ein großer **Künstler.**

29. **unterscheiden (ei, ie, ie)** = to differentiate, distinguish
(**der Unterschied, -es, -e** = *difference*).
Der Mensch muß lernen, das Gute vom Bösen (**böse**
= *evil*) zu **unterscheiden.**

30. **behaupten** (w) = to assert, claim.
Jeder **behauptet,** recht zu haben.

31. **verdienen** (w) = to merit, earn.

Eine gute Zensur **verdient** er diesmal nicht.

32. **betrügen (ü, o, o)** = to cheat, deceive.

Kriemhild wurde von Hagen **betrogen.**

33. **die Abwesenheit, -en** = absence (**abwesend** =
absent).

In **Abwesenheit** des Präsidenten mußte der Vizepräsident die Ansprache (**die Ansprache, -n** = *speech*)
halten.

34. **echt** = real, genuine (**die Echtheit, -en** = *genuineness*).

Dieses Bild ist sicher nicht **echt.**

35. **VORschlagen (ä, u, a)** = to propose.

Ich **schlage vor,** wir machen einen Ausflug.

36. **VERLOREN gehen** = to get lost.

Mein Ring ist **verloren gegangen.**

37. **der Rat, -es, ⸚e** = advice.

Ich möchte gern meinen Lehrer um **Rat** bitten.

38. **dienen** (w) = to serve (**der Diener, -es, -** = *servant*).

Wir haben unserem Herrn treu **gedient.**

Lessing

Die zweite Hälfte des 18. Jahrhunderts war, politisch gesehen, eine Periode der Zerrissenheit und Ungewißheit. In
der deutschen Literatur fällt sie jedoch mit einem neuen
goldenen Zeitalter zusammen. Als erster Vertreter[1] dieses
goldenen Zeitalters kann wohl Gotthold Ephraim Lessing
angesehen werden.

Lessing wurde 1729 in der kleinen sächsischen Stadt Camenz
geboren. Sein Vater war ein protestantischer Pastor, der
wollte, daß sein Sohn ihm in seinem Beruf folge. Lessing
wurde deshalb von seinem Vater erst zur Schule in Meißen
und dann auf die Universität Leipzig geschickt, um dort
Theologie zu studieren. Der junge Lessing interessierte
sich jedoch[2] mehr für Literatur als für Theologie. Anstatt
Theologie zu studieren, schrieb er eine Komödie, literarische
Aufsätze[3] und Liebesgedichte.[4] Als sein Vater ihm diese

---

[1] **der Vertreter** = representative.
[2] **jedoch** = nevertheless.
[3] **der Aufsatz, -es, -e** = essay.
[4] **das Liebesgedicht, -es, -e** = love poem.

Beschäftigung vorwarf, schrieb er ihm, daß er dem Drang[5] seines Talentes folgen müsse, und daß man seine Religion nicht einfach von seinen Eltern übernehmen[6] könne. Jeder Mensch müsse sich seine Religion durch eigene Erfahrung erwerben.

Im Alter von einundzwanzig Jahren verließ Lessing die Universität und zog nach Berlin, um sich ganz der Literatur zu widmen. Lessings Leben war einsam, unglücklich und verhältnismäßig[7] kurz. Er verbrachte die ersten zehn Jahre seiner schriftstellerischen[8] Tätigkeit vor allem in Berlin. Sein berühmtes Schauspiel[9] „Miss Sarah Sampson" wurde während dieser Zeit geschrieben. 1760 zog er nach Breslau, wo er nicht nur die Komödie „Minna von Barnhelm", sondern auch „Laokoon"[10] (ein Meisterwerk der literarischen Kritik) verfaßte. In Hamburg versuchte Lessing, ein neues Theater zu gründen. Sein Versuch mißlang. Der Versuch, einen Verlag[11] zu gründen, war auch nicht von Erfolg gekrönt.

Lessing wurde dann Bibliothekar[12] der Bibliothek des Herzogs[13] von Braunschweig. Dieser Beruf gab ihm nicht nur finanzielle Sicherheit, sondern auch die Möglichkeit, nach Italien zu reisen. Jedoch sollten Glück und finanzielle Sicherheit nicht Hand in Hand gehen. Lessing heiratete 1776 —aber verlor Frau und Kind schon im nächsten Jahre, kurz nach der Geburt des Kindes. Die letzten Jahre Lessings waren von bitterem theologischem Streit erfüllt.[14] Während dieser Jahre schrieb er auch das Drama „Nathan der Weise," in dem er für religiöse Toleranz, für Duldung[15] eintrat.[16] Lessing überlebte den Tod seiner Frau nur um vier Jahre. Im Jahre 1781 starb er im Alter von nur 52 Jahren.

---

[5] **der Drang** = urge, drive.
[6] **übernehmen (nimmst, nahm, genommen)** = to take over.
[7] **verhältnismäßig** = relatively.
[8] **schriftstellerisch** = literary (**der Schriftsteller, -s, -** = writer, author).
[9] **das Schauspiel, -es, -e** = play.
[10] Lessing's essay is named after the famous statue of Laocoön, the Trojan priest who warned the Trojans against moving the wooden horse into their city. The statue shows Laocoön and his two sons being killed by sea serpents. Lessing used this statue as a starting point for a discourse on the essential difference between poetry and the fine arts.
[11] **der Verlag, -es, -e** = publishing house.
[12] **der Bibliothekar, -s, -e** = librarian.
[13] **der Herzog, -s, ⁓e** = duke.
[14] **erfüllen (w)** = to fill up, occupy.
[15] **die Duldung** = toleration.
[16] **EINtreten (tritt, trat, getreten)** = to intercede.

Lessings Bedeutung gründet sich auf sein Werk als Dramatiker und Kritiker und auf seinen Kampf für religiöse Freiheit. Als Dichter und Kritiker erkannte Lessing, daß die deutsche Literatur sich nicht durch Nachahmung der französischen entwickeln könne.

In der ersten Hälfte des 18. Jahrhunderts stand die deutsche Literatur und Kultur überhaupt völlig unter dem Einfluß Frankreichs. In seinen Schriften wiederholte Lessing immer wieder, daß die deutsche Literatur sich selbständig entwickeln müsse, und daß dieser Weg zur Selbständigkeit durch das Studium der Antike und der englischen Literatur —nicht durch Nachahmen der Franzosen—erreicht werden könne.

In den Dramen hat Lessing selber der deutschen Literatur neue Wege gewiesen.[17] Sein erstes Drama, „Miss Sarah Sampson", ist das erste deutsche Trauerspiel,[18] dessen Helden nicht Könige oder Fürsten, sondern einfache Bürger sind. Sein Lustspiel „Minna von Barnhelm" erzählt von der Heirat eines einfachen und ehrbaren[19] Offiziers mit einer sächsischen Dame vom Adel.[20] In einem anderen Drama, „Emilia Galotti", wird ein bürgerliches Mädchen durch einen Fürsten, der sie zu verführen sucht, zum Selbstmord[21] getrieben. „Nathan der Weise" ist, wie schon gesagt, ein Schauspiel, in dem religiöse Toleranz das Hauptmotiv ist.

Besonders berühmt ist die Parabel[22] von den drei Ringen, die Nathan der Weise, der Held des Stückes, erzählt. Der Stoff[23] der Parabel stammt vom italienischen Dichter Boccaccio. Da sie Lessings moralisches[24] Denken und Streben zusammenfaßt,[25] wollen wir sie hier kurz erzählen: Vor vielen Jahren lebte ein Mann, der einen Ring besaß. Der Ring hatte eine wunderbare und geheime Kraft. Er konnte jeden, der ihn trug, bei den Menschen beliebt[26] machen. Nur mußte der Träger des Ringes von dessen Kraft über-

---

[17] **weisen (ei, ie, ie)** = to show.
[18] **das Trauerspiel** = tragedy.
[19] **ehrbar** = honorable.
[20] **der Adel, -s** = aristocracy.
[21] **der Selbstmord, -es, -e** = suicide.
[22] **die Parabel** = parable.
[23] **der Stoff** = *here*, plot, theme.
[24] **moralisch** = moral.
[25] **ZUSAMMENfassen (w)** = to summarize.
[26] **beliebt** = liked.

zeugt sein. Der Ring war immer vom Vater dem liebsten (*dearest*) Sohn hinterlassen worden. Jedoch hatte der Vater in der Parabel drei Söhne, die ihm alle gleich[27] lieb waren. Er entschloß sich daher, zu einem berühmten Künstler zu gehen und ihn zu bitten, zwei Ringe nach dem Muster[28] seines Ringes zu machen. Dem Künstler gelang es wirklich, zwei Ringe zu machen, die von dem ursprünglichen Ring nicht zu unterscheiden waren. So konnte der Vater kurz vor seinem Tod jedem seiner Söhne einen Ring geben.

Nach dem Tode des Vaters behauptete jedoch jeder Sohn, daß er den ursprünglichen Ring habe, daß er daher der liebste Sohn des Vaters gewesen sei und deshalb das väterliche Erbe[29] verdiene. Keiner der Söhne konnte glauben, daß der geliebte Vater ihn betrogen habe. Endlich entschloßen sich die drei Söhne, einen Richter[30] zu bitten, in ihrem Streit ein Urteil zu fällen.[31]

Der Richter hörte den Söhnen aufmerksam zu. Schließlich[32] sagte er ihnen, daß es ihm nach dem Tode des Vaters unmöglich sei, ein Urteil zu fällen. Dann fragte er sie, welcher Bruder ihnen der liebste sei. Da der alte Ring die Kraft habe, den Träger beliebt zu machen, müsse doch wohl der Träger des echten Ringes den anderen der liebste sein. Doch keiner der Söhne gab zu, einen seiner Brüder zu lieben. Da meinte der Richter, keiner der Söhne habe den echten Ring. Vielleicht sei der ursprüngliche und echte Ring verloren gegangen. Endlich gab er ihnen diesen Rat: Jeder Sohn solle glauben, daß er den echten Ring habe, und solle ihn an seinen liebsten Sohn weitergeben.[33] Dann werde man nach tausend Jahren vielleicht entscheiden können, welcher Ring der echte sei. Diejenigen, die von allen Menschen geachtet[34] und geliebt werden, seien die Träger des echten Ringes.

Die Bedeutung der Parabel ist klar. Im Zusammenhang[35] des Stückes bedeuten die drei Ringe die drei Religionen—

---

[27] **gleich** = equally.
[28] **das Muster** = model, design.
[29] **das Erbe** = inheritance.
[30] **der Richter, -s, -** = judge.
[31] **ein Urteil fällen** = to pass sentence (judgment).
[32] **schließlich** = finally.
[33] **WEITERgeben, (i, a, e)** = to pass on.
[34] **achten** (w) = to esteem (**die Achtung, -en** = esteem, attention).
[35] **der Zusammenhang, -s, ⸚e** = connection.

Christentum, Islam und Judentum[36]—die alle von sich behaupten, die ursprüngliche und echte Religion zu sein. Über den Zusammenhang des Dramas hinaus[37] hat die Parabel Lessings eine klare und wichtige Bedeutung: Die Wahrheit und Echtheit eines Glaubens wird nicht durch dogmatischen Streit bewiesen. Der wirkliche Beweis liegt in der Kraft, der Menschheit zu dienen und zu helfen.

26.4 Change the sentences below from direct to indirect discourse, introducing each with *Man sagt.*

1. Er hat die Hälfte seines Geldes ausgegeben.

   Man sagt, er habe die Hälfte seines Geldes ausgegeben.

2. Diese Beschäftigung gefällt dem Jungen sehr gut.

   Man sagt, diese Beschäftigung gefalle dem Jungen sehr gut.

3. Niemand weiß die Antwort.

   Man sagt, niemand wisse die Antwort.

4. Dichtung ist eine Nachahmung der Natur.

   Man sagt, Dichtung sei eine Nachahmung der Natur.

5. Der Mann hat seine Eltern nicht überlebt.

   Man sagt, der Mann habe seine Eltern nicht überlebt.

6. Er behauptet, immer Recht zu haben.

   Man sagt, er behaupte, immer recht zu haben.

7. Er kann das Gute nicht vom Bösen unterscheiden.

   Man sagt, er könne das Gute nicht vom Bösen unterscheiden.

8. Sein Onkel besitzt eine große Fabrik.

   Man sagt, sein Onkel besitze eine große Fabrik.

9. Johann betrügt jedes Mädchen.

   Man sagt, Johann betrüge jedes Mädchen.

10. Der Mann verdient nicht, zum Präsidenten gewählt zu werden.

    Man sagt, der Mann verdiene nicht, zum Präsidenten gewählt zu werden.

---

[36] **Christentum, Islam und Judentum** = Christianity, Islam, and Judaism. (Note the suffix *-tum* = institution of.)

[37] **über . . . hinaus** = beyond.

26.5 Word Study

(a) Make a list of the words ending in -*schaft*, -*ung*, and -*er* which have occurred since lesson 21.

(b) Write out the past participle of all the two-part (separable prefix) verbs which occurred in lessons 23–26.

26.51 Complete the following sentences:

1. Karl sagt, er habe die Hälfte dieses Buches nicht _____.
2. Er schreibt mir, dass er jetzt keine Beschäftigung _____ könne.
3. Wir glaubten, daß unser Freund den Weg _____ könne.
4. Er schreibt, daß er uns nicht _____ könne, obgleich er sehr viel Geld habe.
5. Wir haben gehört, daß der Versuch, ihn zu überzeugen, _____ sei.
6. Er sagt, daß die Bücher gestern verloren _____ seien.
7. Er wird nie zugeben, daß sein eigener Bruder ihn _____ habe.
8. Der Wissenschaftler sagt, es sei nicht möglich, zwischen dem Guten und Bösen zu _____.
9. Der Bürger glaubte, seine Tochter _____ von dem Fürsten verführt worden.
10. Man sagt, er habe so viel Geld _____, daß er jetzt seinem Herrn nicht mehr _____ müsse.
11. Wir haben gelesen, daß man ihn als einen sehr großen Dichter _____ könne.
12. Die Kritiker schreiben, daß seine Bücher einen solchen _____ wirklich nicht verdienen.
13. Man fühlt, daß er allen _____ ihre Armut vorwerfe.
14. Man sagt, er werfe seinem _____ seine Armut vor.
15. Die Zeitungen schrieben, die Ungewißheit der politischen Lage dauere _____.

26.52 Grammar Study

(a) Write out the indicative forms corresponding to the subjunctive forms found in 26.3.

(b) Underline all the datives and genitives in the reading selection.

26.53 Complete the following sentences based on 26.3:

1. Die zweite Hälfte des 18. Jahrhunderts kann als ein goldenes Zeitalter der deutschen Literatur _____ werden.

2. Lessings Vater, der Pastor war, wollte, daß seine Sohn ihm in seinem _____ folge.

3. Er _____ seinen Sohn zur Universität, damit er dort _____ studiere.

4. Lessing schrieb seinem Vater, er interessiere sich mehr für _____ als für Theologie.

5. Lessing glaubte, sich seine Religion durch eigene Erfahrung und Arbeit erwerben zu _____.

6. Vom Alter von einundzwanzig Jahren an, widmete Lessing sein _____ der Literatur.

7. Lessings Versuch, in Hamburg einen neuen Literaturverlag zu _____, mißlang.

8. Lessings Beruf als Bibliothekar des Herzogs von Braunschweig gab ihm die _____, nach Italien zu reisen.

9. Lessings Frau und Kind _____ kurz nach der Geburt des Kindes.

10. In seinem Schauspiel „Nathan der Weise" _____ Lessing für religiöse Toleranz.

11. Lessing war überzeugt, daß die deutsche Literatur sich _____ entwickeln müsse.

12. Viele der Helden der Dramen Lessings sind nicht Fürsten und Könige, sondern nur einfache _____.

13. „Emilia Galotti" ist die Geschichte eines bürgerlichen Mädchens, das Angst hat, von einem Fürsten _____ zu werden.

14. Der Ring der berühmten Parabel hat die _____, jeden, der ihn trägt, bei den Menschen beliebt zu machen.

15. Der Vater konnte sich nicht _____, welcher Sohn ihm der liebste sei.

16. Es war unmöglich, den ursprünglichen Ring von den zwei neuen Ringen zu _____.

17. Da jeder Sohn behauptete, den ursprüngelichen Ring zu haben, entschloßen sich die Söhne, einen Richter um _____ zu bitten.

18. Der Richter sagte, daß der Sohn, der den anderen der liebste sei, den _____ Ring tragen müsse.

19. Der Richter meinte, daß nur die, die durch ihre Taten, der Menschheit dienten, die _____ des echten Ringes sein könnten.

20. Lessings Parabel bedeutet, daß die Wahrheit eines
Glaubens nur durch seinen Wert _____ werden kann.

Lessing, „Nathan der Weise"

Final passage from the
Parabel der drei Ringe.

Nathan:
Und also, fuhr der Richter fort,[1] wenn ihr
Nicht meinen Rat statt meines Spruches[2] wollt:
Geht nur! — Mein Rat ist aber der: ihr nehmt
Die Sache völlig[3] wie sie liegt.[4] Hat von
Euch jeder seinen Ring von seinem Vater,
So glaube jeder sicher seinen Ring
Den echten. — Möglich, daß der Vater nun
Die Tyrannei[5] des *einen* Rings nicht länger[6]
In seinem Hause dulden[7] wollen! — Und gewiß,
Daß er euch alle drei geliebt und gleich[8]
Geliebt, indem er zwei nicht drücken[9] mögen,
Um einen zu begünstigen.[10] — Wohlan![11]
Es eifre[12] jeder seiner unbestochnen,[13]
Von Vorurteilen[14] freien Liebe nach!
Es strebe von euch jeder um die Wette,[15]
Die Kraft des Steins[16] in seinem Ring an Tag
Zu legen![17] komme dieser Kraft mit Sanstmut,[18]

---

[1] **fortfahren (ä, u, a)** = to continue.
[2] **der Spruch, -es, ⸚e** = saying, judgment.
[3] **völlig** = completely.
[4] **liegen (ie, a, e)** = to lie.
[5] **die Tyrannei** (*modern spelling* **Tyrannie**) = tyranny.
[6] **länger** = longer.
[7] **dulden (w)** = to tolerate.
[8] **gleich** = equally.
[9] **drücken (w)** = to suppress.
[10] **begünstigen (w)** = to favor.
[11] **wohlan** = all right then, so be it!
[12] **eifern (w)** = to be zealous, emulate.
[13] **unbestochen** = unbiased (**bestechen [i, a, o]** = *to bribe*).
[14] **das Vorurteil, -es, -e** = prejudice.
[15] **die Wette, -, -n** = bet (**um die Wette** = *in competition*).
[16] **die Kraft des Stein(e)s** = the power of the stone (in the ring).
[17] **an Tag zu legen** = to bring into being.
[18] **die Sanftmut, -** = gentleness.

Mit herzlicher Verträglichkeit,[19] mit Wohltun,[20]
Mit innigster[21] Ergebenheit[22] in Gott
Zu Hilf'! Und wenn sich dann der Steine Kräfte
Bei euern Kindes-Kindeskindern äußern,[23]
So lad'[24] ich über tausend tausend Jahre
Sie wiederum vor diesen Stuhl. Da wird
Ein weis'rer[25] Mann auf diesem Stuhle sitzen
Als ich, und sprechen.[26] Geht! — So sagte der
Bescheidne[27] Richter.

---

[19] **die Verträglichkeit, -, -en** = conciliatory spirit.
[20] **das Wohltun, -s** = charity.
[21] **innigster** (*superlative of* **innig**) = sincerest, deepest.
[22] **die Ergebenheit, -,** = devotion.
[23] **äussern** (w) = to become manifest.
[24] **laden [einladen] (ä, u, a)** = to invite.
[25] **weis(e)rer** (*comparative of* **weise**) = wiser.
[26] **sprechen** *here*, to judge.
[27] **bescheiden** = modest.

27. Subjunctive II

27.1 Diesmal hat Ludwig etwas über Professor Gründig erfahren. Sein Vater erzählte ihm, daß Professor Gründig nicht derselbe Mann wie General Gründig sein könnte. General Gründig wäre am Ende des Krieges aus russischer Gefangenschaft entflohen *(escaped)*. Auf jeden Fall, wenn Professor Gründig der frühere *(former)* General Gründig wäre, so könnte er jetzt sicher nicht an einer Hochschule *(university, technical institute)* unterrichten.

Jetzt sind alle beinahe sicher, daß Professor Gründig nicht der General sein kann. Natürlich, wenn sie ihn selbst fragten, dann könnten sie es sofort wissen. Aber keiner hat den Mut *(courage)*, ihn zu fragen. Und selbst wenn sie ihn fragten, würde er ihnen die Wahrheit sagen?

27.2 Subjunctive II is formed from the stem of the past tense, adding an umlaut whenever possible (not with weak verbs). The endings of subjunctive II are the same as for the subjunctive I.

Infinitive:		finden	haben	sein	bleiben	fahren
Simple Past:	ich	fand	hatte	war	blieb	fuhr
Subjunctive II:	ich	fände	hätte	wäre	bliebe	führe
	du	fändest	hättest	wärest	bliebest	führest
	er	fände	hätte	wäre	bliebe	führe
	wir	fänden	hätten	wären	blieben	führen
	ihr	fändet	hättet	wäret	bliebet	führet
	sie	fänden	hätten	wären	blieben	führen

A few strong verbs which have the vowel *a* in the simple past stem form the subjunctive II with the vowel *ü* (not the expected *ä*):

Infinitive:		sterben	werfen	stehen	verderben
Simple Past:	ich	starb	warf	stand	verdarb
Subjunctive II:	ich	stürbe	würfe	stünde	verdürbe

Irregular weak verbs (or so-called mixed verbs) also form their subjunctive II by a vowel or umlaut change from the simple past.

Infinitive :		*brennen*	*rennen*	*wissen*
Simple Past :	ich	brannte	rannte	wußte
Subjunctive II :	ich	brennte	rennte	wüßte

Infinitive :		*denken*	*bringen*	*nennen*
Simple Past :	ich	dachte	brachte	nannte
Subjunctive II :	ich	dächte	brächte	nennte

The modal auxiliaries *müssen, können, dürfen, mögen* form subjunctive II from their simple past stem by adding an umlaut. *Sollen* and *wollen* use the simple past stem without umlaut.

Infinitive :		*müssen*	*können*	*dürfen*	*mögen*	*sollen*	*wollen*
Simple Past :	ich	mußte	konnte	durfte	mochte	sollte	wollte
Subjunctive II:	ich	müßte	könnte	dürfte	möchte	sollte	wollte

Subjunctive II has two main uses:

(a) Like the subjunctive I, it can be used to express indirect discourse and reported speech. In cases in which the subjunctive I is identical with the indicative (*ich, wir, sie* forms), the subjunctive II is regularly employed instead. At any rate, it must be emphasized that the use of subjunctive I versus subjunctive II in indirect discourse is primarily a matter of stylistic choice, and subjunctives I and II are not differentiated by any meaning of tense.

In general German has the possibility of using either the indicative, subjunctive I, or subjunctive II in indirect discourse. The use of the indicative tends to carry the implication that the speaker agrees with the veracity of the facts he is reporting. Subjunctive I indicates that he feels neutral, and subjunctive II implies greater doubt.

Er sagt, Robert hat Geld.	*He says that Robert has money (and I believe him).*
Er sagt, Robert habe Geld. } Er sagt, Robert hätte Geld. }	*He says that Robert has money (but I don't believe him).*
Er sagte, Robert hatte Geld.	*He said that Robert had money (and I believe him).*
Er sagte, Robert habe Geld. } Er sagte, Robert hätte Geld. }	*He said that Robert had money (but I don't believe him).*

(b) Subjunctive II is used to express the "contrary to fact condition." Note that subjunctive II is used in the main clause as well as in the subordinate clause:

> Wenn ich Geld **hätte, gäbe** ich dir zehn Mark.
> *If I had money, I would give you ten marks.*

The conditional clause can also be expressed without conjunction and with the finite verb in first position:

> Hätte ich Geld, (dann) gäbe ich dir zehn Mark.

27.21 Subjunctive II of *werden* is *würde*:

> Infinitive: werden
> Simple Past: ich wurde, du wurdest, etc.
> Subjunctive II: ich würde, du würdest, etc.

By replacing the *werde, wirst*, etc. used in the future modification by the subjunctive II *würde, würdest*, etc., we form the future subjunctive II, also known as the conditional.

> Er | schlüge | ⟶ Er | würde | . . . | schlagen |

The future subjunctive II is used

(a) in indirect discourse:

> Robert wird morgen ankommen.
> Er sagt, Robert werde morgen ankommen. ⎫ *He says Robert*
> Er sagt, Robert würde morgen ankommen. ⎭ *will arrive tomorrow.*

(b) in the main clause of the "contrary to fact condition":

> Hätte ich Geld, gäbe ich dir 10 Mark.
> *Or:* Wenn ich Geld hätte, würde ich dir 10 Mark geben.

27.22 By replacing the *hatte* or *war* of the pluperfect (e.g., *Ich hatte gesprochen, ich war gegangen*) by the subjunctive II, we form the past subjunctive II: *ich hätte gesprochen; ich wäre gegangen*, etc. Or the same rule can be restated by saying that the past subjunctive II is the result of the past modification being applied to subjunctive II:

Ich $\boxed{\text{schlüge}}$ $\longrightarrow$ Ich $\boxed{\text{hätte}}$ ... $\boxed{\text{geschlagen}}$

Ich $\boxed{\text{stürbe}}$ $\longrightarrow$ Ich $\boxed{\text{wäre}}$ ... $\boxed{\text{gestorben}}$

The past subjunctive II is used
(a) in indirect discourse:

> Robert ist gestern abgereist und hat uns nicht gesehen.
> Er sagt, Robert wäre gestern abgereist und hätte uns nicht gesehen.

(b) in "contrary to fact" statements:

> Wenn ich 10 Mark gehabt hätte, so hätte ich sie dir gegeben.
> Wenn Karl hier geblieben wäre, so wäre er nicht gestorben.

27.3 Reading Preparation

1. **der Stern, -es, -e** = star.
   Die Sterne leuchten (**leuchten** [w] = *to shine*) am Himmel (**der Himmel, -s, -** = *sky*).
2. **veröffentlichen** (w) = to publish (**öffentlich** = *public*; **die Veröffentlichung, -en** = *publication*).
   Das Werk dieses Dichters wurde nie **veröffentlicht.**
3. **der Befehl, -es -e** = command.
   Der Mann wurde auf **Befehl** des Generals verhaftet (**verhaften** [w] = *to arrest*).
4. **erregen** (w) = to excite.
   Dieses Buch hat mich nicht sehr **erregt.**
5. **die Gesellschaft, -en** = society; (business) company.
   Der Soziologe (*sociologist*) untersucht (**untersuchen** [w] = *to investigate, examine*) die menschliche **Gesellschaft.**
6. **aufführen** (w) = to present (*a play*).
   Dieses Stück wurde erst vor zwei Jahren **aufgeführt.**
7. **die Erlaubnis, -se** = permission (**erlauben** [w] = *to permit*).
   Ich kann ohne die **Erlaubnis** meiner Eltern nicht abreisen.
8. **erhalten (ä, ie, a)** = to receive.
   Gestern **erhielt** ich einen Brief von meinen Eltern.
9. **das Gefängnis, -ses, -se** = prison (**fangen, ä, i, a** = *to catch*; **der Gefangene, -n, -n** = *prisoner*).

Der Gefangene sitzt im **Gefängnis.**

10. **werfen (i, a, o)** = to throw.
Geld soll man nicht zum Fenster hinaus**werfen.**

11. **die Verkleidung, -en** = disguise (**das Kleid, -es,
-er** = *habit, dress;* [**sich**] **verkleiden** [w] = *to disguise*
[*oneself*]).
Ich habe meinen Freund in seiner **Verkleidung** nicht
erkannt.

12. **KENNENlernen**(w) = to meet, to make the acquaintance.
Er freut sich sehr, Sie **kennenzulernen.**

13. **der Garten, -s, ⸚** = garden.
Mein Haus hat einen sehr schönen **Garten.**

14. **die Bekanntschaft, -en** = acquaintance (**kennen** =
to *know;* **bekannt** = *well-known*).
Ich machte die **Bekanntschaft** dieses Mannes in Paris.

15. **das Opfer, -s, -** = victim, sacrifice (**zum Opfer fallen**
= *to become a victim*).
Die Nibelungen fielen der Rache Kriemhilds zum **Opfer.**

16. **überstehen (e, -stand, -standen)** = to survive,
get over.
In dem Leben müssen wir viel Unglück **überstehen.**

17. **BEItragen (ä, u, a)** = to contribute (**der Beitrag,
-es, ⸚e** = *contribution*).
Zu diesem Geschenk (**das Geschenk, -es, -e** = *gift*)
habe ich zehn Mark **beigetragen.**

18. **die Veranlassung, -en** = initiative (**lassen** = *to let ;*
veranlassen = *to initiate*).
Dieses Buch wurde auf **Veranlassung** der Regierung
veröffentlicht.

19. **der Ruhm, -es** = fame (**berühmt** = *famous;* **die
Berühmtheit** = *fame*).
Der Ruhm des Dichters wurde durch seine Dramen
begründet.

20. **VORziehen (ie, zog, gezogen)** = to prefer.
Ich **ziehe vor,** hier zu bleiben.

21. **genießen (ie, o, o)** = to enjoy.
Einen solchen Wein muß man langsam **genießen.**

22. **der Frühling, -s, -e** = springtime.
Im **Frühling** blühen (**blühen** [w] = *to blossom*) die
Bäume (**der Baum, -es, ⸚e** = *tree*).

23. **gebildet** (p. p. of **bilden** [w] = *to shape, fashion*) =
educated.
Jeder **gebildete** Mensch spricht eine Fremdsprache.

24. **der Haß, -es** = hate, hatred (**hassen** [w] = *to hate;*
häßlich = *ugly*).
Haß und Liebe sind menschliche Leidenschaften.

25. **der Untergang, -es,** ⸚**e** = destruction (**UNTERgehen**
= *to perish*).
Das Nibelungenlied endet mit dem **Untergang** der
Nibelungen.

26. **schildern** (w) = to describe.
In diesem Gedicht wird die Schönheit der deutschen
Landschaft **geschildert**.

27. **die Bühne, -n** = stage.
Die ganze Welt ist eine **Bühne**, und die Menschen
sind die Schauspieler (**der Schauspieler, -s, -** = *actor*).

28. **erfinden (i, a, u)** = to discover, invent.
Edison **erfand** die Glühbirne (**die Glühbirne, -n** =
electric bulb).

29. **GEFANGENnehmen (nimmst, nahm, genommen)**
= to take prisoner.
Die Soldaten wurden sofort **gefangengenommen**.

30. **ANklagen** (w) = to accuse.
Der Gefangene wurde des Mordes **angeklagt**.

31. **verbrennen (e, -brannte, -brannt)** = to burn.
Ich habe das Papier in einigen Minuten **verbrannt**.

32. **die Unabhängigkeit, -en** = independence.
Im Jahre 1776 erklärten die Kolonien ihre **Unabhängigkeit** von England.

33. **AUFstellen** (w) = to erect, stand up, set up, establish
(**stellen** (w) = *to put*).
Ich habe den Tisch, der umgefallen (**UMfallen, ä, ie, a**
= *to fall down*) war, wieder **aufgestellt**.

34. **die Bedingung, -en** = condition.
Diese **Bedingungen** kann ich nicht annehmen (**ANnehmen, nahm, genommen** = *to accept*).

35. **der Apfel, -s,** ⸚ = apple.
Äpfel und Birnen (**die Birne, -n** = *pear*) esse ich gern.

36. **der Kopf, -es,** ⸚**e** = head.
Während meiner Krankheit hat mir mein **Kopf** sehr
wehgetan (**weh tun, tat, getan** = *to ache*).

37. **schießen (ie, o, o)** = to shoot (**der Schuß, -sses,**
⸚**sse** = *shot*).
Soldaten müssen leider **schießen** lernen.

38. **(sich) weigern** (w) = to refuse.
Ich **weigere mich**, Ihnen zu folgen.

39. **das Mittel, -s, - =** means.
Diesem Mann sind alle **Mittel** recht.
40. **AUFMERKSAM machen =** to draw attention to
(**merken** [w] = *to notice ;* **aufmerksam** = *attentive*).
Der Lehrer **machte** uns auf die Absicht (**die Absicht,
-en** = *intention*) des Dichters **aufmerksam.**
41. **sich verlassen (ä, ie, a) =** to rely upon.
Auf das Versprechen dieses Mannes kann man sich leider
nicht **verlassen.**
42. **andauernd =** everlasting.
Die Welt sucht nach **andauerndem** Frieden.

Schiller

Im Todesjahr[1] Lessings (1781) erschien ein neuer Stern am
Himmel der deutschen Literatur: Friedrich Schiller veröffentlichte sein erstes Drama, *Die Räuber,* und wurde dadurch
über Nacht berühmt. Der junge Autor dieses Dramas war
erst[2] 22 Jahre alt. Er war im Jahre 1759 als Sohn eines
Feldschers[3] in Marbach am Neckar zur Welt gekommen. Auf
Befehl des Herzogs von Württemberg war er nach Stuttgart
zur Schule geschickt worden und hatte zuerst Rechtswissenschaft[4] und dann Medizin studiert. Das Studium der
Medizin hatte er im Jahre der Veröffentlichung der *Räuber*
eben beendet.
Die Veröffentlichung der *Räuber* erregte großes Aufsehen.[5]
Vor allem wurde das Stück als ein Angriff auf die Gesell-
schaft betrachtet. Der Herzog von Württemberg befahl,
daß alle Werke Schillers nur mit der Zustimmung[6] des
Herzogs veröffentlicht werden dürften. Schillers Drama
Die Räuber wurde dennoch in Mannheim öffentlich[7] auf-
geführt. Schiller selbst ging zur Erstaufführung[8] nach
Mannheim, ohne die Erlaubnis des Herzogs erhalten zu

---

[1] **das Todesjahr, -es, -e** = year of death.
[2] **erst** = only.
[3] **der Feldscher** = *archaic for* military surgeon (**Militärartz**).
[4] **Rechtswissenschaft** = jurisprudence.
[5] **das Aufsehen, -s** = attention.
[6] **die Zustimmung, -en** = consent.
[7] **öffentlich** = publicly.
[8] **die Erstaufführung, -en** = première.

haben. Nach seiner Rückkehr[9] nach Stuttgart wurde er sofort verhaftet und ins Gefängnis geworfen. Aus dem Gefängnis entlassen,[10] sah Schiller ein,[11] daß er nicht länger in Stuttgart bleiben könne. Im Jahre 1782 verließ er Stuttgart heimlich[12] und in Verkleidung. Die nächsten fünf Jahre verbrachte er bei Freunden, zuerst in Mannheim und dann in Leipzig. Einige berühmte Dramen Schillers, wie *Fiesco* und *Kabale und Liebe*, wurden während dieser Zeit geschrieben.

Im Jahre 1787 fuhr Schiller nach Weimar, dem Wohnort[13] Goethes. Leider war Goethe 1787 in Italien. Auf der Reise lernte Schiller jedoch seine zukünftige Frau, Charlotte von Lengefeld, kennen. Im nächsten Jahr kehrte Schiller wieder zum Wohnort der Familie Lengefeld (nach Rudolfstadt) zurück. Im Garten des Hauses der Familie Lengefeld machte er endlich die Bekanntschaft Goethes.

Viele Freunde Schillers hatten gehofft, er und Goethe würden gute Freunde werden. Zuerst schien es, als würden die beiden großen Dichter sich nicht verstehen. Trotzdem war es Goethe, der Schiller im Jahre 1789 zum Lehrstuhl[14] für Geschichte an der Universität Jena verhalf.[15] Im nächsten Jahr heiratete Schiller seine geliebte Charlotte. Bald nach seiner Heirat fiel Schiller beinahe einer bösen Lungenentzündung[16] zum Opfer. Glücklicherweise konnte er die Krankheit überstehen, jedoch wurde seine Gesundheit nie mehr völlig wiederhergestellt.

Schillers Freundschaft mit Goethe entwickelte sich nur sehr langsam. Im Jahre 1794 lud Schiller Goethe ein, zu einer neuen Literaturzeitschrift[17] beizutragen. Zwei Jahre später waren die beiden schon genug befreundet,[18] um zusammen eine Sammlung[19] von Epigrammen zu veröffentlichen. Im Jahre 1799 wurde Schiller auf Veranlassung Goethes nach Weimar eingeladen. In Weimar schrieb er die Dramen,

---

[9] **die Rückkehr** = return.
[10] **entlassen (ä, ie, a)** = to dismiss.
[11] **EINsehen (sah, gesehen)** = to realize.
[12] **heimlich** = secretly.
[13] **der Wohnort, -es, -e** = place of residence.
[14] **der Lehrstuhl, -es, ⁻e** = university chair.
[15] **verhelfen (i, a, o)** = help to.
[16] **die Lungenentzündung** = pneumonia.
[17] **die Literaturzeitschrift, -en** = literary magazine.
[18] **befreunden (w)** = to befriend.
[19] **die Sammlung, -en** = collection.

denen er seinen Ruhm verdankt. Er wurde vom König von Preußen eingeladen, nach Berlin zu ziehen und dort Direktor des königlichen Theaters zu werden. Schiller zog jedoch vor, bei seinem Freund Goethe in Weimar zu bleiben. Schiller konnte weder seinen Ruhm noch seine Freundschaft mit Goethe lange genießen. Im Frühling des Jahres 1805 starb er an einer Lungenkrankheit,[20] im 46. Lebensjahr.[21]

Die Balladen Schillers und seine Dramen sind noch heute jedem gebildeten Deutschen bekannt. Dramen wie *Don Carlos, Wallenstein, Maria Stuart, Die Jungfrau von Orleans, Wilhelm Tell* werden heute noch oft aufgeführt. Gewöhnlich stützen sich Schillers Werke auf historische Grundlagen.[22] Das Drama *Don Carlos* erzählt die Geschichte vom Haß des spanischen Prinzen Don Carlos auf seinen Vater, den tyrannischen König Philipp von Spanien. Don Carlos' unglückliche Liebe zu seiner Stiefmutter[23] führt zu seinem Untergang. Das Wallensteindrama ist eine Trilogie. Sie schildert das Schicksal[24] des Herzogs von Wallenstein. Wallenstein war der Oberbefehlshaber[25] des kaiserlichen Heeres im Dreißigjährigen Krieg. Er fiel jedoch vom Kaiser ab,[26] und wurde von seinen eigenen Freunden auf Befehl des Kaisers ermordet.

Maria Stuart ist die Geschichte der Rivalin der englischen Königin Elisabeth. In diesem Drama schildert Schiller in meisterhafter[27] Weise den Streit zwischen den beiden Königinnen, Maria and Elisabeth. Auf der Bühne sowie in der Geschichte endet der Streit mit der Hinrichtung[28] Maria Stuarts.

In manchen Dramen hat Schiller sich nicht genau auf die Geschichte gestützt und viele Teile der Handlung selbst erfunden. Die wirkliche Jungfrau von Orleans, die Befreierin und Nationalheldin[29] Frankreichs, wurde bekanntlich gefan-

---

[20] **die Lungenkrankheit** = disease of the lungs.
[21] **das Lebensjahr, -es, -e** = year of life.
[22] **die Grundlage, -n** = foundation, basis.
[23] **die Stiefmutter, ⸚** = stepmother.
[24] **das Schicksal, -s** = destiny, fate.
[25] **der Oberbefehlshaber** = commander-in-chief (**Ober** usually denotes "chief"; **befehlen** = to command; **Befehlshaber** = commander).
[26] **Abfallen (ä, ie, a)** = to desert, revolt.
[27] **meisterhaft** = masterly.
[28] **die Hinrichtung** = execution.
[29] **die Nationalheldin, -en** = national heroine.

gengenommen, der Hexerei[30] angeklagt und als Hexe verbrannt. Die Heldin des Schillerdramas entflieht[31] der Gefangenschaft und stirbt siegreich auf dem Schlachtfeld.[32]

Die Geschichte von Wilhelm Tell ist nur teilweise[33] historisch. Wilhelm Tell soll der Führer und Held der Schweizer in ihrem Kampf für Unabhängigkeit von Österreich und den Habsburgern gewesen sein. In Schillers Drama werden Tell und die anderen Schweizer als einfache, treue Menschen geschildert. Erst als sie keinen anderen Ausweg[34] sehen, entschließen sie sich zur Empörung. Weil Tell keine andere Möglichkeit sieht, entschließt er sich, den tyrannischen Statthalter[35] Gessler zu ermorden.

Eine Episode des Wilhelm Tell-Dramas ist wohl jedem bekannt : Der Statthalter Gessler läßt eine Stange[36] mit seinem Hut[37] aufstellen und befiehlt, daß alle Bürger sich vor dem Hut verbeugen.[38] Tell tut das nicht und wird von Gesslers Soldaten verhaftet. Gessler verspricht Tell die Freiheit unter der Bedingung, daß er mit seiner Armbrust[39] einen Apfel vom Kopfe seines Sohnes schieße. Falls[40] sich Tell weigere, den Apfel vom Kopf des Kindes zu schießen, so müßten er und sein Kind sterben. Vergebens[41] versucht Tell, Gessler zu überzeugen, diese Tat nicht von ihm zu verlangen. Er muß den Schuß versuchen. Der Schuß gelingt, und Gessler muß sein Versprechen halten.

Diese Szene aus *Wilhelm Tell* ist typisch für die dramatischen Mittel, die Schiller in seinen Stücken gebraucht. Einige moderne Kritiker haben, vielleicht mit Recht, uns darauf aufmerksam gemacht, daß sich Schiller oft auf theatralische Effekte verläßt. Aber gerade[42] diese theatralischen Effekte sind vielleicht ein Grund für seine andauernde[43] Beliebtheit.[44]

---

[30] **die Hexerei** = witchcraft, sorcery.
[31] **entfliehen, (ie, o, o)** = to escape.
[32] **das Schlachtfeld, -es, -er** = battlefield.
[33] **teilweise** = partly.
[34] **der Ausweg, -s, -e** = way out, escape.
[35] **der Statthalter** = governor.
[36] **die Stange, -n** = stick, pole.
[37] **der Hut, -es, ⁔e** = hat.
[38] **verbeugen** (w) from **beugen,** to bend = to bow down.
[39] **die Armbrust, ⁔e** = crossbow.
[40] **falls** = if, in the event that.
[41] **vergebens** = in vain.
[42] **gerade** = precisely, just (*adv.*).
[43] **andauernd** = everlasting.
[44] **die Beliebtheit** = popularity.

27.4 Change the sentences below from direct to indirect discourse, introducing each with *Man sagt, daß* and using the subjunctive II:

1. Wir haben nie die Wahrheit gewußt.	Man sagt, daß wir nie die Wahrheit gewußt hätten.
2. Wir sind nicht nach Berlin gefahren.	Man sagt, daß wir nicht nach Berlin gefahren wären.
3. Wir werden morgen abreisen.	Man sagt, daß wir morgen abreisen würden.
4. Wir können dieses Buch nicht veröffentlichen.	Man sagt, daß wir dieses Buch nicht veröffentlichen können.
5. Meine Freunde haben sehr viel Geld erhalten.	Man sagt, daß meine Freunde sehr viel Geld erhalten hätten.
6. Dieser Dichter trägt viel zur deutschen Literatur bei.	Man sagt, daß dieser Dichter viel zur deutschen Literatur beitrüge.
7. Er verspricht jedem alles.	Man sagt, daß er jedem alles verspräche.
8. Er weiß, worum es sich handelt.	Man sagt, daß er wüßte, worum es sich handelt.
9. Der Junge zieht vor, hier zu bleiben.	Man sagt, daß der Junge vorzöge, hier zu bleiben.
10. Er sieht seinen Irrtum ein.	Man sagt, daß er seinen Irrtum einsähe.

27.5 Word Study

(a) Make a list of all verbs from lessons 21–27 that are formed with the prefix *ge-*.

(b) Make a list of all verbs from lessons 21–27 that are compounds of *ziehen*, *halten*, and *sehen*.

27.51 Complete the following sentences:

1. Wenn ich Geld hätte, würde ich dieses Buch _____.
2. Mann sagt, daß dieses Stück vor zwei Jahren _____ worden wäre.

3. Wenn sie nur geschrieben hätten, würde ich den Brief _____ haben.
4. Mein Vater sagt, er könnte das Geld nicht zum Fenster _____.
5. Die Zeitungen schreiben, daß der Präsident auf Befehl des Generals _____ worden wäre.
6. Wenn ich Zeit hätte, _____ ich dieses Bild wirklich genießen.
7. Mein Vater glaubte, daß jeder gebildete Mensch eine Fremdsprache _____ müßte.
8. Die russische Zeitung schrieb, daß die Glühbirne (*electric light bulb*) nicht von Edison, sondern von Ivanow _____ worden wäre.
9. Wenn mein Freund sich nicht _____ hätte, würden ihn alle sofort erkannt (*recognized*) haben.
10. Meine Mutter schreibt, ich müßte die _____ ihrer Freundin machen.
11. Man sagt, daß dieser Schriftsteller nie an diese Zeitung _____ hätte.
12. Hätte er nicht das Land verlassen, so wäre er des _____ angeklagt worden.
13. Die Vereinigten Staaten würden vielleicht noch zu England gehören, wenn sie nicht ihre _____ erklärt hätten.
14. Meine Eltern schrieben mir, sie könnten sich auf das Versprechen meiner Freunde nicht mehr _____.
15. Er sagte, er könnte nur unter der Bedingung hier bleiben, daß ich keinen _____ tränke.
16. Wenn du das Mädchen kennengelernt hättest, hätte sie dir _____.
17. Wenn wir hier geblieben wären, wären wir der _____ des Königs zum Opfer gefallen.
18. Man sagt, daß das Buch nur auf Veranlassung der Regierung _____ worden wäre.

27.52 Grammar Study

(a) Write the indicative forms that correspond to the subjunctive forms found in 27.3.

(b) Underline all nominatives and accusatives in the reading selection.

27.53 Mark the following statements true or false according to 27.3:

1. Trotz der Veröffentlichung der „Räuber" blieb Friedrich Schiller viele Jahre lang ganz unbekannt.

2. Schiller konnte des Studium der Medizin nicht beenden, weil er sich ganz der Literatur widmete.

3. Schiller entschloß sich, ohne die Erlaubnis des Herzogs zur Aufführung der „Räuber" nach Mannheim zu fahren.

4. Trotz seiner Verkleidung wurde Schiller verhaftet und ins Gefängnis geworfen.

5. Während der ersten Reise nach Weimar lernte Schiller den großen Dichter Goethe kennen.

6. Schiller machte die Bekanntschaft seiner zukünftigen Frau im Haus Goethes.

7. Goethe half Schiller, Professor für Geschichte an der Universität Jena zu werden.

8. Schiller wurde glücklicherweise von seiner Lungenkrankheit völlig wiederhergestellt.

9. Schiller, der auf Veranlassung Goethes nach Weimar eingeladen worden war, entschloß, in Weimar zu bleiben und die Einladung nach Berlin nicht anzunehmen.

10. Die Dramen Schillers werden jetzt nur noch von Wissenschaftlern gelesen und sind nur wenigen Deutschen bekannt.

11. Im Drama „Don Carlos" wird der König von Spanien von seinem eigenen Sohn ermordet.

12. Das Drama „Maria Stuart" endet mit dem unvermeidlichen Tod der Heldin des Dramas.

13. Das Drama „Die Jungfrau von Orleans" endet nicht mit der Hinrichtung der Heldin, sondern mit ihrem Tod auf dem Schlachtfeld.

14. Wilhelm Tell wird verhaftet, weil er sich vor dem Hut des Statthalters Gessler nicht verbeugen will.

15. Gessler sagt Tell, daß er seine Freiheit nur haben könnte, wenn er den Apfel vom kopf seines Sohnes schösse.

Schiller, „Die Jungfrau von Orleans"

From the final scene: Joan has escaped and lies dying on the field of battle.

Johanna:

Und ich bin wirklich unter meinem Volk,
Und bin nicht mehr verachtet und verstoßen?[1]
Man flucht[2] mir nicht, man sieht mich gütig[3] an?
— Ja, jetzt erkenn'[4] ich deutlich[5] alles wieder!
Das ist mein König! Das sind Frankreichs Fahnen![6]
Doch meine Fahne seh' ich nicht — Wo ist sie?
Nicht ohne meine Fahne darf ich kommen:
Von meinem Meister[7] ward[8] sie mir vertraut,[9]
Vor seinem Thron darf ich sie niederlegen —
Ich darf sie zeigen, denn ich trug sie treu.
. . . .

Seht ihr den Regenbogen[10] in der Luft?
Der Himmel[11] öffnet seine goldnen Tore,[12]
Im Chor der Engel[13] steht sie glänzend[14] da,
Sie hält den ew'gen Sohn[15] an ihrer Brust,[16]
Die Arme streckt sie lächelnd[17] mir entgegen.
Wie wird mir — Leichte Wolken[18] heben[19] mich —
Der schwere Panzer[20] wird zum Flügelkleide.[21]
Hinauf — hinauf[22] — Die Erde flieht zurück[23] —
Kurz ist der Schmerz, und ewig ist die Freude!

---

[1] **verachtet und verstossen** = in contempt and banned.
[2] **fluchen** (w) = to curse.
[3] **gütig** = kindly.
[4] **erkennen (erkennst, erkannte, erkannt)** = to recognize.
[5] **deutlich** = distinctly.
[6] **die Fahne, -, -n** = flag.
[7] **der Meister, -s, -** = master, (heavenly) lord.
[8] **ward** (*archaic*) = **wurde**.
[9] **vertrauen** (w) = to confide, entrust.
[10] **der Regenbogen, -s, ﹦** = rainbow.
[11] **der Himmel, -s, -** = sky, heaven.
[12] **das Tor, -es, -e** = door, gate.
[13] **der Chor der Engel** = choir of angels.
[14] **glänzend** = shining (**glänzen** [w] = *to shine*).
[15] **der ewige Sohn** = the eternal son, i.e., the Christ child.
[16] **die Brust, -, ﹦e** = breast, chest.
[17] **lächelnd** = smiling (**lächeln** [w] = *to smile*).
[18] **die Wolken, -, -n** = cloud.
[19] **heben** (e, o, o) = to lift.
[20] **der Panzer, -s, -** = armor.
[21] **das Flügelkleid, -es, -er** = light dress (**der Flügel** = *wing*).
[22] **hinauf** = upwards, up.
[23] **ZURÜCKfliehen** (ie, o, o) = to flee back, withdraw.

28. Comparative and Superlative of Adjectives and Adverbs

28.1 Professor Gründig muß mindestens *(at least)* 65 Jahre alt sein. Nur Dr. Radinger ist vielleicht älter als er—und Dr. Radinger ist der älteste Dozent der ganzen Akademie. Dieses Jahr ist das letzte für Dr. Radinger. Nächstes Jahr tritt er in den Ruhestand *(retirement)*.

Daß Dr. Radinger in den Ruhestand treten muß, tut allen wirklich leid. Alle haben Dr. Radinger sehr gern. Professor Gründig ist vielleicht der einzige, den sie lieber haben. Am Ende des Jahres gibt es eine kleine Abschiedsfeier *(farewell celebration)* für Dr. Radinger. Der Leiter *(director)* der Akademie hält eine kleine Ansprache *(speech)* und versichert Herrn Dr. Radinger, wie leid es allen täte, ihn zu verlieren. Dr. Radinger antwortet mit nur wenigen Worten: „Ich werde meine Arbeit, und vielleicht noch mehr meine Kollegen, sehr vermissen. Aber was mir am meisten *(the most)* fehlen wird, das sind meine Schüler! Ich danke Ihnen—und auf Wiedersehen."

28.2 The comparative is formed by adding *-er* to the undeclined form of the adjective. The superlative is formed by adding *-st* (*-est* if the adjective ends in *t, d, s, z,* or *sch*). Also some adjectives ending in a vowel add *-est*.

schnell *(fast)*	schneller	schnellst-
klein *(small)*	kleiner	kleinst-
wichtig *(important)*	wichtiger	wichtigst-
spät *(late)*	später	spätest-
neu *(new)*	neuer	neuest-

Note also that:
(a) German (unlike English) does *not use* adverbs like *more* or *most* to form the comparative and superlative. Thus,

interessanter = more interesting, *interessantest* = most interesting.

(b) Many common adjectives take an umlaut in the comparative and superlative forms.

alt *(old)*	älter	ältest-
dumm *(stupid)*	dümmer	dümmst-
klug *(clever)*	klüger	klügst-
groß *(great)*	größer	größt-
hoch *(high)*	höher	höchst-
jung *(young)*	jünger	jüngst-
krank *(sick)*	kränker	kränkst-
kalt *(cold)*	kälter	kältest-
lang *(long)*	länger	längst-
oft *(often)*	öfter	öftest-
rot *(red)*	röter	rötest-
stark *(strong)*	stärker	stärkst-
schwarz *(black)*	schwärzer	schwärzest-
warm *(warm)*	wärmer	wärmst-

(c) Some adjectives form irregular comparatives and superlatives.

gut *(good)*	besser	best-
viel *(much, many)*	mehr*	meist-
gern *(gladly)*	lieber	liebst-

28.21 If the comparative or superlative are used to modify a noun, they take the declensional endings of the adjective, either weak or strong (see 9.2; 25.2). Thus *both* the endings used to form the comparative or superlative *and* the declensional endings must be used:

Ich kenne einen berühmt-en Mann *(a famous man).*
Ich kenne einen berühmt-er-en Mann *(a more famous man).*
Ich kenne den berühmt-est-en Mann *(the most famous man).*

If the comparative is used as adverb or as predicate then it appears like any adjective without declensional ending (see 9.2):

---

* Note that *mehr* (more) should not be confused with the plural adjective *mehrere* (several). *Ich habe mehr Geld als du,* but *Ich habe mehrere Freunde.*

Robert ist klein.   Karl ist kleiner.
Robert arbeitet schnell.   Karl arbeitet schneller.

If the superlative is used as predicate it is either preceded by
the definite article or by the prepositional expression *am*
(*an + dem*). If it is used as an adverb it is always preceded by
the expression *am*. The superlative preceded by the article is
declined like an adjective, in other words it takes the ending
-*e* in the singular and the ending -*en* in the plural (see 9.2).
The superlative preceded by *am* takes the ending -*en*.

Robert ist klein. Hans ist kleiner als Robert. Franz ist *der*
klein*ste*. Franz ist *am* klein*sten*.

Robert arbeitet schnell. Hans arbeitet schneller als Robert.
Franz arbeitet *am* schnell*sten*.

28.3 Reading Preparation

1. **der Denker, -s, -** = thinker (**denken, e, dachte,
   gedacht** = *to think*).
   Einer der wichtigsten **Denker** dieses Jahrhunderts **(das
   Jahrhundert, -s, -e)** ist Albert Einstein.
2. **bedeutend** = significant (**die Bedeutung, -en** = *signi-
   ficance, meaning*).
   Er war ein sehr **bedeutender** Dichter.
3. **einflußreich** = influential (**der Einfluß, -es, ̈sse** =
   influence, **beeinflußen** [w] = *to influence*).
   Ich kenne **einflußreiche** Menschen.
4. **der Ausdruck, -es, ̈e** = expression ([**sich**] **ausdrücken** [w] = *to express*).
   Ich verstehe diesen deutschen **Ausdruck** nicht.
5. **die Zeile, -n** = line.
   Können Sie mir ein paar (*a few*) **Zeilen** schreiben?
6. **der Aufenthalt, -s, -e** = stay ([**sich**] **aufhalten,
   ä, ie, a** = *to stay*).
   Wie lange hat Ihr **Aufenthalt** in Paris gedauert?
7. **(sich) (ZU) wenden** ([w] or **wandte, gewandt**) = *to*
   turn.
   Mein Freund hat sich dem Studium der Geschichte
   zugewandt.
8. **(sich) WIDERspiegeln**(w) = *to reflect* (**der Spiegel,
   -s, -** = *mirror*).

225

Das Leben des Dichters **spiegelt** sich in seinen Büchern **wider**.

9. **unsinnig** = nonsensical (**der Sinn, -es, -e** = *sense, meaning; sinnig = judicious, thoughtful*).

   Welch ein **unsinniger** Vergleich! (**der Vergleich, -es, -e** = *comparison*).

10. **der Streich, -es, -e** = stroke, trick, prank.

    Der Junge hat mir wieder einen **Streich** gespielt.

11. **heiß** = hot (**die Hitze** = *heat*).

    Im Sommer ist es hier sehr **heiß**.

12. **der Wunsch, -es, ⁼e** = desire (**wünschen** [w] = *to desire*).

    Haben Sie einen **Wunsch?**

13. **verwirklichen** (w) = to realize, make real (**wirklich** = *real;* **die Wirklichkeit, -en** = *reality*).

    Ich möchte meine Pläne gern **verwirklichen**.

14. **die Sehnsucht, ⁼e** = longing.

    Ich habe **Sehnsucht** nach meiner Heimat.

15. **ZURÜCKziehen (ie, zog, gezogen)** = to draw back.

    Es **zieht** mich immer wieder in die Heimat **zurück**.

16. **der Kreis, -es, -e** = circle.

    Dieser junge Mann verkehrt (**verkehren** (w) = *to frequent*) in literarischen **Kreisen**.

17. **eifrig** = zealous, eager (**der Eifer, -s** = *zeal, fervor*).

    Mein Freund arbeitet jetzt sehr **eifrig** an seinem Buch.

18. **absichtlich** = intentional (**die Absicht, -en** = *intention*).

    Das habe ich wirklich nicht **absichtlich** gemacht.

19. **(ver) mischen** (w) = to mix (**die Mischung, -en** = *mixture*).

    Die Römer tranken Wein, der mit Wasser **vermischt** war.

Goethe

Johann Wolfgang von Goethe ist sicherlich[1] der größte aller deutschen Dichter. Man kann wohl sagen, daß in der Weltliteratur, außer Shakespeare, keiner bedeutender und einflußreicher als Goethe war. Unsere Welt wäre in der Tat viel ärmer, hätte Goethe nicht gelebt und gewirkt.[2] Selbst

---

[1] **sicherlich** = certainly.
[2] **wirken** (w) = to work, create.

in einem dicken Buck könnte man nicht die volle Bedeutung Goethes zum Ausdruck bringen. Hier wollen wir in nur wenigen Zeilen sein Leben kurz beschreiben.

Goethe wurde im Jahre 1749 in Frankfurt am Main geboren. Wie bei dem Komponisten Mozart zeigte sich das Genie schon im Kindesalter.[3] Der achtjährige[4] Goethe verstand schon vier Fremdsprachen, und im Alter von zwölf Jahren versuchte er schon, einen Roman zu schreiben. Im Alter von sechzehn Jahren ging Goethe nach Leipzig, um dort Jura[5] zu studieren.

Jedoch das Jurastudium interessierte den jungen Goethe nicht. Von größerem Interesse waren für ihn die Naturwissenschaften,[6] wie die Botanik und die Mineralogie. Was jedoch den jungen Goethe in Leipzig am meisten interessierte, waren die Mädchen—besonders ein Mädchen mit Namen Anna Katharine Schönkopf. Manche der ersten Gedichte Goethes sind von dieser seiner ersten Liebe beeinflußt. Während seines Aufenthalts in Leipzig wurde Goethe krank. Er mußte nach Frankfurt zurückkehren und dort mehr als ein Jahr verbringen, um seine Gesundheit[7] wiederherzustellen. Im Alter von 21 Jahren ging Goethe nach Straßburg. Die Jahre in Straßburg waren für Goethes Leben von größter Wichtigkeit.[8] Goethes Genie würde sich kaum[9] so schnell entwickelt haben, wenn er nicht in Straßburg den bedeutenden Dichter und Philosophen Herder kennengelernt hätte. Auch von großer Bedeutung war Goethes Liebe zu der Pastorentochter[10] Friederike Brion, die zum Vorbild mancher weiblichen[11] Person der goethischen Dichtung werden sollte.

Nachdem Goethe den Doktor-Titel erhalten hatte, kehrte er nach Frankfurt zurück und begann, sich als Rechtsanwalt[12] zu betätigen.[13] Er wendete sich aber immer mehr der Literatur zu. Im Jahre 1773 veröffentliche er die Tragödie *Götz von Berlichingen*, die ihn sofort berühmt machte. Im selben Jahre

---

[3] **das Kindesalter** = childhood.
[4] **achtjährig** = eight-year-old.
[5] **Jura** = law.
[6] **die Naturwissenschaft, -en** = natural science.
[7] **die Gesundheit** = health.
[8] **die Wichtigkeit** = importance.
[9] **kaum** = scarcely.
[10] **die Pastorentochter, ⸚** = minister's daughter.
[11] **weiblich** = feminine.
[12] **der Rechtsanwalt** = lawyer.
[13] **sich betätigen** (w) = to be busy.

machte er auch die Bekanntschaft des jungen Prinzen Karl
August von Weimar, der während der nächsten 55 Jahre
einer der besten Freunde Goethes sein sollte. Im Jahre 1774
veröffentlichte Goethe seinen berühmten Roman *Die Leiden
des jungen Werthers,*[14] eine psychologische Charakterstudie,
in der sich auch Goethes unglückliche Liebe zu Charlotte
Buff, der Verlobten eines seiner Freunde, widerspiegelt.

Im Jahre 1775 nahm Goethe die Einladung des Prinzen Karl
August an, nach Weimar zu ziehen. Von diesem Jahr an,
sollte Weimar der Wohnort Goethes sein. Während seiner
ersten zehn Jahre in Weimar schrieb er verhältnismäßig
wenig aber nahm am Gesellschaftsleben[15] teil.[16] Besonders die
ersten drei Jahre des Weimarer Aufenthaltes wurden von
Goethe und dem jungen Herzog im Gesellschaftsleben des
Hofes und manchmal sogar mit unsinnigen Streichen verbracht.
Während dieser ersten Jahre in Weimar machte Goethe
jedoch auch die Bekanntschaft von Frau Charlotte von Stein,
einer gebildeten Dame, die auf seine Entwicklung und Dichtung großen Einfluß hatte.

Im Jahre 1786 konnte Goethe endlich einen seiner heißesten
Wünsche verwirklichen. Er reiste nach Italien. Die nächsten
zwei Jahre verbrachte er in Venedig, Florenz, Rom, Neapel
und Sizilien.[17] Meisterwerke wie *Iphigenie auf Tauris* und
Egmont wurden in Italien von Goethe beendigt. Goethe
kehrte nur ungern[18] aus Italien nach Weimar zurück. Seine
Liebe und Sehnsucht für Italien spiegeln sich in manchen
seiner Werke wider.

Nach der Rückkehr aus Italien widmete sich Goethe vor allem
dem Studium verschiedener Wissenschaften. Besonders Anatomie, Botanik und Optik beschäftigten ihn sehr. In allen diesen
Wissenschaften machte er bedeutende Entdeckungen. Selbst
wenn Goethe nie Dichter gewesen wäre, würde sein Platz
in der Geschichte möglicherweise[19] durch seine wissenschaft-
liche Arbeit gesichert sein. Goethe hätte sich vielleicht nur
mit den verschiedenen Wissenschaften beschäftigt, wenn er
nicht die Bekanntschaft Schillers gemacht hätte. Diese Bekannt-

---

[14] *The Sorrows of Young Werther.*
[15] **das Gesellschaftsleben** = life of society, social life.
[16] **TEILnehmen** = to take part.
[17] Venice, Florence, Naples, Sicily.
[18] **ungern** = unwillingly, regretfully.
[19] **möglicherweise** = possibly.

schaft und spätere Freundschaft zu einem anderen Genie der Literatur zog Goethe wieder in den Kreis der dichterischen Tätigkeit zurück. Der Roman *Wilhelm Meister*, die Idylle *Hermann und Dorothea* verdanken[20] viel dem Einfluß und Rat Friedrich Schillers. Unter dem Einfluß Schillers beschäftigte sich Goethe auch wieder mit der Fausttragödie, an der er schon als ganz junger Mann zu arbeiten begonnen hatte.

Ein Jahr nach Schillers Tod heiratete Goethe Christiane Vulpius, eine Frau, mit der er schon 17 Jahre lang gelebt hatte, und die ihm schon 1789 seinen einzigen Sohn geboren hatte. Sein Leben in Weimar war von dieser Zeit bis zu seinem Tod 1832 verhältnismäßig ruhig. Die napoleonischen Kriege, der Freiheitskrieg gegen die Franzosen hatten auf Goethes Leben nur wenig Einfluß. Jedoch waren die letzten drei Jahrzehnte seines Lebens für Goethe eine Zeit der eifrigsten dichterischen Tätigkeit.

Von den berühmten Werken Goethes kann man hier noch *Die Wahlverwandtschaften*[21] (1809), *Wilhelm Meisters Wanderjahre* (1821–29) und *Aus meinem Leben: Dichtung und Wahrheit*[22] erwähnen. Das letzte Werk ist eine Autobiographie. Wie schon der Name sagt, hat Goethe in diesem Werk absichtlich Dichtung und Wahrheit vermischt. Trotzdem ist dieses Werk von größter Wichtigkeit für die Kenntnis Goethes und seines Zeitalters.[23]

Das bedeutendste aller Werke Goethes ist die Fausttragödie. Goethe hat an diesem Werk während seines ganzen Lebens gearbeitet. Den Plan, eine Fausttragödie zu schreiben, hatte er schon als ganz junger Mann gefaßt. Eine Fassung der Tragödie war 1790 erschienen. Der erste Teil der Tragödie erschien 1808. Den zweiten Teil der Tragödie hat Goethe erst im Alter von 81 Jahren beendet. Erschienen ist er erst kurz nach Goethes Tod, 1832. Die Tragödie kann in mancher Beziehung als ein Spiegel des Lebens des großen Dichters betrachtet werden. Darüber hinaus ist sie jedoch ein Symbol für das Recht und die Freiheit des Menschen, aus eigener Kraft die Erkenntnis der Wahrheit zu suchen.

---

[20] **verdanken** (w) = to owe.
[21] **Die Wahlverwandtschaften** = (*lit.*, elective affinities); translated as *Kindred by Choice* by H. M. Waidson, 1961.
[22] *From my Life: Fiction and Truth.*
[23] **das Zeitalter** = age, era.

28.4 Insert the correct comparative or superlative form of the adjective or adverb in parentheses:

1. (klug) Karl ist viel _____ als sein Bruder. — klüger
2. (groß) Goethe ist der _____ aller deutschen Dichter. — größte
3. (Kalt) Gestern war es kälter, aber heute ist es _____. — am kältesten
4. (neu) Dieses Kleid ist viel _____ als das meiner Schwester. — neuer
5. (stark) Er ist _____ Junge in der ganzen Klasse. — der stärkste
6. (gern) Ich habe diese Romane lieber als die Romane Thomas Manns. Aber von allen deutschen Schriftstellern habe ich Brecht _____. — am liebsten
7. (interessant) Diese Romane sind _____ als die, die ich von Böll gelesen habe. — interessanter
8. (hoch) Die Alpen sind _____ als die Pyrenäen. — höher
9. (wichtig) Von allen Werken Lessings sind vielleicht die kritischen Werke die _____. — wichtigsten
10. (schnell) Meine Frau denkt _____ als ich. — schneller
11. (viel) Er hat _____ Geld als du. — mehr
12. (gern) Ich habe ihn _____ als seinen Freund. — lieber

28.5 Word Study

(a) Make a list of all the nouns encountered in lessons 21–28 that end in -*ung*. For which of these nouns have you also learned the verb formed from the same stem? List the verbs next to the nouns.

(b) List all the verbs encountered thus far which are formed with the prefix *zurück*-.

28.51 Complete the following sentences:

1. Wir verbrachten mehr Zeit in Deutschland als unsere _____.

2. Unser Aufenthalt war _____ als der unserer Eltern.

3. Mein Onkel war für mich ein besseres _____ als mein Vater.

4. Goethe war ein einflußreicherer Denker als _____.

5. Einen unsinnigeren Streich als diese Tat _____ ich mir nicht vorstellen.

6. Ich habe größere _____ nach meiner Heimat als nach meinen Freunden.

7. Ich beschäftigte mich _____ mit Sprachen als mit der Wissenschaft.

8. Der Name dieses Dichters wird in den _____ öfter erwähnt als der seines Bruders.

9. Die Römer tranken eine Mischung von Wein und Wasser _____ als Wein.

10. Der Professor arbeitet eifriger an seinem _____ als an seinem Buch.

11. Von allen deutschen Dichtern ist _____ wohl sicher der bedeutendste.

12. Für diesen Beruf braucht man jüngere _____ als Sie.

13. Von allen meinen Freunden _____ Hans am meisten.

14. Von allen diesen Arbeiten haße ich _____ am wenigsten.

15. Mein Bruder ist älter als ich, aber er ist sicher nicht _____.

28.52 Grammar study

(a) Write out the first person singular simple past of all strong verbs used in 28.3.

(b) Underline all nominatives and datives in 28.3.

28.53 Complete the following sentences based on 28.3.

1. Kein deutscher Dichter war wichtiger oder einflußreicher als _____.

2. Goethe war erst acht Jahre alt, als er _____ einen Roman zu schreiben.

3. Das Rechtsstudium interessierte den jungen Goethe weniger als _____.

4. Die ersten Gedichte Goethes sind von seiner _____ zu Anna Schönkopf beeinflußt.

5. Goethe wurde so krank, daß er von Leipzig nach Frankfurt _____ mußte.

6. Für Goethes Entwicklung war es sehr bedeutend, daß er in Straßburg die _____ Herders machte.

7. Durch die Veröffentlichung der Tragödie „Götz von Berlichingen" wurde Goethe sofort _____.

8. Prinz Karl August von Weimar, dessen Bekanntschaft Goethe 1773 machte, war einer der _____ Freunde des großen Dichters.

9. Goethes Roman „Die Leiden des jungen Werthers" ist durch Goethes unglückliche Liebe zur Verlobten eines Freundes _____.

10. Goethe entschloß sich, die _____, nach Weimar zu ziehen, anzunehmen.

11. Während der ersten zehn Jahre des Weimarer Aufenthaltes _____ Goethe weniger als in den späteren Jahren.

12. Goethe hatte immer gehofft, nach Italien _____ zu können.

13. Nach der Rückkehr aus Italien wandte sich Goethe dem Studium der _____ zu.

14. Die Bekanntschaft mit Schiller war von größter Bedeutung, weil sie Goethe wieder zur _____ zurückbrachte.

15. Man kann sagen, daß Goethe an seinem bedeutendsten Werke, der Fausttragödie, während seines ganzen _____ gearbeitet hat.

16. Goethe nannte seine Autobiographie „Dichtung und Wahrheit", weil in ihr Dichtung und Wahrheit _____ sind.

17. Die Fausttragödie wurde nur ganz kurze Zeit vor Goethes _____ beendet.

18. Die Fausttragödie ist vielleicht das größte und bedeutendste _____ der modernen Literatur.

Goethe, „Wilhelm Meisters Lehrjahre"

Lied aus Buch II, Kapitel 13.

Wer nie sein Brot mit Tränen[1] aß,
Wer nie die kummervollen[2] Nächte

---

[1] **die Träne, -, -n** = tear.
[2] **kummervoll** = sorrowful (**der Kummer** = *sorrow*).

'Auf seinem Bette weinend[3] saß,[4]
Der kennt euch nicht, ihr himmlischen[5] Mächte.

Ihr führt ins Leben uns hinein,[6]
Ihr laßt den Armen schuldig[7] werden,
Dann überlaßt[8] ihr ihn der Pein,[9]
Denn alle Schuld rächt sich auf Erden.[10]

---

[3] **weinen** (w) = to cry, weep.
[4] **saß** (*past of* **sitzen**) = sat.
[5] **himmlisch** = heavenly.
[6] **HINEINführen** (w) = to lead into.
[7] **schuldig** = guilty (**die Schuld** = *guilt*).
[8] **überlassen (ä, ie, a)** = to leave to.
[9] **die Pein, -** = pain, torture.
[10] **auf Erden** = on earth (**die Erde, -, -n** = *earth, world*).

29. Present Participle
Participle Constructions

29.1 Gerhard hat in einer gestern erschienenen (*appeared*) Zeitung gelesen, daß die Autobiographie des früheren Generals Walter Gründig soeben (*just now, recently*) erschienen sei. Jetzt gibt es keinen Zweifel mehr. Der von allen Studenten so geliebte und bewunderte Professor Gründig ist der frühere Generalmajor Walter von Gründig. Gerhard zeigt seinem Freund die Besprechung (*review*) des Buches. Dem Kritiker hat das Buch sehr gefallen. Er schreibt, Gründigs Buch sei das erschütternde (*deeply moving*) Dokument einer nach Wahrheit strebenden (*striving*) Seele (*soul*).

29.2 The present participle is formed by adding *-end* to the stem of the verb.

Infinitive	Present Participle
haben	habend
sein	seiend
sprechen	sprechend

The present participle is most frequently used as an adjective:

fließen (*to flow*)	
fließendes Wasser	*flowing (running) water*
spielen (*to play*)	
ein spielendes Kind	*a playing child*
lachen (*to laugh*)	
ein lachender Mensch	*a laughing person*
blühen (*to blossom*)	
ein blühender Baum	*a blossoming tree*

29.21 In written German (rarely in speech) the present and the past participle are used in the so-called "incapsulated" modifying construction:

> **Jeder seine Heimat liebende Deutsche** wird uns helfen.
> *(Every German who loves his country will help us.)*
> **Jedes von seinen Eltern gut erzogene Kind** hat es
> im Leben leichter.
> *(Every child who is brought up well by his parents will have
> it easier in life.)*

When translating from German to English the "incapsulated participle construction" can usually be rendered as a relative clause. The participle construction is usually signalled by two noun determiners (*der-* or *ein*-words) following each other or by the fact that the determiner is followed by a preposition:

> Das ist *ein jedem* Menschen bekanntes Buch.
> *Das dem* Professor noch unbekannte Buch befindet sich in
> der Bibliothek.
> *Das in* Deutschland noch unbekannte Buch wurde von meinem
> Freund übersetzt.
> Ich möchte *meinem in* Europa reisenden Freunde schreiben.

29.3 Reading Preparation

1. **der Kurs, -es, -e** = course.
   Ich nehme jetzt drei **Kurse** an der Universität.
2. **das Kunstwerk, -es, -e** = work of art (**das Werk,
   -es, -e** = work; **die Kunst, ⸚e** = art).
   Da Vincis Mona Lisa ist ein berühmtes **Kunstwerk.**
3. **besprechen (i, a, o)** = to discuss, review.
   Dr. Schmidt hat dieses Buch in der Zeitschrift für Philo-
   sophie **besprochen.**
4. **die Handlung, -en** = plot, action.
   Die Handlung dieses Buches ist sehr interessant.
5. **erwerben (i, a, o)** = to gain, obtain.
   Geld muß man durch Arbeit **erwerben.**
6. **zufrieden** = satisfied.
   Mein Vater war mit meinen Zensuren nicht **zufrieden.**

7. **beschwören (ö, o, o)** = to conjure.
Der Zauberer (**der Zauberer, -s, - =** magician) versuchte, die Toten zu **beschwören**.

8. **die Verzweiflung, -en** = desperation.
Verzweiflung trieb das Mädchen zum Selbstmord.

9. **das Gift, -es, -e** = poison.
Das **Gift** tötete das Mädchen in wenigen Minuten.

10. **die Lippe, -n** = lip.
Er berührte (**berühren** [w] = to touch) ihre Hand mit seinen **Lippen**.

11. **der Klang, -es, ⸚e** = sound (**klingen, i, a, u** = to sound).
Ich hörte den **Klang** der Musik.

12. **(er)wecken** (w) = to wake, evoke.
Dieses Lied **erweckt** schöne Erinnerungen.

13. **die Schale, -n** = cup, bowl.
In der **Fruchtschale** waren drei Äpfel.

14. **der Mund, -es, ⸚er** = mouth.
Aus dem **Mund** der Kinder kommt oft die Wahrheit.

15. **die Unzufriedenheit** = discontent, dissatisfaction (**zufrieden** = satisfied).
Der König wußte nichts von der **Unzufriedenheit** des Volkes.

16. **verpflichten** (w) = to oblige, obligate.
Diesem Menschen sind wir zu nichts **verpflichtet**.

17. **die Hölle, -n** = hell.
Der Junge glaubt weder an Himmel noch **Hölle**.

18. **der Trank, -es, ⸚e** = drink.
Da ich drei Tage weder Speise (**die Speise, -n =** food) noch **Trank** bekam (**bekommen, bekam, bekommen** = to receive), hatte ich schrecklichen Hunger und Durst (**der Durst, -es** = thirst).

19. **verjüngen** (w) = to rejuvenate (**jung** = young).
Der Zauberer konnte sich durch einen Trank **verjüngen**.

20. **unschuldig** = innocent (**die Schuld, -en** = guilt, debt; **schuldig** = guilty).
Der Angeklagte (the accused) war **unschuldig**.

21. **der Schmuck, -es, ⸚e** = ornament, jewelry (**schmücken** [w] = to decorate).
Zum Geburtstag hat er seiner Frau goldenen **Schmuck** geschenkt (**schenken** [w] = to give, present).

22. **die Nachbarin, -nen** = neighbor (fem.) (**der Nachbar, -s, -n** (masc.).

Meine **Nachbarin** besucht mich jeden Nachmittag.

23. **die Nachricht -en** = news, report.
Von meinem Freund habe ich schon lange keine **Nachricht** erhalten.

24. **der Augenblick, -es, -e** = moment (**blicken** [w] = to look; **der Blick, -es, -e** = look; **Augenblick** = lit., glance of the eye).
In wenigen **Augenblicken** wird alles vorüber (over) sein.

25. **ausführen** (w) = to carry out.
Ich hatte keine Zeit, den Plan **auszuführen**.

26. **der Schlaf, -es** = sleep (**schlafen, ä, ie, a** = to sleep).
Der Klang der Musik weckte (**wecken** [w] = to wake) mich aus dem **Schlaf**.

27. **der Wahnsinn, -es** = insanity (**wahnsinnig** = insane).
Der **Wahnsinn** ist eine Krankheit.

28. **das Verbrechen, -s, -** = crime (**der Verbrecher, -s, -** = criminal).
Mord ist ein schweres **Verbrechen**.

29. **verurteilen** (w) = to condemn (**urteilen** = to judge; **das Urteil, -s, -e** = judgment).
Der Verbrecher wurde zum Tode **verurteilt**.

30. **das Vergnügen, -s, -** = pleasure.
Es ist ein **Vergnügen**, einen kleinen Spaziergang (**der Spaziergang, -es, ⸚e** = walk) zu machen.

31. **der Schlüssel, -s, -** = key.
Wo sind die **Schlüssel** zu dieser Tür?

32. **ergreifen (ei, ergriff, ergriffen)** = to grasp, seize.
Jetzt **ergreift** mich Verzweiflung.

33. **der Trieb, -es, -e** = desire, drive (**treiben, ei, ie, ie** = to drive).
Die **Triebe** des Menschen sind schwer zu kontrollieren.

34. **sich verlassen (ä, ie, a)** = to rely upon.
Auf diesen Jungen kann ich mich **verlassen**.

35. **AUSsprechen (i, a, o)** = to pronounce.
Für viele Amerikaner ist es schwer, das deutsche „r" **auszusprechen**.

36. **dunkel** = dark.
Im Winter wird es schon um sechs Uhr **dunkel**.

37. **bewußt** = conscious (**das Bewußtsein, -s** = consciousness).
Ich bin mir keiner Schuld **bewußt**.

Faust

An vielen Universitäten werden spezielle Vorlesungen[1] oder Seminare der Fausttragödie gewidmet. Viele Gelehrte verbringen ihr Leben mit dem Studium der Tragödie. Dieses große Kunstwerk in ein paar Zeilen zu besprechen, ist in der Tat unmöglich. Trotzdem wollen wir hier wenigstens die Handlung ganz kurz beschreiben.

Wie das Vorspiel[2] der Tragödie klar macht, stellt „Faust" den Kampf des Guten und Bösen in der nach der Wahrheit strebenden Seele des Menschen dar.[3] Der vom Durst nach Erkenntnis getriebene Gelehrte Faust ist mit dem im Studierzimmer[4] erworbenen Wissen nicht zufrieden. Er beschwört den Erdgeist[5] und versucht vergebens, ihn zu zwingen, ihm zu größerem Wissen zu verhelfen. Nach einer kurzen Unterhaltung mit seinem Diener Wagner, entschließt sich der von Verzweiflung erfaßte Faust zum Selbstmord. Doch gerade als das Gift beinahe seine Lippen berührt, hört er den Klang der Osterglocken.[6] Engelchöre[7] und die durch die Osterglocken erweckten Erinnerungen ziehen die Schale mit dem Gift von Fausts Mund und halten ihn am Leben.

Am nächsten Tag—Ostersonntag—macht Faust mit Wagner einen Spaziergang. In der Unterhaltung mit Wagner zeigt Faust wieder seine Unzufriedenheit und seinen Willen, mit Hilfe des Geistes neues Wissen zu suchen. Als Faust vom Spaziergang zurückkehrt, sieht er, daß ein kleiner schwarzer Pudel ihm in sein Studierzimmer gefolgt ist. Der Pudel ist der Teufel Mephisto. Nach langer Unterhaltung schließt Faust mit Mephisto seinen berühmten Vertrag: Solange Faust lebt, ist der Teufel ihm zum Dienst verpflichtet. Aber nach Fausts Tod gehört seine Seele der Hölle und dem Teufel, falls der Teufel ihn während seines Lebens glücklich machen kann.

Mephisto hält sein Versprechen. Er zeigt Faust die Geheimnisse der Wissenschaft. Er zeigt ihm die Freuden des derben[8]

---

[1] **die Vorlesung** = lecture.
[2] **das Vorspiel, -es, -e** = prelude.
[3] **DARstellen** (w) = to represent.
[4] **das Studierzimmer, -s, -** = study (room).
[5] **der Erdgeist, -es, -er** = spirit of the earth.
[6] **die Osterglocken** = Easter bells; **die Glocke, -n** = *bell;* **Ostern** *pl.* = *Easter.*
[7] **der Engelchor, -s, ⁼e** = choir of angels.
[8] **derb** = coarse.

Studentenlebens. Mit Hilfe eines von einer Hexe gebrauten[9] Trankes wird Faust verjüngt. Der durch den Teufel verjüngte Faust begibt sich[10] dann in eine deutsche Kleinstadt, um Liebesabenteuer[11] zu suchen.

In der Stadt trifft er Gretchen, ein junges, schönes und unschuldiges Mädchen. Unter Mephistos Einfluß beschließt er, das Mädchen zu verführen. Mephisto und Faust lassen eine Schachtel[12] mit einem Schmuckstück in Gretchens Zimmer. Gretchen findet den Schmuck und fragt ihre Mutter, was sie mit dem Schmuck tun soll. Sie befolgt den Rat der Mutter und gibt den Schmuck der Kirche. Jedoch Mephisto und Faust versuchen es noch einmal. Dieses Mal bittet Gretchen nicht ihre Mutter, sondern ihre Nachbarin Marthe um Rat. Gerade als Gretchen mit Marthe spricht, tritt Mephisto ein und gibt vor,[13] Marthe eine letzte Nachricht von ihrem in der Fremde[14] gestorbenen Mann zu bringen. Mephisto gelingt es dann mit Marthes Hilfe, Gretchen zu einem Stelldichein[15] mit Faust zu bringen.

Von diesem Augenblick an ist Gretchen verloren. Faust hat Bedenken,[16] wird jedoch von Mephisto überzeugt, seinen Verführungsplan[17] auszuführen. Faust gibt Gretchen einen Trank, mit dem sie ihre Mutter in tiefen[18] Schlaf versenken soll. Gretchen stimmt zu, ihrer Mutter den Schlaftrank zu geben und die Tür ihrer Kammer für Faust offen zu lassen. Gretchens Verführung wird in der Stadt bekannt. Ihr Bruder Valentin versucht, sie an ihrem Verführer zu rächen, wird jedoch von Faust mit Mephistos Hilfe im Zweikampf getötet. Gretchen wird durch ihre Schuld zum Wahnsinn und zum Verbrechen getrieben. Als Mörderin[19] ihres Kindes wird sie zum Tode verurteilt.

Mephisto bringt den von Gewissensbissen[20] verfolgten Faust

---

[9] **brauen** (w) = to brew.
[10] **sich begeben** = to head for.
[11] **das Liebesabenteuer, -s -** = amorous adventure.
[12] **die Schachtel, -n** = box.
[13] **VORgeben (e, gab, gegeben)** = to pretend.
[14] **die Fremde, -n** = foreign country, abroad. (*Note:* **der Fremde, -en, -en** = *foreigner, stranger;* fem.: **die Fremde, -en, -en**).
[15] **das Stelldichein** = rendezvous.
[16] **das Bedenken** = hesitation.
[17] **der Verführungsplan, -es, ⸚e** = plan of seduction.
[18] **tief** = deep.
[19] **die Mörderin, -nen** = murderess.
[20] **die Gewissensbisse** (*pl.*) = remorse, pangs of conscience.

zur Walpurgisnacht.[21] Aber trotz der sinnlichen[22] Vergnügen des Hexenfestes[23] kann Faust Gretchen nicht vergessen. Er befiehlt Mephisto, ihm zu helfen, Gretchen aus ihrem Gefängnis zu befreien. Mephisto versenkt den Wächter[24] des Gefängnisses in Schlaf und gibt Faust die Schlüssel des Kerkers.[25] Faust dringt in den Kerker ein und versucht Gretchen zu überreden, mit ihm zu fliehen. Das schon vom Wahnsinn ergriffene Gretchen erkennt endlich ihren Geliebten. Sie weigert sich[26] jedoch, ihm zu folgen. Als sie Mephistos Stimme hört, wendet sie sich von Faust ab.[27] Sie bleibt im Gefängnis und findet den Tod — und Rettung — durch Sühne[28] unter der Hand des Henkers.[29]

Der zweite Teil der Fausttragödie ist weit mehr als der erste von symbolischer Bedeutung erfüllt. Die Handlung ist sehr schwer zusammenzufassen. Im großen und ganzen kann sie in zwei Abschnitte[30] eingeteilt werden: (1) Fausts symbolisches Zusammentreffen[31] mit Helena, der Gattin Menelaos, und (2) Fausts Versuch, dem Meer neues Land abzuringen[32] und dadurch der Menschheit zu dienen.

Fausts Liebe zu Helena und die Geburt ihres Sohnes Euphorion ist symbolisch für die Vereinigung der alten griechischen und der neuen europäischen Kultur. Fausts Streben, der Menschheit zu dienen, zeigt wie die ursprünglich guten Triebe Fausts trotz der Versuchung Mephistos doch siegreich bleiben. Durch Fausts Entschluß, anderen zu dienen und sich nur auf seine eigene Kraft zu verlassen, wird seine Seele gerettet.

Wie das Parzivalepos ist das Faustdrama eine Geschichte der Suche nach Wahrheit, eine Geschichte von Verführung, Sünde und Schuld, von Sühne und Rettung. Durch sein Streben beweist Faust die Wahrheit, die Goethe im Vor-

---

[21] die **Walpurgisnacht** = Walpurgisnight, Witches' Sabbath.
[22] **sinnlich** = sensual.
[23] das **Hexenfest, -es, -e** = witches feast.
[24] der **Wächter, -s, -** = custodian.
[25] der **Kerker, -s -** = prison, dungeon.
[26] **sich weigern** (w) = to refuse.
[27] **sich ABwenden** (w) = to turn away.
[28] die **Sühne** = atonement.
[29] der **Henker, -s, -** = hangman.
[30] der **Abschnitt, -es, -e** = division, part.
[31] das **Zusammentreffen** = meeting.
[32] **ABringen, a, u** = to wrest from, take away.

spiel der Tragödie aus dem Mund Gottes kommen läßt:
„Ein guter Mensch in seinem dunklen Drange ist sich des
rechten Weges wohl bewußt."

29.4 In the following sentences replace the participle construction by a relative clause:

1. Das von dem Wissenschaftler erwähnte Buch interessiert mich sehr.

Das Buch, das von dem Wissenschaftler erwähnt wurde, interessiert mich sehr.

2. Nach der Wahrheit strebende Menschen werden den rechten Weg finden.

Menschen, die nach der Wahrheit streben, werden den rechten Weg finden.

3. Der beleidigte Mann verließ das Zimmer.

Der Mann, der beleidigt worden war, verließ das Zimmer.

4. Die von ihren Freunden verlassenen Männer entschloßen sich, sich zu ergeben.

Die Männer, die von ihren Freunden verlassen worden waren, entschloßen sich, sich zu ergeben.

5. Das vom Wahnsinn erfasste Mädchen konnte den Mann nicht erkennen.

Das Mädchen, das vom Wahnsinn erfasst worden war, konnte den Mann nicht erkennen.

6. Die von vielen Ausländern besuchte Stadt liegt im Südeutschland.

Die Stadt, die von vielen Ausländern besucht wird, liegt im Südeutschland.

29.5 Word Study

Make a list of all verbs in lessons 21–29 which are formed from adjectives, e.g., *vergrößern* from *groß*, etc.

29.51 Complete the following sentences:

1. Der von Faust beschworene _____ konnte ihm nicht helfen.

2. Das jetzt im Museum bewahrte _____ ist ein Meisterwerk des Künstlers.

3. Ein zur _____ getriebener Mann kann vieles tun.

4. Das Mädchen wurde durch das ihr von ihrem Geliebten
gegebene _____ in wenigen Minuten getötet.

5. Ich wurde durch die von der Straße durch das Fenster
ins Zimmer klingende _____ erweckt.

6. Der Junge wollte die ihm von der eigenen Mutter bereitete
_____ nicht essen.

7. Der sich unschuldig fühlende _____ wollte mit dem
Richter sprechen.

8. Der durch den Trank verjüngte _____ wollte das
Mädchen kennenlernen.

9. Es brach mir das Herz, diese von Verzweiflung ergriffenen
_____ zu sehen.

10. Ich möchte das von Dr. Schmidt in der Zeitschrift be-
sprochene Buch von Professor Gunther _____.

11. Der junge Mann wirft das von seinem Vater durch schwere
Arbeit erworbene _____ zum Fenster hinaus.

12. Der mit meiner Antwort nicht zufriedene Professor bat
mich, ihm wieder zu _____.

13. Der sich zum Dank verpflichtet fühlende _____ war sehr
freundlich.

14. Die Hinrichtung des Königs war die Tat des durch Hunger
zur Unzufriedenheit und Verzweiflung getriebenen _____.

29.52 Grammar Study

(a) Put parentheses around all participle constructions used
in 29.3.

(b) Underline all the <u>accusatives</u> in 29.3.

(c) Write out the past participles of all strong verbs used in
29.3.

29.53 Mark the following statements true or false with reference
to 29.3:

1. Am Anfang der Fausttragödie versucht Faust, die Bekanntschaft Mephistos zu machen.

2. Faust ist so unzufrieden mit dem von ihm erworbenen
Wissen, daß er versucht, Selbstmord zu begehen.

3. In dem Augenblick, in dem Faust versucht, sich durch Gift zu töten, wird sein Leben durch den Klang der Osterglocken gerettet.

4. Um Fausts Bekanntschaft zu machen, erscheint Mephisto als ein kleiner schwarzer Pudel.

5. Mephisto versucht ohne Erfolg, Faust mit Hilfe eines von einer Hexe gebrauten Trankes zu verjüngen.

6. Gretchen gibt den ersten, von Mephisto in ihrem Zimmer gelassenen Schmuck der Kirche.

7. Mit Hilfe Mephistos gelingt es Faust, Gretchen zu verführen.

8. Valentin, der versuchte, die Verführung der Schwester zu rächen, findet den Tod durch die Hand Fausts.

9. Im letzten Augenblick gelingt es Faust und Mephisto, das zum Tode verurteilte Gretchen aus dem Gefängnis zu befreien.

10. Der von Mephisto in tiefen Schlaf versenkte Wächter wird durch Faust getötet.

11. Obgleich Gretchen ihren Geliebten erkennt, weigert sie sich, ihm zu folgen.

12. Faust hat Bedenken, das vom Wahnsinn ergriffene Gretchen zu befreien.

13. Am Ende der Tragödie siegen die ursprünglich guten Triebe Fausts über Hölle und Teufel.

14. Was Fausts Seele rettet, ist vor allem sein Entschluß, der Menschheit zu dienen.

Goethe, „Faust"

From the Prologue in Heaven:
The wager between the Lord and
Mephistopheles concerning
Faust's soul.

Der Herr: Kennst du den Faust?
Mephisto: Den Doktor?
Der Herr: Meinen Knecht![1]
Mephisto: Fürwahr![2] er dient Euch auf besondere Weise.[3]

---

[1] **der Knecht, -es, -e** = servant, bondman, vassal.
[2] **fürwahr-** = indeed!
[3] **er ... Weise** = He serves you in a strange manner. (*Note that Mephisto addresses the Lord in the second person plural.*)

Nicht irdisch[4] ist des Toren[5] Trank und Speise.[6]
Ihn treibt die Gärung[7] in die Ferne,[8]
Er ist sich seiner Tollheit[9] halb bewußt;
Vom Himmel fordert[10] er die schönsten Sterne
Und von der Erde jede höchste Lust,[11]
Und alle Näh'[12] und alle Ferne
Befriedigt[13] nicht die tiefbewegte[14] Brust.

Der Herr: Wenn er mir jetzt auch nur verworren[15] dient,
So werd' ich ihn bald in die Klarheit[16] führen.
Weiß doch der Gärtner,[17] wenn das Bäumchen[18]
grünt,[19]
Daß Blüt' und Frucht die künft'gen Jahre zieren.[20]

Mephisto: Was wettet Ihr? den sollt Ihr noch verlieren,
Wenn Ihr mir die Erlaubnis[21] gebt,
Ihn meine Straße sacht[22] zu führen!

Der Herr: Solange er auf Erden lebt,
So lange sei dir's nicht verboten.
Es irrt der Mensch, solang' er strebt.

Mephisto: Da dank ich Euch: denn mit den Toten[23]
Hab' ich mich niemals gern befangen.[24]
Am meisten lieb' ich mir die vollen, frischen
Wangen.[25]

---

[4] **irdisch** = of this world, earthly.
[5] **der Tor, -en, -en** = fool.
[6] **die Speise, -n** = food.
[7] **die Gärung, -, -en** = fermentation.
[8] **die Ferne, -, -n** = distance.
[9] **die Tollheit, -, en** = madness, rage (**toll** = *mad*).
[10] **fordern** (w) = to ask, demand.
[11] **die Lust, ⸗e** = enjoyment, pleasure, lust.
[12] **die Nähe, -n** = nearness.
[13] **befriedigen** (w) = to satisfy.
[14] **tiefbewegt** = deeply moved (**bewegen** [w] = *to move;* **tief** = *deep*).
[15] **verwirren** (i, o, o) = to entangle, disarrange, confuse.
[16] **die Klarheit, en** = clearness, clarity, lucidity.
[17] **der Gärtner, -s, -** = gardener.
[18] **das Bäumchen, -s, -** (*dim. of* **Baum**) = little tree.
[19] **grünen** (w) = to turn green, blossom.
[20] **Daß . . . zieren** = That blossom and fruit will adorn the years to come.
[21] **die Erlaubnis, -se** = permission.
[22] **sacht** = soft, gentle.
[23] **der Tote, -n, -n** = dead person.
[24] **Hab' ich . . . befangen** = I never liked to occupy myself.
[25] **die Wange, -n** = cheek.

Für einen Leichnam[26] bin ich nicht zu Haus;
Mir geht es wie der Katze mit der Maus.[27]

Der Herr: Nun gut, es sei dir überlassen![28]
Zieh' diesen Geist von seinem Urquell[29] ab,[30]
Und führ' ihn, kannst du ihn erfassen,[31]
Auf deinem Wege mit herab,[32]
Und steh' beschämt[33], wenn du bekennen[34] mußt:
Ein guter Mensch in seinem dunklen Drange
Ist sich des rechten Weges wohl bewußt.

---

[26] der Leichnam, -s ,-e = cadaver, corpse.
[27] Mir geht . . . Maus = I feel like the cat with the mouse.
[28] überlassen (ä, ie, a) = to relinquish.
[29] der Urquell, -s, -en = original source, origin.
[30] ABziehen (ziehst, zog, gezogen) = to draw back.
[31] erfassen (w) = to get hold of, grasp.
[32] herab = down.
[33] beschämen (w) = to shame.
[34] bekennen (bekennst, bekannte, bekannt) = to admit.

245

30. Future Perfect
Future Perfect Subjunctive II

Gerhard und Günter gingen sofort in eine Buchhandlung (*bookstore*), um ein Exemplar (*copy*) des Buches von Professor Gründig zu kaufen. Am nächsten Tag entschlossen sie sich, Prof. Gründig um sein Autogramm (*autograph*) zu bitten. „Herr Professor", sagte Gerhard, „wir wußten wirklich nicht, daß Sie —, ich meine, daß Sie — —." Professor Gründig lächelte etwas verlegen: „Wenn Sie mich gefragt hätten, würde ich Ihnen ja gern alles erzählt haben." Dann öffnete er das Buch und schrieb mit großen energischen Buchstaben (*letters*) auf die erste Seite (*page*): „Meinem lieben Gerhard Müller, in der Hoffnung (*hope*), daß seine Zukunft besser sein wird als meine Vergangenheit. von Gründig."

30.2 The future perfect is formed by applying the future modification (*werden*) to the past modification.

> Ich habe gesprochen
> Ich werde gesprochen haben (*I shall have spoken*).
>
> Ich bin abgereist
> Ich werde abgereist sein (*I shall have departed*).

The use of the future perfect is comparatively rare. It denotes an action in the future completed before some other action:

> Morgen um zehn Uhr werde ich Herrn Schmidt sehen. Um zehn *werde* ich schon mit Herrn Kunz *gesprochen haben*.

It is also used to denote probability or supposition:

> Karl *wird* sich wohl *geirrt haben*.
> (*Karl has probably made a mistake.*)

30.21 By replacing the present of *werden* (used in the future perfect) by the subjunctive II of *werden* (*würde, würdest*, etc.), we form the future perfect subjunctive II (past conditional). Or the same rule could be stated by saying that this subjunctive is formed by applying the future modification—i.e., *werden*—to the past subjunctive II.

Ich	hätte	. . . gearbeitet.	
Ich	würde	. . . gearbeitet	haben

Like the future subjunctive II (27.21), the future perfect subjunctive II is used in "contrary to fact" conditional clauses. In *contrary to fact past conditions*, the main clause utilizes either the past subjunctive II or the future perfect subjunctive II, and the subordinate clause utilizes the past subjunctive II.

Wenn ich das Geld gehabt hätte, hätte ich es dir gegeben.

or Wenn ich Geld gehabt hätte, würde ich es dir gegeben haben.

Wenn der Mann nicht gestorben wäre, (so) hätten wir gesiegt.

or Wenn der Mann nicht gestorben wäre, würden wir gesiegt haben.

Remember (27.2) that the condition can be expressed without conjunction by moving the finite verb to the beginning of the conditional clause:

Wäre der Mann nicht gestorben, würden wir gesiegt haben.

or Wir würden gesiegt haben, wäre der Mann nicht gestorben.

or Wir hätten gesiegt, wäre der Mann nicht gestorben.

30.3 Reading Preparation

1. **das 19. Jahrhundert** = the 19th century. Note that the period denotes the ordinal number.
2. **heilig** = holy (**der Heilige, -n, -n** = *saint (masc.)*; **die Heilige, -n, -n** (*fem.*).
   Mein Versprechen ist mir **heilig**.
3. **ABschließen (ie, o, o)** = to conclude.
   Die beiden Staaten **schlossen** einen Vertrag **ab**.

4. **entstehen** (**-stehst, -stand, -standen**) = to originate.

Ich weiß nicht, wie dieses Feuer **entstanden** ist.

5. **die Bewegung, -en** = movement ([**sich**] **bewegen** [w] = *to move*).

Die Nationalsozialistische Partei nannte sich auch die Hitler**bewegung**.

6. **ANgehören** (w) = to belong.

Ich **gehöre** der Sozialdemokratischen Partei **an**.

7. **schaffen (a, u, a)** = to create, work, produce.

Durch harte Arbeit kann man vieles **schaffen**.

8. **der Einschluß, -es, ⁼e** = inclusion (**EINschließen, ie, o, o** = *to include*).

Die europäische Union muß mit **Einschluß** Englands geschaffen werden.

9. **ZUSAMMENrufen (u, ie, u)** = to call together.

Die Regierung hat das Parlament **zusammengerufen**.

10. **scheitern** (w) = to shipwreck, to go awry.

Alle unsere Versuche, ihn zu überzeugen, sind **gescheitert**.

11. **(sich) widersetzen** (w) = to oppose.

Ich muß **mich** dieser Entscheidung **widersetzen**.

12. **schwächen** (w) = to weaken (**schwach** = *weak*).

Er wurde durch die Krankheit **geschwächt**.

13. **(sich) fürchten** (w) = to be afraid (**die Furcht, ⁼e** = *fear*).

Ein Kind **fürchtet** sich im Dunkeln.

14. **überlassen (ä, ie, a)** = to leave it up to.

Ich **überlasse** es meiner Frau, die Entscheidung zu treffen.

15. **(sich) verteidigen** (w) = to defend.

Gegen so viele Feinde können wir uns nicht **verteidigen**.

16. **versammeln** (w) = to gather, call together (**die Versammlung, -en** = *gathering*).

Zum Geburtstag des Vaters haben wir die ganze Familie **versammelt**.

17. **die Vergrößerung, -en** = augmentation, enlargement (**groß** = *big*; **vergrößern** = *to make bigger*).

Dieses Foto hat mir so sehr gefallen, daß ich mir eine **Vergrößerung** machen ließ.

18. **benötigen** (w) = to need (**die Not, ⁼e** = *need*).

Um diese Arbeit zu beenden, **benötigen** wir Hilfe.

19. **verwandeln** (w) = to change, transform.
    Der Zauberer konnte Eisen (**das Eisen, -s** = *iron*) in
    Gold **verwandeln**.
20. **die Verbündung, -en** = alliance (**binden, a, u**
    = *to bind;* **der Bund, -es,** ⁼e = *tie, union;* **sich
    verbünden** = *to ally oneself*).
    Die **Verbündung** Amerikas mit Rußland dauerte nicht
    lange.
21. **die Seite, -n** = side.
    Im letzten Kriege kämpften Amerika und Rußland auf
    derselben **Seite**.
22. **die Verfassung, -en** = constitution.
    In unserem Land müssen alle Gesetze (**das Gesetz,
    -es, -e** = *law*) mit der **Verfassung** übereinstimmen
    (*agree*).
23. **das Elend, -s** = misery.
    In einem reichen Land soll niemand in **Elend** leben.
24. **die Ersparnis, -se** = savings (**ersparen** [w] = *to save*).
    Alle meine **Ersparnisse** sind auf der Bank.
25. **die Weltwirtschaftskrise** = worldwide economic crisis,
    depression (**die Wirtschaft, -en** = *economy;* **die
    Krise, -n** = *crisis*).
    In der **Weltwirtschaftskrise** von 1929 haben viele
    Leute ihre Ersparnisse verloren.
26. **die Arbeitslosigkeit, -en** = unemployment (**die
    Arbeit, -en** = *work;* **arbeitslos** = *unemployed*).
    Die **Arbeitslosigkeit** ist noch immer ein Problem
    unserer Wirtschaft.
27. **ABschaffen** (w) = to abolish.
    Die Sklaverei (= *slavery*) wurde 1861 in Amerika **ab-
    geschafft**.
28. **der Vorgang, -es,** ⁼e = event (**VORgehen, ging,
    gegangen** = *to happen*).
    Ich verstehe die **Vorgänge** in Asien nicht.
29. **WIEDER AUFbauen** (w) = to reconstruct (**bauen** [w]
    = *to construct, build;* **der Wiederaufbau, -s** = *re-
    construction*).
    Nach dem Krieg wurde Westdeutschland in sehr kurzer
    Zeit **wieder aufgebaut**.
30. **AUSbreiten** (w) = to spread (*also* **verbreiten** [w];
    breit = *broad*).
    Nach dem Kriege **breitete** Rußland seine Macht über
    Osteuropa **aus**.

31. **verüben** (w) = to carry out, commit.
Wer hat dieses Verbrechen **verübt**?

Zur deutschen Geschichte (II)

Die europäische Geschichte im 19. Jahrhundert wurde vor allem durch zwei Strömungen[1] beeinflußt: Durch den Drang zum nationalen Einheitsstaat[2] und den Kampf um demokratische Regierungsformen.[3] Nach der Niederlage Napoleons hatten die Regierungen der Großmächte[4] sich entschlossen, gegen beide Strömungen zu kämpfen. Das Ziel der im Wiener Kongreß abgeschlossenen „Heiligen Allianz" war, das Entstehen von Nationalstaaten zu verhindern und demokratische Bewegungen zu unterdrücken.[5]

In der ersten Hälfte des Jahrhunderts war die Heilige Allianz beinahe überall[6] erfolgreich.[7] Im Jahre 1848 kam es jedoch zu Revolutionen — zuerst in Frankreich, dann in Deutschland und Österreich. Ein Resultat dieser Revolutionen war, daß auf kurze Zeit zumindest[8] die Regierungsformen demokratisch wurden. Ein anderes Resultat bestand[9] in dem Versuch, Deutschland zu einigen.

Schon 1834 hatte Preußen den deutschen Zollverein[10] geschaffen, der von großer wirtschaftlicher Bedeutung war. Österreich hatte diesem Zollverein nicht angehört. Im Jahre 1848 wurde der Versuch gemacht, eine neue politische Einheit, mit Einschluß Österreichs, zu schaffen. Ein nationales Parlament wurde in Frankfurt am Main zusammengerufen, und es kam sogar zur Bildung einer provisorischen[11] Regierung. Aber der Versuch, einen deutschen Staat zu gründen, scheiterte wieder. Im Jahre 1851 wurde ein deutscher Bund

---

[1] **die Strömung, -en** = current.
[2] **der Einheitsstaat, -es, -en** = unified nation.
[3] **die Regierungsform, -en** = form of government.
[4] **die Großmacht, ⸚e** = big power.
[5] **unterdrücken** (w) = to suppress.
[6] **überall** = everywhere.
[7] **erfolgreich** = successful.
[8] **zumindest** = at least.
[9] **bestehen, -e, bestand, bestanden** = to consist.
[10] **der Zollverein, -es, -e** = customs union.
[11] **provisorisch** = provisional.

250

geschaffen, in dem alle deutschen Staaten ihre Unabhängigkeit behielten.

Bevor ein neues Deutsches Reich gegründet werden konnte, mußten zuerst die Mächte, die sich einem solchen Reich widersetzten, geschwächt werden. Der preußische Kanzler Bismarck wußte, daß diese Mächte Österreich und Frankreich waren — Österreich, weil es sich der Einigung Deutschlands unter preußischer Vorherrschaft widersetzte, und Frankreich, weil es das Entstehen eines mächtigen deutschen Reiches in Zentraleuropa fürchtete. Im Jahre 1866 kam es zwischen Preußen und Österreich zum Krieg. Der Krieg dauerte nur einige Wochen und endete mit der völligen Niederlage Österreichs. Österreich mußte zusagen[12] sich aus der deutschen Politik zurückzuziehen und die Einigung des Reiches Preußen zu überlassen. Als drei Jahre später der preußische Kanzler Bismarck versuchte, einen preußischen Hohenzollern-Prinzen auf den spanischen Thron zu setzen, glaubte der französische Kaiser, Frankreich gegen die drohende[13] Macht Preußens verteidigen zu müssen. Der deutsch-französische Krieg (1870–71) war nicht von langer Dauer. Frankreich wurde geschlagen. In Paris versammelte Bismarck die deutschen Fürsten und gründete das neue — das „zweite" — Deutsche Reich. Wilhelm I., König von Preußen, wurde deutscher Kaiser.

Unglücklicherweise war das Ziel dieses Reiches nicht die Schaffung einer demokratischen Regierungsform, sondern die Vergrößerung der politischen Macht. Auch dabei machten die deutschen Politiker eine Reihe von Fehlern.

Der Gründer dieses Reiches, Kanzler Otto von Bismarck, hatte eingesehen, daß das neue Reich die Freundschaft Englands und Rußlands benötigte. Aber die Nachfolger[14] Bismarcks folgten nicht diesem Grundprinzip[15] der Bismarckpolitik. Das Bestreben, Deutschland in eine Kolonial- und Seemacht[16] zu verwandeln, beunruhigte die englischen Politiker und trieb England endlich zur Verbündung mit Frankreich. Im Streit zwischen Rußland und Österreich glaubte der deutsche Kaiser auf der Seite Österreichs stehen zu müssen.

---

[12] **zusagen** (w) = to consent.
[13] **drohend** = threatening.
[14] **der Nachfolger, -s, -** = successor.
[15] **das Grundprinzip, -s, -ien** = fundamental principle.
[16] **Kolonial- und Seemacht** = colonial and maritime power.

Dadurch ging aber auch die Freundschaft mit Rußland verloren.

Im ersten Weltkrieg mußten Deutschland und Österreich im Osten und Westen, also an zwei Fronten kämpfen. Selbst Italien, das ursprünglich mit Deutschland und Österreich verbündet war, trat auf der Seite Englands, Frankreichs und Rußlands gegen Deutschland in den Krieg ein. Der Kriegseintritt[17] der Vereinigten Staaten besiegelte[18] das Geschick Deutschlands. Das vierte Jahr des Krieges brachte die Niederlage und den völligen Zusammenbruch des deutschen Heeres. Der deutsche Kaiser verließ Deutschland; in Holland lebte er im Exil. Deutschland wurde zu einer Republik.

Endlich schien es, als ob das Streben nach demokratischen Regierungsformen erfolgreich sein würde. Die neue deutsche Republik erhielt eine demokratische Verfassung, die persönliche und politische Freiheit garantierte. Jedoch zeigt die Geschichte Deutschlands nach dem ersten Weltkrieg, wie schwer es ist, demokratische Regierungsformen in Not und Elend zu entwickeln und zu erhalten. Die Inflation, die dem ersten Weltkrieg folgte, vernichtete die Ersparnisse der meisten Deutschen, und die Weltwirtschaftskrise von 1929 brachte Arbeitslosigkeit und Elend. Die Kommunistische Partei und die antisemitische radikale Nationalsozialistische Deutsche Arbeiterpartei (NSDAP) wurden immer mächtiger. 1933 entschloß sich der Präsident der deutschen Republik, General von Hindenburg, den Führer der NSDAP Adolf Hitler, zum Kanzler der Republik zu machen. Wer weiß, wie sich die Weltgeschichte entwickelt haben würde, hätte Hindenburg nicht diese Entscheidung getroffen.[19]

Innerhalb kurzer Zeit gelang es Hitler, alle demokratischen Traditionen abzuschaffen. Nach dem Tod des Präsidenten Hindenburg wurde Hitler der „Führer" des neuen Deutschlands. Dieses Deutschland — das sogenannte „Dritte Reich" — sollte ein mächtiges Reich werden, das tausend Jahre dauern sollte. In Wirklichkeit dauerte es nur zwölf Jahre. Aber während dieser zwölf Jahre geschahen Dinge, die noch heute das Geschick Europas und der Welt beeinflußen — und die der Menschheit vielleicht mehr Elend und Not brachten als tausend Jahre hätten bringen können.

---

[17] **der Kriegseintritt** = entry into the war.
[18] **besiegeln** (w) = to seal.
[19] **eine Entscheidung treffen** = to make a decision.

In den ersten Jahren seiner Regierung baute Hitler die Militärmaschine Deutschlands wieder auf. Damit vergrößerte er die Macht des „Dritten Reiches". Zuerst wurde Österreich an Deutschland angeschlossen,[20] dann die deutschsprachigen Gebiete[21] der Tschechoslowakei. Aber Hitler war nicht damit zufrieden, nur deutsche Gebiete ans „Dritte Reich" anzuschließen. Er wollte seine politische Macht über ganz Europa ausbreiten. Er besetzte die ganze Tschechoslowakei und griff dann auch Polen an. Der Angriff auf Polen führte zum zweiten Weltkrieg.

Der zweite Weltkrieg war der grausamste Krieg der Weltgeschichte. In keinem Krieg waren je Zivilisten,[22] Frauen und Kinder auf derart[23] brutale Weise gemordet worden. Aber noch grausamer und brutaler als der Krieg selbst war der Massenmord an Millionen von Menschen, vor allem Juden, der während des Krieges von der deutschen Regierung verübt wurde. Das Resultat des Krieges war der Zusammenbruch Deutschlands, der Verlust[24] weiterer Gebiete, besonders in Ostdeutschland, und die darauf folgende Spaltung[25] Deutschlands in eine Deutsche Demokratische Republik unter russischem Einfluß und eine Bundesrepublik Deutschland, die unter amerikanischem Einfluß steht.

Der rasche Wiederaufbau Westdeutschlands ist ein „Wirtschaftswunder" genannt worden. Leider dauert die Spaltung Deutschlands noch immer an. Symbolisch für diese Spaltung Deutschlands und der Welt ist die von den Kommunisten errichtete Mauer, die Ostberlin von Westberlin trennt. Wann und wie diese Mauer fallen wird, das weiß niemand.

30.4 Complete the sentences below with one of the following words: *würde, haben, sein, hätte, wird, erzählt, erzählen.*

1. Wenn ich die Antwort gewußt _____,   hätte hätte ich sie dir gesagt.

---

[20] **ANschließen (ie, o, o)** = to join, annex; **der Anschluß**: annexation of Austria to Germany.
[21] **das Gebiet, -s, -e** = area.
[22] **der Zivilist, -en, -en** = civilian.
[23] **derart** = this sort of.
[24] **der Verlust** = loss.
[25] **die Spaltung, -en** = split.

2. Er sagte, daß er nie die Wahrheit _____ erzähren
würde.

3. Wenn ich dort gewesen wäre, so _____ würde
ich die Wahrheit erzählt haben.

4. _____ er uns die Wahrheit erzählt, würde hätte
er nicht bestraft worden sein.

5. Wenn er mir nur geschrieben hätte, würde haben
ich ihm gern das Geld geschickt _____.

6. Wenn er mich gefragt hätte, so würde erzählt
ich ihm ja alles _____ haben.

7. Hätte er die Wahrheit erzählt, so würde sein
er ja selbst nicht betrogen worden _____.

8. Sobald Robert mit dem Doktor gesprochen wird
haben _____, wird er wieder abreisen.

9. Er sagt, daß Man ihn getötet _____, wenn hätte
er nicht geflohen wäre.

10. Hätte er den Rat des Doctors befolgt, würde
_____ er sicher nicht krank geworden sein.

30.5 Word Study

(a) List the words studied so far that end in the suffix -*los*.

(b) Make a list of suffixes typical for feminine nouns and suffixes typical for masculine nouns.

30.51 Complete the following sentences:

1. Wenn das Heer nicht eine Niederlage erlitten hätte,
würde die Regierung den Friedensvertrag nicht _____
haben.

2. Der Minister sagte, daß die Regierung diese Revolution
_____ würde.

3. Der Angeklagte sagte, er hätte der Kommunistischen Partei
nie _____.

4. Ohne die Hilfe der Regierung würden diese Schwierig-
keiten nicht _____ worden sein.

5. Nach vielen Jahren glaubte der Minister, sich vom öffent-
lichen Leben _____ zu können.

6. Wenn der Präsident die Entscheidung der Generäle
_____ hätte, wäre der Krieg nicht verloren _____
_____.

7. Mein Sohn schreib, daß er das ihm von mir gesandte Geld nicht _____ würde.
8. Der Präsident fürchtete, daß das Land sich seinen Entscheidungen _____ würde.
9. Hätte Mephisto Faust nicht in einen jungen Mann _____, würde er Gretchen vielleicht nicht kennengelernt haben.
10. Der Präsident sagte, daß in zwei Jahren die Arbeitslosigkeit kein Problem mehr _____ würde.

30.52 General Review

Complete the following sentences:

1. Nachdem er mit seinem Freund _____ hatte, entschloß er sich, nach Berlin abzureisen.
2. Wir hatten mit unserem Freund nicht sprechen _____.
3. Er _____ gestern mit meinem Freund gesprochen haben.
4. Man sagt, daß er gestern abgereist sein _____.
5. Niemand weiß, ob er wirklich abreisen _____.
6. Man sagt, Karl _____ heute von Berlin ab.
7. Jeder glaubte, von seiner Frau _____ worden zu sein.
8. Alle hoffen, dieses Buch _____ zu können.
9. Der Mann, mit dem er gesprochen haben _____, ist gerade angekommen.
10. Ein Schriftsteller, dessen Werke nie gelesen worden _____, kann keinen Einfluß haben.
11. Wenn seine Werke nie gelesen worden wären, würde er keinen Einfluß _____ haben.
12. Hätte er keinen Einfluß _____, würde man heute von ihm nicht sprechen.
13. Ein von der Furcht getriebener _____ kann uns nicht helfen.
14. Mein Freund glaubt, dieses Buch besser als ich verstehen zu _____.
15. Der arme Junge glaubt, von seinem Freunde betrogen zu _____.
16. Wir wissen, daß er von seiner Frau betrogen worden sein _____.
17. Karl soll von seinen Freunden verlassen worden _____.
18. Man sagt, daß er von seinen Freunden verlassen worden sein _____.
19. Wenn er Geld gehabt hätte, würde er von seinen Freunden nicht verlassen worden _____.

30.53 Grammar Study

(a) Write out the third person singular simple past of all strong verbs used in 30.3.

(b) Underline all the datives in 30.3.

30.54 Complete the following sentences with reference to reading selection 30.3:

1. Die „Heilige Allianz" versuchte, alle Revolutionen zu
   _____.

2. Das Ziel der „Heiligen Allianz" war, die bestehenden
   _____ zu sichern.

3. Der Versuch, eine deutsche politische Einheit mit Einschluß
   Österreichs zu _____, gelang nicht.

4. Das 1848 zusammengerufene deutsche _____ konnte
   keinen neuen deutschen Staat gründen.

5. In dem 1851 gegründeten Deutschen Bund behielten alle
   Staaten ihre _____.

6. Die Mächte, die eine Einigung Deutschlands unter
   preußischer Führung nicht wollten, waren _____ und
   _____.

7. Der Krieg von 1866 endete nach wenigen Wochen mit
   der _____ Österreichs.

8. Das Resultat des Krieges war, daß Österreich die _____
   des Reiches den Preußen überlassen mußte.

9. Als Bismarck versuchte, einen Hohenzollern auf den
   spanischen Thron zu bringen, glaubte _____, gegen
   Preußen kämpfen zu müssen.

10. Das neue Deutsche Reich wurde durch die Versammlung
    der deutschen _____ in Paris gegründet.

11. Das zweite Reich würde viel länger bestanden haben,
    hätten die _____ Bismarcks nicht viele politische Fehler
    begangen.

12. Ein Hauptprinzip der Politik Bismarcks war, die Freund-
    schaft _____ und _____ nicht zu verlieren.

13. Italien trat auf der Seite Englands und Frankreichs in
    den Weltkrieg ein, obwohl es mit Deutschland und
    Österreich _____ gewesen war.

14. Der erste Weltkrieg endete mit der Niederlage und dem
    _____ des deutschen Heeres.

15. Die deutsche Republik würde sich vielleicht glücklicher und besser entwickelt haben, wenn die Weltwirtschaftskrise nicht Elend und Arbeitslosigkeit _____ hätte.

16. Hindenburg entschloß sich, den Führer der NSDAP zum _____ des Reiches zu machen.

17. Das sogenannte „Dritte Reich", das tausend Jahre dauern sollte, dauerte nur _____.

18. Der zweite Weltkrieg begann mit Hitlers _____ auf Polen.

19. Am Ende des Weltkrieges gingen viele deutsche _____ an Rußland und Polen verloren.

20. Die Mauer, die Ost-Berlin von West-Berlin trennt, ist ein Symbol nicht nur für die Spaltung Deutschlands, sondern für die Spaltung der ganzen _____.

Appendix A

Principal Parts of the Most Frequent Strong and Irregular Verbs

Infinitive	2nd Person Present	Imperfect	Past Participle
backen (bake)	bäckst	backte (buk)	gebacken
befehlen (order)	befiehlst	befahl	befohlen
beginnen (begin)	beginnst	begann	begonnen
beißen (bite)	beißt	biß	gebissen
betrügen (deceive)	betrügst	betrog	betrogen
biegen (bend)	biegst	bog	gebogen
bieten (offer)	bietest	bot	geboten
binden (bind)	bindest	band	gebunden
bitten (ask)	bittest	bat	gebeten
blasen (blow)	bläst	blies	geblasen
bleiben (remain)	bleibst	blieb	geblieben*
brechen (break)	brichst	brach	gebrochen
brennen (burn)	brennst	brannte	gebrannt
bringen (bring)	bringst	brachte	gebracht
denken (think)	denkst	dachte	gedacht
dringen (press forward)	dringst	drang	gedrungen*
dürfen (may)	darfst (er darf)	durfte	gedurft
empfehlen (recommend)	empfiehlst	empfahl	empfohlen
essen (eat)	ißt	aß	gegessen

---

* Asterisk indicates verbs conjugated with *sein*.
† Dagger indicates verbs that are conjugated with *sein* or *haben*, depending on meaning.

Infinitive	2nd Person Present	Imperfect	Past Participle
fahren (drive, travel)[1]	fährst	fuhr	gefahren†
fallen (fall)	fällst	fiel	gefallen*
fangen (catch)	fängst	fing	gefangen
fechten (fence, fight)	fichst	focht	gefochten
finden (find)	findest	fand	gefunden
fliegen (fly)	fliegst	flog	geflogen†
fliehen (flee)	fliehst	floh	geflohen*
fließen (flow)	fließt	floß	geflossen*
fressen (devour)	frißt	fraß	gefressen
frieren (freeze)	frierst	fror	gefroren
gebären (give birth to)	gebierst	gebar	geboren†
geben (give)	gibst	gab	gegeben
gefallen (please)	gefällst	gefiel	gefallen
gehen (go)	gehst	ging	gegangen*
gelingen (succeed)	gelingst	gelang	gelungen*
gelten (be valid)	giltst	galt	gegolten
genesen (recuperate)	genest (genesest)	genas	genesen*
genießen (enjoy)	genießt	genoß	genossen
geschehen (happen)	geschiehst	geschah	geschehen*
gewinnen (win)	gewinnst	gewann	gewonnen
gleiten (glide)	gleitest	glitt	geglitten*
graben (dig)	gräbst	grub	gegraben
greifen (seize, get hold of)	greifst	griff	gegriffen
haben (have)	hast	hatte	gehabt
halten (hold)	hältst	hielt	gehalten
hängen (hang)	hängst	hing	gehangen
heben (lift)	hebst	hob	gehoben
heißen (to be named)	heißt	hieß	geheißen
helfen (help)	hilfst	half	geholfen

---

[1] When *fahren* means *to drive* it is conjugated with *haben*; when it means *to ride* or *travel* it is conjugated with *sein*.

Infinitive	2nd Person Present	Imperfect	Past Participle
kennen (know)	kennst	kannte	gekannt
klingen (sound)	klingst	klang	geklungen
kommen (come)	kommst	kam	gekommen*
können (can)	kannst (er kann)	konnte	gekonnt
laden (load; invite)	lädst	lud	geladen
lassen (let)	läßt	ließ	gelassen
laufen (run)	läufst	lief	gelaufen*
leiden (suffer)	leidest	litt	gelitten
leihen (lend)	leihst	lieh	geliehen
lesen (read)	liest	las	gelesen
liegen (lie, recline)	liegst	lag	gelegen*
(er)löschen (extinguish)	(er)löschst	(er)losch	(er)löschen*
lügen (lie)	lügst	log	gelogen
mahlen (mill)	mahlst	mahlte	gemahlen
messen (measure)	mißt	maß	gemessen
mögen (like)	magst (er mag)	mochte	gemocht
müssen (must)	mußt (er muß)	mußte	gemußt
nehmen (take)	nimmst	nahm	genommen
nennen (name)	nennst	nannte	genannt
pfeifen (whistle)	pfeifst	pfiff	gepfiffen
raten (advise, guess)	rätst	riet	geraten
reiben (rub)	reibst	rieb	gerieben
reißen (tear)	reißt	riß	gerissen
reiten (ride on horseback)	reitest	ritt	geritten†
rennen (run)	rennst	rannte	gerannt*
riechen (smell)	riechst	roch	gerochen
rinnen (run, e.g. water)	rinnst	rann	geronnen*
rufen (call)	rufst	rief	gerufen
schaffen (create, work)	schaffst	schuf	geschaffen
(er)schallen (sound)	(er)schallst	(er)scholl	(er)schollen
scheiden (separate)	scheidest	schied	geschieden†

Infinitive	2nd Person Present	Imperfect	Past Participle
scheinen (appear, shine)	scheinst	schien	geschienen
schelten (scold)	schiltst	schalt	gescholten
schieben (push)	schiebst	schob	geschoben
schießen (shoot)	schießt	schoß	geschossen
schlafen (sleep)	schläfst	schlief	geschlafen
schlagen (beat)	schlägst	schlug	geschlagen
schließen (close)	schließt	schloß	geschlossen
schmeißen (throw)	schmeißt	schmiß	geschmissen
schmelzen (melt)	schmilzt	schmolz	geschmolzen†
schneiden (cut)	schneidest	schnitt	geschnitten
(er)schrecken (startle, frighten)	(er)schrickst	(er)schrak	(er)schrocken†
schreiben (write)	schreibst	schrieb	geschrieben
schreien (cry)	schreist	schrie	geschrien
schweigen (be silent)	schweigst	schwieg	geschwiegen
schwellen (swell)	schwillst	schwoll	geschwollen*
schwimmen (swim)	schwimmst	schwamm	geschwommen†
schwinden (disappear)	schwindest	schwand	geschwunden*
schwören (swear)	schwörst	schwur (schwor)	geschworen
sehen (see)	siehst	sah	gesehen
sein (be)	bist (er ist, wir sind)	war	gewesen
senden (send)	sendest	sandte	gesandt
singen (sing)	singst	sang	gesungen
sinken (sink)	sinkst	sank	gesunken*
sitzen (sit)	sitzt	saß	gesessen
sollen (should, must)	sollst	sollte	gesollt
spalten (split)	spaltest	spaltete	gespalten
spinnen (spin)	spinnst	spann	gesponnen
sprechen (speak)	sprichst	sprach	gesprochen
springen (jump, spring)	springst	sprang	gesprungen*
stechen (pierce)	stichst	stach	gestochen
stehen (stand)	stehst	stand	gestanden
stehlen (steal)	stiehlst	stahl	gestohlen

Infinitive	2nd Person Present	Imperfect	Past Participle
steigen (mount)	steigst	stieg	gestiegen*
sterben (die)	stirbst	starb	gestorben*
stinken (stink)	stinkst	stank	gestunken
stoßen (push)	stößt	stieß	gestoßen*
streiten (quarrel)	streitest	stritt	gestritten
tragen (carry)	trägst	trug	getragen
treffen (meet, hit)	triffst	traf	getroffen
treiben (drive)	treibst	trieb	getrieben
treten (step upon)	trittst	trat	getreten*
trinken (drink)	trinkst	trank	getrunken
tun (do)	tust (er tut)	tat	getan
verderben (spoil)	verdirbst	verdarb	verdorben†
vergessen (forget)	vergißt	vergaß	vergessen
verlieren (lose)	verlierst	verlor	verloren
wachsen (grow)	wächst	wuchs	gewachsen*
(er)wägen (weigh)	(er)wägst	(er)wog	(er)wogen
waschen (wash)	wäschst	wusch	gewaschen
weisen (show)	weist	wies	gewiesen
wenden (turn)	wendest	wandte	gewandt
werben (solicit)	wirbst	warb	geworben
werden (become)	wirst	wurde	geworden*
werfen (throw)	wirfst	warf	geworfen
winden (wind)	windest	wand	gewunden
wissen (know)	weißt (er weiß)	wußte	gewußt
wollen (want)	willst (er will)	wollte	gewollt
verzeihen (pardon)	verzeihst	verzieh	verziehen
ziehen (draw, pull)	ziehst	zog	gezogen†
zwingen (force)	zwingst	zwang	gezwungen

Appendix B

Conjugation of the Auxiliary Verbs

| Infinitive: **haben** | Past Part.: **gehabt** | Present Part.: **habend** |

Present Tense

Indicative	*Subjunctive I*
ich habe	ich habe
du hast	du habest
er hat	er habe
wir haben	wir haben
ihr habt	ihr habet
sie haben	sie haben

Imperfect (Simple Past)

Indicative	*Subjunctive II*
ich hatte	ich hätte
du hattest	du hättest
er hatte	er hätte
wir hatten	wir hätten
ihr hattet	ihr hättet
sie hatten	sie hätten

Perfect (Compound Past)

Indicative	*Past Subjunctive I*
ich habe gehabt	ich habe gehabt
du hast gehabt	du habest gehabt
er hat gehabt	er habe gehabt
wir haben gehabt	wir haben gehabt
ihr habt gehabt	ihr habet gehabt
sie haben gehabt	sie haben gehabt

Pluperfect

Indicative

ich hatte gehabt
du hattest gehabt
er hatte gehabt
wir hatten gehabt
ihr hattet gehabt
sie hatten gehabt

Past Subjunctive II

ich hätte gehabt
du hättest gehabt
er hätte gehabt
wir hätten gehabt
ihr hättet gehabt
sie hätten gehabt

Future

Indicative

ich werde haben
du wirst haben
er wird haben
wir werden haben
ihr werdet haben
sie werden haben

Future Subjunctive I

ich werde haben
du werdest haben
er werde haben
wir werden haben
ihr werdet haben
sie werden haben

Future Subjunctive II (Conditional)

ich würde haben
du würdest haben
er würde haben
wir würden haben
ihr würdet haben
sie würden haben

Future Perfect

Indicative

ich werde gehabt haben
du wirst gehabt haben
er wird gehabt haben
wir werden gehabt haben
ihr werdet gehabt haben
sie werden gehabt haben

Future Perfect Subjunctive I

ich werde gehabt haben
du werdest gehabt haben
er werde gehabt haben
wir werden gehabt haben
ihr werdet gehabt haben
sie werden gehabt haben

Future Perfect Subjunctive II (Past Conditional)

ich würde gehabt haben
du würdest gehabt haben
er würde gehabt haben
wir würden gehabt haben
ihr würdet gehabt haben
sie würden gehabt haben

Present Tense

Indicative	Subjunctive I
ich bin	ich sei
du bist	du seist
er ist	er sei
wir sind	wir seien
ihr seid	ihr seiet
sie sind	sie seien

Imperfect (Simple Past)

Indicative	Subjunctive II
ich war	ich wäre
du warst	du wärest
er war	er wäre
wir waren	wir wären
ihr wart	ihr wäret
sie waren	sie wären

Perfect (Compound Past)

Indicative	Past Subjunctive I
ich bin gewesen	ich sei gewesen
du bist gewesen	du seist gewesen
er ist gewesen	er sei gewesen
wir sind gewesen	wir seien gewesen
ihr seid gewesen	ihr seiet gewesen
sie sind gewesen	sie seien gewesen

Pluperfect

Indicative	Past Subjunctive II
ich war gewesen	ich wäre gewesen
du warst gewesen	du wärst gewesen
er war gewesen	er wäre gewesen
wir waren gewesen	wir wären gewesen
ihr wart gewesen	ihr wäret gewesen
sie waren gewesen	sie wären gewesen

Future

Indicative

ich werde sein
du wirst sein
er wird sein
wir werden sein
ihr werdet sein
sie werden sein

Future Subjunctive I

ich werde sein
du werdest sein
er werde sein
wir werden sein
ihr werdet sein.
sie werden sein

Future Subjunctive II (Conditional)

ich würde sein
du würdest sein
er würde sein
wir würden sein
ihr würdet sein
sie würden sein

Future Perfect

Indicative

ich werde gewesen sein
du wirst gewesen sein
er wird gewesen sein
wir werden gewesen sein
ihr werdet gewesen sein
sie werden gewesen sein

Future Perfect Subjunctive I

ich werde gewesen sein
du werdest gewesen sein
er werde gewesen sein
wir werden gewesen sein
ihr werdet gewesen sein
sie werden gewesen sein

Future Perfect Subjunctive II (Past Conditional)

ich würde gewesen sein
du würdest gewesen sein
er würde gewesen sein
wir würden gewesen sein
ihr würdet gewesen sein
sie würden gewesen sein

Present

Indicative	Subjunctive I
ich werde	ich werde
du wirst	du werdest
er wird	er werde
wir werden	wir werden
ihr werdet	ihr werdet
sie werden	sie werden

Imperfect (Simple Past)

Indicative	Subjunctive II
ich wurde	ich würde
du wurdest	du würdest
er wurde	er würde
wir wurden	wir würden
ihr wurdet	ihr würdet
sie wurden	sie würden

Perfect (Compound Past)

Indicative	Past Subjunctive I
ich bin geworden	ich sei geworden
du bist geworden	du seist geworden
er ist geworden	er sei geworden
wir sind geworden	wir seien geworden
ihr seid geworden	ihr seiet geworden
sie sind geworden	sie seien geworden

Pluperfect

Indicative	Past Subjunctive II
ich war geworden	ich wäre geworden
du warst geworden	du wärst geworden
er war geworden	er wäre geworden
wir waren geworden	wir wären geworden
ihr wart geworden	ihr wäret geworden
sie waren geworden	sie wären geworden

Future

Indicative

ich werde werden
du wirst werden
er wird werden
wir werden werden
ihr werdet werden
sie werden werden

Future Subjunctive I

ich werde werden
du werdest werden
er werde werden
wir werden werden
ihr werdet werden
sie werden werden

Future Subjunctive II (Conditional)

ich würde werden
du würdest werden
er würde werden
wir würden werden
ihr würdet werden
sie würden werden

Future Perfect

Indicative

ich werde geworden sein
du wirst geworden sein
er wird geworden sein
wir werden geworden sein
ihr werdet geworden sein
sie werden geworden sein

Future Perfect Subjunctive I

ich werde geworden sein
du werdest geworden sein
er werde geworden sein
wir werden geworden sein
ihr werdet geworden sein
sie werden geworden sein

Future Perfect Subjunctive II (Past Conditional)

ich würde geworden sein
du würdest geworden sein
er würde geworden sein
wir würden geworden sein
ihr würdet geworden sein
sie würden geworden sein

Appendix C

The German Tenses

The chart on the following pages shows all the 28 possible verb tenses. These are derived from the four primary tenses—the present, the simple past (imperfect), and the subjunctives I and II—by the following grammatical processes.

Passive modification. By taking the four primary tenses and replacing the finite verb by the corresponding form of *werden,* and adding the past participle of the finite verb, we obtain four new tenses.

Past modification. Using the eight tenses obtained so far, we can now replace the finite verb by the corresponding form of *haben* or *sein* and add the past participle of the finite verb. This procedure again doubles the number of tenses, so that we now have sixteen.

Future modification. The last twelve tenses are formed by replacing the finite verb by the corresponding form of the modal *werden* and adding the infinitive of the finite verb. Note that the future modification cannot be applied to the simple past indicative or to any of the tenses derived from it.

Thus we can summarize the derivation of the 28 German tenses as follows:

4 simple (primary) tenses $+$	4 (passive modification)	$= \ \ 8$
8	$+ \ \ 8$ (past modification)	$= 16$
16	$+ 12$ (future modification)	$= 28$

Chart of the German Tenses

Infinitive: schlagen

Primary Tenses

Indicative

Present
Ich schlage

Simple Past (Imperfect)
Ich schlug

Subjunctive I
Ich schlage

Subjunctive II
Ich schlüge

Passive Modification

Infinitive: geschlagen werden

Indicative

Present Passive
Ich werde geschlagen

Simple Past Passive
Ich wurde geschlagen

Subjunctive I Passive
Ich werde geschlagen

Subjunctive II Passive
Ich würde geschlagen

Past Modification

Infinitive: geschlagen haben

Compound Past
Ich habe geschlagen

Pluperfect
Ich hatte geschlagen

Past Subjunctive I
Ich habe geschlagen

Past Subjunctive II
Ich hätte geschlagen

Infinitive: geschlagen worden sein

Compound Past Passive
Ich bin geschlagen worden

Pluperfect Passive
Ich war geschlagen worden

Past Subjunctive I
Passive
Ich sei geschlagen worden

Past Subjunctive II
Passive
Ich wäre geschlagen worden

Future
Ich werde schlagen

Future Subjunctive I
Ich werde schlagen

Future Subjunctive II
(Cond.)
Ich würde schlagen

Future Perfect
Ich werde geschlagen haben

Fut. Perf. Subj. I
Ich werde geschlagen haben

Fut. Perf. Subj. II
(Past Cond.)
Ich würde geschlagen haben

Future Modification

Future Passive
Ich werde geschlagen werden

Future Perfect Passive
Ich werde geschlagen worden sein

Fut. Subj. I Passive
Ich werde geschlagen werden

Fut. Subj. II (Cond.)
Passive
Ich würde geschlagen werden

Fut. Perf. Subj. I Passive
Ich werde geschlagen worden sein

Fut. Perf. Subj. II
(Past Cond.) Passive
Ich würde geschlagen worden sein

Appendix D

German–English Vocabulary *

A

der **Abend, -s, -e** evening
das **Abendbrot, -s, -e** vesper, supper
das **Abendessen, -s, -** supper, evening meal
das **Abendmahl, -s, -e** supper
das **Abenteuer, -s, -** adventure
aber but, yet (*coord. conj.*)
†**ABfallen** to fall off, desert, revolt
ABfassen to compose, write
ABholen (w) to fetch, call for, pick up
ABnehmen to take away, take off; to lose (*weight*)
ABschaffen (w) to abolish
der **Abschied, -es, -e** farewell
die **Abschiedsfeier, -n** farewell celebration
ABschlagen to decline; to knock off
ABschließen to conclude; to lock (*door*)
die **Abschlußprüfung, -en** final examination
der **Abschnitt, -es, -e** division, part
ABschreiben to copy
die **Absicht, -en** intention
absichtlich intentional(ly)
abstrakt abstract

ABwenden (w) to avert, turn away from
abwesend absent
die **Abwesenheit** absence
ABziehen to draw back; to copy (*prints, photos*)
achten (w) to esteem, respect
achtjährig eight-year-old (*adj.*)
die **Achtung** attention, esteem
der **Adel, -s** aristocracy
das **Afrika, -s** Africa
die **Aktentasche, -n** briefcase
ähnlich similar
die **Ähnlichkeit, -en** similarity
alle all
alles everything, all (*pro.*)
allein alone
allmählich gradual(ly)
als when (*sub. conj.*); than, as
alt old
das **Alter, -s, -** age
althochdeutsch Old High German
an at, to (*prep.*)
die **Anatomie** anatomy
der **Anblick, -s, -e** contemplation, view
ANdauern (w) to last, endure

---

* The meanings given in this vocabulary correspond to the specific uses of the words in this textbook; other interpretations are possible in a different context.
† Unless marked as a weak verb (w), for the principal parts of separable prefix verbs, refer to the root verb (lower case).

ANdeuten (w) to indicate, hint
die **Anerkennung, -en** recognition
der **Anfang, -es, ⸚e** beginning
ANfangen (ä, i, a) to begin
ANgeben to assign, declare, estimate
angeblich alleged, ostensible
ANgehen to concern
ANgehören (w) to belong
der **Angeklagte, -n, -n** accused
ANgreifen (ei, griff, gegriffen) to attack
der **Angriff, -s, -e** attack
die **Angst, ⸚e** fear
ANhalten to halt, stop
  um die Hand — to ask for the hand (*in marriage*)
ANklagen (w) to accuse
ANkommen to arrive
ANnehmen to assume, suppose, receive, accept
ANrufen to call up
ANschließen to annex, join to
der **ANschluß, -es, ⸚e** annexation; connection (*travel*)
ANsehen to consider, look of
die **Ansprache, -n** speech, discourse
anstatt instead of (*prep.*)
antisemitisch antisemitic
sich **ANziehen** to attract; to get dressed
der **Apfel, -s, ⸚** apple
der **April, -s** April
der **Araber, -s, -** Arab
arabisch Arabic
die **Arbeit, -en** work
arbeiten (w) to work
arbeitslos unemployed
die **Arbeitslosigkeit** unemployment
der **Arm, -es, -e** arm
arm poor
die **Armbrust, ⸚e** crossbow
der **Arzt, -es, ⸚e** physician
auch also
auf on (*prep.*)
AUFbauen (w) to construct, erect
der **Aufenthalt, -s, -e** stay, residence
AUFführen (w) to lead up; to present, perform
die **Aufführung, -en** representation, performance
die **Aufgabe, -n** task, assignment

AUFhalten to hold up, stop
  sich — to stop, stay
AUFlösen (w) to dissolve, disband
die **Auflösung, -en** dissolution
aufmerksam attentive
AUFpassen (w) to pay attention
AUFregen (w) to excite
der **Aufsatz, -es, ⸚e** composition, essay
AUFstehen to stand up, get up
AUFstellen (w) to put up, erect
das **Auge, -s, -n** eye
der **Augenblick, -es, -e** moment, instant
der **August, -es** August
aus from (*prep.*)
AUSborgen (w) to borrow
AUSbreiten (w) to spread out
der **Ausdruck, -es, ⸚e** expression
ausdrücken (w) to express
der **Ausflug, -es, ⸚e** excursion
AUSführen (w) to carry out
AUSgehen to go out, come out, conclude
ausgezeichnet excellent (*see* sich **auszeichnen**)
AUSkommen to get along
AUSlachen (w) to ridicule, make fun of
das **Ausland, -es** foreign country, abroad
der **Ausländer, -s, -** foreigner, stranger
ausländisch foreign
die **Ausnahme, -n** exception
die **Ausrede, -n** (bad) excuse, pretense
der **Aussatz, -es** leprosy
AUSschließen to exclude
ausgeschlossen impossible
außer besides, aside from (*prep.*)
außerdem besides, furthermore (*adv.*)
äußern (w) to utter, express
AUSsetzen (w) to expose
AUSsprechen to pronounce
der **Ausweg, -es, -e** way out, remedy (*for situations*)
AUSzeichnen (w) to decorate
  sich — to distinguish oneself
die **Auszeichnung, -en** decoration
das **Auto, -s, -s** auto, car

die **Autobiographie, -n** autobiography

das **Autogramm, -s, -e** autograph
der **Autor, -s, -en** author

B

das **Bad, -es, ⸗er** bath
bald soon (*adv.*)
die **Ballade, -n** ballad
bauen (w) to construct
der **Baum, -es, ⸗e** tree
das **Bäumchen, -s, -** little tree
Bayern Bavaria
beantworten (w) to answer (*a question*)
bedauern (w) to regret
das **Bedenken, -s, -** hesitation
bedeuten (w) to mean, signify
bedeutend meaningful, significant, important
die **Bedeutung, -en** meaning
die **Bedingung, -en** condition, stipulation
bedrohen (w) to threaten
beenden (w) to finish
beeinflußen (w) to influence
befangen embarrassed, self-conscious
der **Befehl, -s, -e** command
befehlen (ie, a, o) to command, order
der **Befehlshaber, -s, -** commandant
befolgen (w) to follow
befreien (w) to liberate
der **Befreier, -s, -** liberator
befreunden (w) to befriend, become friends with
befreundet friendly
— **sein mit** to be friends of
befriedigen (w) to satisfy
sich **begeben** (*see* **geben**) to go to
begehen (*see* **gehen**) to commit
beginnen (i, a, o) to begin
begreifen (ei, begriff, begriffen) to understand, grasp
begünstigen (w) to favor
behalten (ä, ie, a) to keep, retain
beheben (*see* **heben**) to remove, check
beinahe almost, nearly (*adv.*)

das **Beispiel, -s, -e** example
zum — (**z.B.**) for example (e.g.)
der **Beitrag, -es, ⸗e** contribution
BEItragen to contribute
bejahen (w) to affirm
bekannt known
die **Bekanntschaft, -en** acquaintance
bekennen (*see* **kennen**) to admit, confess
bekommen (*see* **kommen**) to receive, get
belegen (w) to cover, prove; register (*for a course*)
beleidigen (w) to offend, insult
beliebt popular, liked
die **Beliebtheit** popularity
belohnen (w) to reward
benachteiligen (w) to put at a disadvantage
benötigen (w) to need, have need of
benutzen (w) to use
berauben (w) to rob
bereit ready
berichten (w) to report, tell
der **Beruf, -es, -e** occupation, profession
berühmt famous
die **Berühmtheit** fame
berühren (w) to touch
beschäftigen to occupy,
sich — to be busy with
die **Beschäftigung, -en** occupation, employment
beschämen (w) to put to shame
bescheiden modest
beschreiben (*see* **schreiben**) to describe
beschützen (w) to defend, protect
beschwören (ö, o, o) to affirm, conjure
beseitigen (w) to remove, get rid of
besetzen (w) to occupy

die **Besetzung, -en** occupation; cast (*theater, movie, etc.*)
besiegen (w) to conquer, defeat
besingen (*see* **singen**) to sing about, celebrate
der **Besitz, -es, -e** possession
besitzen (-sitzt, -saß, -sessen) to possess
besonders especially, particularly (*adv.*)
besorgen (w) to get, procure
besprechen (*see* **sprechen**) to review (*article, book*); to discuss
die **Besprechung, -en** review, discussion, conference
besonders special
besser better (*adv.*)
best best
die **Bestätigung, -en** confirmation
bestechen (i, a, o) to bribe
bestehen (*see* **stehen**) to undergo, pass
bestimmt definite, destined
bestrafen (w) to punish
das **Bestreben, -s, -** effort, endeavor
der **Besuch, -es, -e** visit
besuchen (w) to visit
betätigen (w) to practice, manifest; to operate
sich — to participate
die **Betätigung, -en** activity, position
betrügen (ü, o, o) to cheat, deceive; to betray
das **Bett, -es, -en** bed
beugen (w) to bend
beunruhigen (w) to disquiet, alarm, upset
bewahren (w) to preserve
bewegen (w) to move
die **Bewegung, -en** movement, motion
beweisen (ei, ie, ie) to prove
bewundern (w) to admire
bewußt conscious
das **Bewußtsein, -s** consciousness
bezeichnen (w) to designate
die **Beziehung, -en** relation, respect
bezwingen (i, a, u) to conquer, subdue
der **Bezug, es, ⸗e** relation, reference
in bezug auf with reference to
die **Bibel, -n** Bible

die **Bibliothek, -en** library
der **Bibliothekar, -s, -en** librarian
das **Bier, -es, -e** beer
bieten (ie, o, o) to offer bid, wish
das **Bild, -es, -er** picture
bilden (w) to form, shape, fashion
billig cheap
binden (i, a, u) to bind
die **Birne, -n** pear
bis until (*prep., subord. conj.*)
die **Bitte, -n** request, petition
bitten (i, bat, gebeten) to ask
um . . . — to ask for
bitter bitter
bleiben (ei, ie, ie) to remain, stay
der **Bleistift, -es, -e** pencil
der **Blick, -es, -e** look, view
blicken (w) to view, look
blitzen (w) to lightning
es blitzt it is lightning
blühen (w) to flower, flourish, blossom
die **Blüte, -n** blossom
die **Blütezeit, -en** flowering, "golden age"
das **Blut, -es** blood
das **Blutbad, -es, ⸗er** massacre, carnage
der **Boden, -s, ⸗** soil, land, ground
Böhmen Bohemia
borgen (w) to borrow
böse evil, bad
die **Botschaft, -en** message, embassy
brauchen (w) to need, use
brauen (w) to brew
brechen (i, a, o) to break
breit broad, wide
der **Brief, -es, -e** letter
die **Briefmarke, -n** postage stamp
bringen (i, brachte, gebracht) to bring, take to
das **Brot, -es, -e** bread
der **Bruder, -s, ⸗** brother
die **Brust, ⸗e** breast
das **Buch, -es, ⸗er** book
die **Buchhandlung, -en** bookstore
der **Buchstabe, -n, -n** letter, written character
die **Bühne, -n** stage
der **Bund, -es, ⸗e** league, union
die **Burg, -en** castle

der **Bürger, -s** - citizen, townsman
    bürgerlich civil; plain; bourgeois

der **Burgunder, -s** - Burgundian
die **Butter** butter

C

der **Charakter, -s, -e** character
die **Charakterstudie -n** character
    study
die **Chemie** chemistry

der **Chor, -es,** ⁔e chorus, choir
das **Christentum, -s** Christianity
das **College, -s,** - lecture, class

D

da there (*adv.*); because, since
    (*subord. conj.*)
daher from there (*adv.*); hence
    (*conj.*)
die **Dame, -en** lady
damit so that, in order that
    (*subord. conj.*)
dänisch Danish
danken (w) to thank
darum for that reason, therefore
    (*adv.*)
die **Dauer** duration
dauern (w) to last
denken (e, **dachte, gedacht**) to
    think
der **Denker, -s** - thinker
das **Denkmal, -s,** ⁔er monument
denn for (*coord. conj.*)
derb coarse, tough
derjenige (**diejenige, dasjenige**)
    the one . . .
derselbe (**dieselbe, dasselbe**) the
    same . . .
deshalb therefore, for that reason
    (*adv.*)
deswegen therefore, for that
    reason (*adv.*)
deutlich distinct
deutsch German
der **Deutschlehrer -s,** - German
    teacher
die **Deutschlehrerin, -nen** German
    teacher

deutschsprachig German-speak-
    ing
der **Dezember, -s** December
dichten (w) to compose poetry
der **Dichter, -s,** - poet, author
die **Dichtung, -en** poetry, (good)
    literature
dick thick, fat
dienen (w) to serve
der **Diener, -s,** - servant
der **Dienst, -es, -e** service
der **Dienstag, -es, -e** Tuesday
das **Ding, -es, -e** thing
die **Division, -en** division (*military*)
    doch yet, nonetheless (*coord.*
    conj., adv.)
donnern (w) to thunder
der **Donnerstag, -es, -e** Thursday
das **Donnerwetter, -s** - thunderstorm;
    confound it! (*interj.*)
dort there (*adv.*)
der **Dozent, -en, -en** lecturer
der **Drachen, -s,** - dragon
das **Drama, -s, Dramen** drama
der **Dramatiker, -s,** - dramatist,
    playwright
dramatisch dramatic
der **Drang, -es** drive
drücken (w) to press, squeeze
dulden (w) to tolerate, suffer
die **Duldung** tolerance
dumm stupid
dunkel dark

durch through (*prep.*)
durchaus throughout, absolutely (*adv.*)
DURCHfallen to fall through, flunk (*an exam*)

dürfen (**darfst, durfte, gedurft**) may, to be allowed to
der Durst, -es thirst
düster dusk, dark, gloomy
die Dynastie, -n dynasty

E

eben after all
echt genuine, real
die Echtheit, -en genuineness
die Ecke, -n corner
der Effekt, -es, -e effect
die Ehe, -n marriage
ehe before (*conj.*)
der Ehebruch, -es, ⸗e adultery
ehrbar honorable
die Ehre, -n honor
das Ehrenprinzip, -es, -e (ien) principle of honor
ehrlich honest
der Eid, -es, -e oath
der Eifer, -s zeal, ardor
eifern (w) to emulate, be zealous
eifrig zealous
eigen own
eigentlich really
die Eile hurry, haste
EINdringen (i, a, u) to enter (by force), break in
einfach simple
der Einfluß, -es, ⸗e influence
einflußreich influential
die Einheit, -en unity
der Einheitsstaat, -es, -en unified nation
einig unified, united
— sein to be in agreement
EINladen (ä, u, a) to invite
die Einladung, -en invitation
die Einsamkeit -en lonliness
EINschließen to include
der Einschluß, -es, ⸗sse inclusion
EINsehen to comprehend, admit
EINsteigen (ei, ie, ie) to enter, get in, board
EINtauschen (w) to exchange, trade in
EINteilen (w) to (sub)divide

EINtreten (trittst, a, e) to enter
für jemanden — to intercede for s.o.
einwilligen (w) to agree
einzig unique, only
das Eisen, -s, - iron
das Elend, -s misery
empfangen (ä, i, a) to receive
empören (w) to revolt, excite, enrage
empört enraged
die Empörung, -en revolt, rebellion
das Ende, -s, -n end
enden (w) to end
endgültig final, definite
der Engel, -s - angel
der Engelchor, -s, ⸗e chorus of angels
England England
der Englischlehrer, -s, - English teacher
der Enkel, -s, - grandchild
entfernt distant
entfliehen (ie, o, o) to escape
entlassen (ä, ie, a) to dismiss; to discharge (*military*)
entlegen remote
entringen (i, a, u) to wrest from
entscheiden (ei, ie, ie) to decide
die Entscheidung, -en decision
eine — treffen to make a decision
entsprechen (*see* sprechen) to correspond to
enttäuschen (w) to disappoint
entweder . . . oder either . . . or
entwickeln (w) to develop
die Entwicklung, -en development
der Entwicklungsroman, -es, -e novel of education, *Bildungsroman*
die Entzündung, -en inflammation
das Epigramm, -es, -e epigram

die **Episode, -n** episode
das **Epos, -, Epen** epic
das **Erbe, -s** inheritance
die **Erde, -n** earth
der **Erdgeist, -es, -er** spirit of the earth
    erfahren (ä, u, a) to come to know, experience
die **Erfahrung, -en** experience
    erfassen (w) to seize; to comprehend
der **Erfolg, -es, -e** success
    erfinden (i, a, u) to invent
    erfüllen (w) to fulfill, accomplish
    ergeben (*see* **geben**) to deliver, yield
    sich — to surrender
die **Ergebenheit** devotion
    ergreifen (ei, ergriff, ergriffen) to seize, apprehend
    erhalten (ä, ie, a) to receive, preserve
    erinnern (w) to remind
    sich — to remember
die **Erinnerung, -en** memory, remembrance
    erkälten (w) to cool off
    sich — to catch cold
    erkennen (erkennst, erkannte, erkannt) to recognize
    sich zu — geben to make oneself known, reveal one's identity
die **Erkenntnis, -se** knowledge, cognition
    erklären (w) to explain
die **Erklärung, -en** explanation
    erkundigen (w) to inquire, survey
    sich — to inform oneself
    erlauben (w) to permit, allow
die **Erlaubnis, -se** permission
das **Erlebnis, -ses, -se** adventure, experience
    erleiden (ei, erlitt, erlitten) to suffer

    erlösen (w) to deliver, set free, save
die **Erlösung, -en** salvation
die **Ermordung, -en** murder
    ernst serious, grave
    erregen (w) to excite
    erreichen (w) to reach
    erscheinen (ei, ie, ie) to appear
    erschlagen (*see* **schlagen**) to kill, slay
    erschüttern (w) to shake, affect deeply
    ersetzen (w) to replace
    ersparen (w) to save, spare
die **Ersparnis, -se** savings
    erst first (*adj., adv.*)
die **Erstaufführung, -en** première
    erstrecken (w) to stretch out
    erwähnen (w) to mention
    erwarten (w) to await, expect
    erwecken (w) to wake (up), awaken
    erwehren (w) to defend
    sich — to defend oneself, guard against
    erweitern (w) to make wider, enlarge
    erwerben (i, a, o) to earn, acquire
    erzählen (w) to tell
    erziehen (ie, erzog, erzogen) to educate, bring up
    essen (du ißt, er ißt, aß, gegessen) to eat
    Europa Europe
    europäisch European
das **Evangelium, -s, Evangelien** gospel
    ewig eternal
die **Ewigkeit, -en** eternity
das **Examen, -s, -** examination
das **Exemplar, -s, -e** model, copy (of a book)
das **Exil, -s, -** exile, banishment

F

die **Fabrik, -en** factory
das **Fach, -es, -er** subject, field
    fällen (w) to let fall

    eine Entscheidung — to pass a judgment
die **Fahne, -n** flag

fahren (ä, u, a) to drive; to travel, ride
der **Fahrer, -s, -** driver
die **Fahrkarte, -n** ticket
das **Fahrrad, -es, ⸗er** bicycle
der **Fall, -es, ⸗e** case, fall
fallen (ä, fiel, a) to fall
falls if, in case (*subord. conj.*)
falsch false, wrong
die **Familie, -n** family
der **Familienname, -ns, -n** family name, surname
die **Fassung, -en** wording, version
fast almost, near
der **Fatalismus** fatalism
faul lazy, rotten
die **Faulheit** laziness
der **Februar, -s** February
fechten (i, o, o) to fence, fight
fehlen (w) to be missing
was fehlt Ihnen? what is the matter with you?
der **Fehler, -s, -** mistake
die **Feier, -n** celebration, festivity
der **Feiertag, -es, -e** holiday
feige cowardly
die **Feigheit** cowardice
der **Feind, -es, -e** enemy
feindlich hostile, unfriendly
das **Feld, -es, -er** field
der **Feldscher, -s, -e** *archaic for* military surgeon
das **Fenster, -s -** window
die **Ferne, -n** distance
das **Fernsehen, -s, -** television
fertig ready, finished
fesseln (w) to fetter, chain
das **Fest, -es, -e** feast, festivity, celebration
das **Festmahl, -s, -e** (*or* ⸗er) feast, banquet
das **Fett, -es, -e** fat
das **Feuer, -s, -** fire
der **Film, -s, -e** movie, film
finanziell financial
finden (i, a, u) to find
der **Finger, -s, -** finger
das **Fleisch, -es** flesh, meat
der **Fleiß, -es** industry, diligence
fleißig industrious, diligent, busy
fliehen (ie, o, o) to flee, escape
fließen (ie, o, o) to flow
der **Fluch, -es, ⸗e** curse
fluchen (w) to curse

der **Flügel, -s, -** wing
die **Folge, -n** result, consequence
folgen (w) to follow
folglich as a result, consequently (*adv.*)
fordern (w) to demand
fördern (w) to encourage, promote
fortfahren (*see* **fahren**) to continue; to drive away
die **Frage, -n** question
das **Fragefürwort, -s, ⸗er** interrogative pronoun
fragen (w) to question, ask
das **Fragment, -es, -e** fragment
der **Franke, -n, -n** Frank
das **Frankreich, -(e)s** France
französisch French
die **Frau, -en** woman, wife, Mrs.
frech insolent
die **Frechheit, -en** insolence
frei free
die **Freiheit, -en** liberty, freedom
der **Freiheitskrieg, -es, -e** war of liberation
die **Freiheitsstatue** Statue of Liberty
der **Freitag, -es** Friday
die **Freizeit** leisure, spare time
fremd strange, foreign, alien
die **Fremde, -n** foreign country, unknown land
der **Fremde, -n, -n** foreigner, stranger
die **Fremde, -n** foreigner, stranger (*fem.*)
die **Freude, -n** joy, pleasure
freuen (w) to make glad, give pleasure, delight
sich — to be glad, to be happy, to be delighted
der **Freund, -es, -e** (boy) friend
die **Freundin, -nen** (girl) friend
der **Friede, -ns** peace
der **Friese, -n, -n** Frisian
frisch fresh, lively
die **Front, -en** front (*military*)
die **Frucht, ⸗e** fruit
der **Frühling, -s, -e** springtime
fühlen (w) to feel
führen (w) to lead, conduct
der **Führer, -s, -** leader, conductor
die **Führung, -en** leadership
füllen (w) to fill
der **Füller, -s, -** fountain pen

die **Füllung, -en** filling
für for (*prep.*)
fürwahr truly, indeed
die **Furcht** fear
furchtbar terrible
fürchten (w) to fear
sich — to be afraid
fürchterlich terrible, horrible

der **Fürst, -en, -en** prince, sovereign
das **Fürstentum, -s, ⸚er** principality
das **Fürwort, -es, ⸚er** pronoun
der **Fuß, -es, ⸚e** foot
der **Fußball, -es, ⸚e** football, soccer
das **Fußballspiel, -es, -e** game of
football, soccer match

G

der **Gammler, -s, -** beatnik
ganz whole, total, complete(ly)
im großen und ganzen by and
large
gar complete(ly) (*adv.*)
— nicht not at all
die **Garage, -n** garage
garantieren (w) to guarantee
der **Garten, -s, ⸚** garden
der **Gärtner, -s, -** gardener
die **Gärung, -en** fermentation
der **Gatte, -n, -n** husband
die **Gattin, -nen** wife
gebären (ä, a, o) to give birth
geben (i, a, e) to give
es gibt there is (are)
das **Gebiet, -es, -e** territory, area
gebildet educated, cultivated
das **Gebirge, -es, -** mountain (chain)
die **Gebirgslandschaft, -en** moun-
tainous country
geboren(*p.p. of* **gebären**) born
der **Gebrauch, -es, ⸚e** use, usage
gebrauchen (w) to use
die **Geburt, -en** birth
der **Geburtstag, -es, -e** birthday
die **Gefahr, -en** danger
gefährlich dangerous
gefallen (ä, gefiel, a) to please
es gefällt mir I like it
gefangen captive
— nehmen to take prisoner
der **Gefangene, -n, -n** captive, prisoner
das **Gefängnis, -ses, -se** prison
der **Gefolgsmann, -es, ⸚er** follower,
vassal
das **Gefühl, -s, -e** sentiment, feeling,
emotion

die **Gegend, -en** environment, countryside
der **Gegensatz, -es, ⸚e** opposition,
contrast
die **Gegenwart** present
der **Gegner, -s, -** opponent
gehen (gehst, ging, gegangen) to
go, walk
Wie geht es Ihnen? How are
you?
geheim secret
das **Geheimnis, -ses, -se** secret
gehorchen (w) to obey
gehören (w) to belong
gehörig belonging
der **Geist, -es, -er** mind spirit, ghost
gelangen (w) to reach, arrive at
gelb yellow
das **Geld, -es, -er** money
die **Gelegenheit, -en** opportunity
der **Gelehrte, -n, -n** scientist, scholar
gelingen (i, a, u) to succeed
(*with dat.*)
das **Gemetzel, -s, -** massacre, slaughter
genau accurate, exact, precise(ly)
der **General, -s ⸚e** general
der **Generalmajor, -s, -e** major general
die **Generation, -en** generation
genießen (ie, o, o) to enjoy (*esp.
food and drink*)
genug enough
gerade straight; precisely (*adv.*)
geraten (ä, ie, a) to get into, fall
into (*e.g., danger*)
die **Germanistik** the study of German culture

gern gladly (*adv.*)
— haben to like
das Geschäft, -es, -e business
geschehen (ie, a, e) to happen
das Geschenk, -es, -e gift
die Geschichte, -n story; history
das Geschichtsbuch, -es, ⸚er history book
das Geschick, -s, -e fate, destiny
geschlossen (*p.p. of* schließen) closed
die Gesellschaft, -en society; company
das Gesetz, -es, -e law
die Gestalt, -en form, appearance
gesund healthy
die Gesundheit health
gewinnen (i, a, o) to win
gewiß certain, sure
das Gewissen, -s conscience
die Gewissensbisse (*pl.*) remorse, pangs of conscience
gewöhnlich usual
das Gift, -es, -e poison
glänzen (w) to glitter, shine
glauben (w) to believe
gleich same, equal
die Glocke, -n bell
gliedern (w) to divide, articulate
das Glück, -es luck
glücklich happy, lucky
glücklicherweise fortunately (*adv.*)
das Glückspiel, -s, -e game of chance
die Glühbirne, -n lightbulb
glühen (w) to glow
das Gold, -es gold

golden golden
der Gote, -n, -n Goth
der Gott, -es, ⸚er God
der Gral, -es Grail
grau gray
grausam cruel
griechisch Greek
die Grippe, -n grippe, influenza
groß great, big, large, tall
großartig excellent, magnificent
die Großmacht, ⸚e major power
die Großmutter, ⸚ grandmother
der Großstaat, -es, -en large state, major power
der Großvater, -s, ⸚ grandfather
grün green
der Grund, -es, ⸚e cause, reason; ground, earth
zugrunde gehen to perish
gründen (w) to found
die Grundlage, -n foundation, basis
gründlich thorough(ly)
das Grundprinzip, -s, -ien basic principle
der Grundstock, -s basic stock
grünen (w) to sprout, turn green
die Gruppe, -n group
der Gruß, -es, ⸚e greeting
grüßen (w) to greet
gültig valid
der Gürtel, -s, - belt
gut good
gütig kind
das Gymnasium, -s, Gymnasien secondary school (*with emphasis on the classics*)

H

das Haar, -es, -e hair
haben (du hast, er hat, hatte, gehabt) to have
halb half
die Hälfte, -n half
halten (ä, ie, a) to hold
die Hand, ⸚e hand
handeln (w) to act, deal
es handelt sich um . . . it is a question of . . .

die Handelsakademie, -n business college
die Handlung, -en action, plot
der Haß, -es hatred
hassen (w) to hate
häßlich ugly
das Haupt, -es, ⸚er head
das Hauptmotiv, -es, -e main theme
die Hauptperson, -en main character

die **Hauptsache** main thing, chief matter, essentials

das **Haus, -es, ⁼er** house
zu Hause at home; **nach Hause** home (*direction toward*)

die **Hausaufgabe, -n** homework
heben (e, o, o) to lift

das **Heer, -es, -e** army

das **Heft, -es, -e** notebook

der **Heide, -n, -n** heathen
heidnisch heathen, pagan
heilen (w) to heal
heilig holy, saintly

der **Heilige, -n, -n** (die **Heilige, -n, -n**) saint

die **Heimat** homeland, native country
heimlich secret(ive)

die **Heirat, -en** marriage
heiraten (w) to marry
heiß hot
heißen (ei, ie, ei) to name, call; to be called
ich heiße my name is
das heißt (d.h.) that is, (i.e.)

der **Held, -en, -en** hero

das **Heldengedicht, -es, -e** heroic poem
heldenhaft heroic

das **Heldenlied, -es, -er** heroic song

die **Heldensage, -n** heroic epic (legend)
helfen (i, a, o) to help
her here, hither (*adv.*) (*toward the speaker*)
herab down (*adv.*)
heraus out of (*adv.*)
HERAUSfordern (w) to challenge

der **Herr, -n, -en** lord, master; gentleman; Mr.
herrenlos without a master

die **Herrschaft, -en** mastery, domination, rule

das **Herrscherhaus, -es, ⁼er** reigning dynasty
herum about, around (*adv.*)
HERUMreisen (w) to travel about

HERUMgehen to walk around, walk about

das **Herz, -ens, -en** heart

der **Herzog, -s, ⁼e** duke
heute today
heutig contemporary, of today

die **Hexe, -n** sorceress, witch

das **Hexenfest, -es, -e** feast of sorcerers

der **Hexenmeister, -s, -** sorcerer

die **Hilfe, -n** help

der **Himmel, -s, -** sky, heaven
himmlisch heavenly
hinauf upwards, on (*adv.*)
hinaus (toward) outside (*adv.*)
HINAUSschauen to look out
HINAUSwerfen to throw out
hindern (w) to hinder
hinein in(to) (*adv.*)
HINEINführen to lead into
hinken (w) to limp

die **Hinrichtung, -en** execution
hinterlassen (*see* **lassen**) to leave behind
HINUNTERfallen to fall down

die **Hitze** heat
hoch high
hochdeutsch High German

die **Hochschule, -n** university, technical institute

die **Hochzeit, -en** marriage

der **Hof, -es, ⁼e** yard, court
hoffen (w) to hope
hoffentlich hopefully, let us hope (*adv.*)

die **Hoffnung, -en** hope
höfisch courtly
holen (w) to get, fetch

die **Hölle** hell

das **Holz, -es, ⁼er** (*pl.* **Hölzer** pieces of wood) wood
hübsch pretty

der **Hund, -es, -e** dog

der **Hunger, -s** hunger

der **Hunne, -n, -n** Hun

das **Hunnenreich, -es, -e** empire of the Huns

der **Hut, -es, ⁼e** hat
hüten (w) to guard

I

die **Idee, -n** idea
  identisch identical
  im (in + dem) in the
  immer always (*adv.*)
  in in (*prep.*)
der **Inder, -s, -** Indian
der **Indianer, -s, -** American Indian
das **Indien, -s** India
  indisch Hindu
  indogermanisch Indo-European
die **Inflation, -en** inflation
der **Inhalt, -es, -e** content
  inner internal
  innerhalb within (*prep.*)
  innig intimate, sincere
  insbesondere especially (*adv.*)

die **Inschrift, -en** inscription
die **Institution, -en** institution
  interessant interesting
das **Interesse, -s, -en** interest
  interessieren (w) (*p. p.* = **interes-siert**) to interest
  irdisch earthly
  irgendwo somewhere
das **Irland, -s** Ireland
  irren (w) to make a mistake, err
    sich — to be mistaken
der **Irrtum, -s, ⁼er** error
der **Islam, -s** Islam
das **Island** Iceland
das **Italien, -s** Italy

J

  ja yes
  jagen (w) to hunt
das **Jahr, -es, -e** year
das **Jahrhundert, -s, -e** century
der **Januar, -s** January
  je ever
  jedoch yet, but, however (*coord. conj.*)
  jetzt now
der **Jude, -n, -n** Jew
das **Judentum, -s** Jewish faith

die **Jugend** youth
  jugendlich youthful
der **Jugendliche, -n, -n** adolescent
der **Junge, -n, -n** boy
der **Juni, -** June
der **Juli, -** July
  jung young
der **Junge, -n, -n** youth, boy
die **Jungfrau, -en** maiden, virgin
  Jura (*pl. Lat.*, **jus** = law)
    — studieren to study law

K

der **Kaffee, -s** coffee
der **Kaiser, -s -** emperor
  kaiserlos without an emperor
  kalt cold
die **Kammer, -n** chamber, room
der **Kampf, -es, ⁼e** fight, struggle
  kämpfen (w) to fight, struggle
der **Kanzler, -s, -** chancellor
das **Kapitel, -s, -** chapter
die **Kappe, -n** cap
die **Karte, -n** ticket, map, card

die **Katze, -n** cat
  kaufen (w) to buy
  kein no, any
  kennen (kennst, kannte, gekannt) to know, be acquainted with
    — lernen to get to know, meet
die **Kenntnis, -se** knowledge
der **Kerker, -s, -** dungeon, prison
der **Kilometer, -s, -** kilometer
das **Kind, -es, -er** child
das **Kindesalter, -s, -** childhood

das **Kino, -s, -s** movie theater
die **Kirche, -n** church
der **Klang, -es, ⸚e** sound
  klar clear
die **Klarheit, -en** clarity, lucidity
die **Klasse, -n** class; classroom
das **Klavier, -s, -e** piano
das **Kleid, -es, -er** dress
  klein little
  klingen (i, a, u) to sound
das **Kloster, -s, ⸚** convent, monastery
  klug clever
der **Knecht, -es, -e** servant, farmhand
das **Knie, -s -** knee
der **Kollege, -n, -n** colleague
die **Kolonialmacht, ⸚e** colonial power
die **Kolonie, -n** colony
die **Konferenz, -en** conference
  kommen (o, kam, o) to come
die **Komödie, -n** comedy
der **Kompromiß -es, -e** compromise
der **Konflikt, -es, -e** conflict
  können (kannst, kann, konnte, gekonnt) can, be able to
der **König, -s, -e** king
das **Königreich, -es, -e** kingdom
der **Königsohn, -es, ⸚e** son of a king
  kontrollieren (w) to control, check
der **Kopf, -es, ⸚e** head

der **Kot, -es** mud, dirt
der **Kotflügel, -s, -** fender, mudguard
die **Kraft, ⸚e** strength
  krank sick
das **Krankenhaus, -es, ⸚er** hospital
die **Krankheit, -en** sickness
der **Kreis, -es, -e** circle
das **Kreuz, -es, -e** cross
die **Kreuzigung, -en** crucifixion
der **Krieg, -es, -e** war
die **Krise, -n** crisis
die **Kritik, -en** critique, criticism
der **Kritiker, -s -** critic
die **Krone, -n** crown
  krönen (w) to crown
  kühl cool
der **Kummer, -s** sorrow, trouble, worry
  kümmern (w) to concern
  sich — (um) to be concerned with, to take care of
der **Kugelschreiber, -s, -** ball point pen
  kummervoll sorrowful
  künftig future
die **Kunst, ⸚e** art
der **Künstler, -s, -** artist
das **Kunstwerk, -es, -e** work of art
der **Kurs, -es, -e** course (*of study*)
  kurz short, brief
der **Kuß, -sses, ⸚sse** kiss
  küssen (w) to kiss

L

  laden *or* **einladen (ä, u, a)** to invite
  lachen (w) to laugh
  lächeln (w) to smile
die **Lage, -n** situation
die **Lampe, -n** lamp
das **Land, -es, ⸚er** country, land
die **Landschaft, -en** landscape, countryside
  lang long (*space*)
  lange long (*time*)
  langsam slow
  lassen (ä, ie, a) to let; to cause *or* have something done
  lasten (w) to weigh upon

die **Laune, -n** mood
der **Laut, -es, -e** sound
  läuten (w) to ring, toll
die **Lautveränderung, -en** sound change
die **Lautverschiebung, -en** sound shift
das **Leben, -s, -** life
  leben (w) to live
die **Lebensdauer** lifespan
das **Lebensjahr, -es, -e** year of life
  legen (w) to put down, place
die **Legende, -n** legend
der **Lehnsmann, -es, ⸚er** vassal
die **Lehre, -n** doctrine, teaching
der **Lehrer, -s, -** teacher

die **Lehrerin, -nen** teacher (*fem.*)
lehrreich instructive
der **Lehrstuhl, -es,** ⸚e chair (*at a university*)
der **Leichnam, -s, -e** cadaver, corpse
leicht light, easy
das **Leid, -es** sorrow, grief
es tut mir leid I am sorry
das **Leiden, -ens, -** suffering
die **Leidenschaft, -en** passion
leider unfortunately (*adv.*)
leihen (w) to lend
leisten (w) to accomplish, fulfill
der **Leiter, -s, -** director
die **Leiter, -n** ladder
lernen (w) to learn
lesen (ie, a, e) to read
leuchten (w) to shine
leugnen (w) to deny
die **Leute** (*pl.*) people
letzt last
lieb dear
die **Liebe, -n** love
lieben (w) to love
lieber rather (*adv.*)
das **Liebesabenteuer, -s, -** love affair, romance
das **Liebesgedicht, -es, -e** love poem
der **Liebestrank, -es,** ⸚e love potion

das **Lieblingsfach, -es,** ⸚er favorite subject
der **Lieblingsschüler, -s, -** favorite pupil
das **Lied, -es, -er** song
liegen (ie, a, e) to lie, recline
das **Lindenblatt, -es,** ⸚er leaf of a linden tree
link left
links to the left (*adv.*)
die **Lippe, -n** lip
die **Literatur, -en** literature
literarisch literary
das **Löschblatt, -es,** ⸚er blotting paper
lösen to solve, loosen
der **Löwe, -n, -n** lion
lügen (ü, o, o) to lie, tell an untruth
die **Lunge, -n** lung
die **Lungenentzündung, -en** inflammation of the lungs, pneumonia
die **Lungenkrankheit, -en** disease of the lungs
die **Lust,** ⸚e desire, joy
— haben to feel like
das **Lustspiel, -es, -e** comedy

M

die **Macht,** ⸚e power
mächtig powerful
das **Mädchen, -s, -** girl
das **Mädel, -s, -** girl
der **Mai, -s** May
das **Mal, -es, -e** (point of) time
das erste — the first time
man one, they, people (*indef. pronoun*)
manch (er, -e, -es) several, some
manchmal sometimes (*adv.*)
der **Mantel, -s,** ⸚ cloak, overcoat
das **Manuskript, -es, -e** manuscript
die **Mappe, -n** folder, portfolio
die **Mark, - (DM)** mark (*unit of currency*)
der **März, -** March
die **Masse, -n** mass

der **Massenmord, es, -e** mass murder
die **Mathematik** mathematics
die **Mauer, -n** wall
die **Maus,** ⸚e mouse
die **Medizin, -en** medicine
mehr more (*adv., adj.*)
meinen (w) to believe, be of the opinion
die **Meinung, -en** opinion, view
der **Meister, -s, -** master
meisterhaft masterly, skillful
das **Meisterwerk, -es, -e** masterpiece
der **Mensch, -en, -en** human being, person
menschlich human, humane
die **Mentalität, -en** mentality
der **Militärarzt, -es,** ⸚e military surgeon

die **Minute, -n** minute
mischen (w) to mix
die **Mischung, -en** mixture
mißlingen (i, a, u) to fail
mit with (*prep.*)
miteinander with one another (*adv.*)
MITkommen to come along
MITmachen (w) to take part, go along
MITnehmen to take along
die **Mitte, -n** middle
das **Mittel, -s, -** means, cure
Mittelhochdeutsch Middle High German
der **Mittelpunkt, -es, -e** center
das **Mittelreich, -es, -e** central empire
der **Mittelstürmer, -s, -** center forward (*in soccer*)
der **Mittwoch, -es** Wednesday

mögen (magst, mag, mochte, gemocht) may, like
möglich possible
der **Monat, -es, -e** month
der **Mönch, -es, -e** monk
der **Montag, -es** Monday
moralisch moral
der **Mord, -es, -e** murder
der **Mörder, -s, -** murderer
die **Mörderin, -nen** murderess
der **Morgen, -s, -** morning
morgen tomorrow (*adv.*)
das **Motiv, -s, -e** motif
die **Mühe, -n** effort
der **Mund, -es, -e (ᵘer)** mouth
das **Museum, -s, Museen** museum
müssen (mußt, muß, mußte, gemußt) must, be obliged to
der **Mut, -es** courage
die **Mutter, ᵘ** mother
der **Mythos, -, Mythen** myth

N

nach after, toward, to (*prep.*)
die **Nachahmung, -en** imitation
der **Nachbar, -s, -n** neighbor
die **Nachbarin, -nen** neighbor (*fem.*)
nachdem after (*subord. conj.*)
NACHholen (w) to make up
NACHjagen (w) to chase after
der **Nachmittag, -s, -e** afternoon
die **Nachricht, -n** message, news
nächst next (*adj.*)
die **Nacht, ᵘe** night
nahe near
die **Nähe** nearness, proximity, vicinity
in der — nearby
der **Name, -ns, -n** name
nämlich namely
die **Nase, -n** -nose
naß wet
die **Nation, -en** nation
national national
der **Nationalheld, -en, -en** national hero
der **Nationalstaat, -es, -en** nation state
die **Natur, -en** nature

natürlich natural
die **Naturwissenschaft, -en** natural science
nehmen (nimmst, nahm, genommen) to take, pick up, seize
nein no
nennen (nennst, nannte, genannt) to name, call
nett nice, friendly
neu new
neuhochdeutsch New High German
nicht not
nicht nur ... sondern auch not only ... but also
nichtsdestoweniger nevertheless (*adv.*)
nieder low
niederdeutsch Low German
die **Niederlage, -n** defeat
sich **NIEDERsetzen** (w) to sit down
noch still, yet (*adv.*)
nochmals once more, again (*adv.*)
der **Norden, -s** North
nordgermanisch North Germanic

nördlich northern
der **Normanne, -n, -n** Norman
der **Normannenfürst, -en, -en** Norman prince
Norwegen Norway
norwegisch Norwegian

die **Not, ⁼e** need, want, misery
die **Note, -n** note, mark (*school*)
die **Notiz, -en** notice; (*pl.*) notes
der **November, -s** November
die **Nummer, -n** number
nur only (*adv.*)

O

ob whether (*conj.*)
oben above, upstairs, at the top, up (*adv.*)
der **Oberbefehlshaber, -s, -** commander-in-chief
die **Oberschule, -n** secondary school
obgleich although (*subord. conj.*)
obwohl although (*subord. conj.*)
oder or (*coord. conj.*)
offen open
öffentlich public
offiziell official
der **Offizier, -s, -e** officer
öffnen (w) to open
oft often, frequently (*adv.*)
ohne without (*prep.*)
ohnehin anyway (*adv.*)

der **Oktober, -s** October
das **Omen, -s, -** omen
der **Onkel, -s, -** uncle
die **Oper, -n** opera
das **Opfer, -s, -** victim, sacrifice
  zum — fallen to become a victim
opfern (w) to sacrifice
der **Osten, -s** East
die **Osterglocke, -n** Easter chime
das **Ostern, -, -** Easter
das **Österreich, -s** Austria
die **Ostfront, -en** East front
ostgermanisch East Germanic
östlich eastern
Ostpreußen East Prussia

P

das **Paar, -s, -e** pair
  ein paar . . . a few . . .
die **Panne, -n** breakdown (*car*)
der **Panzer, -s, -** armored tank
der **Papst, -es, ⁼e** pope
die **Parabel, -n** parable
die **Parallele, -** parallel, comparison
der **Parkplatz, -es, ⁼e** parking lot
der **Pastor, -s, -en** pastor, minister
die **Pastorentochter, ⁼** pastor's daughter
das **Pech, -es** pitch; *fig.*, bad luck
die **Pein** torture, pain
die **Periode, -n** period
die **Person, -en** person
  persönlich personal(ly)
das **Pferd, -es, -e** horse
die **Pflicht, -en** duty, obligation

die **Physik** physics
der **Plan, -s, ⁼e** plan
der **Platz, -es, ⁼e** place, seat, square
das **Polen, -s** Poland
die **Politik, -en** politics
  politisch political
der **Polizist, -en, -** policeman
  preisgeben (*see* geben) to reveal
der **Preuße, -n, -n** Prussian
der **Prinz, -en, -en** prince
die **Prinzessin, -nen** princess
das **Privilegium, -s, -ien** privilege
der **Professor, -s, -en** professor
  protestantisch protestant
  provisorisch provisional
die **Prüfung, -en** examination, test
der **Psalm, -es, -en** psalm
der **Pudel, -s, -** poodle

der **Punkt, -es, -e** point, period (*punctuation*)

pünktlich punctual(ly)

Q

die **Quelle, -n** source; spring, well

R

die **Rache, -n** vengeance
rächen (w) to avenge
das **Rad, -es, ⸚er** wheel
rasch fast, quick
die **Rasse, -n** race
der **Rat, -es, ⸚e** advice, counsel
    der **Studienrat** counsellor, advisor
    raten (ä, ie, a) to advise, guess
der **Ratschlag, -es, ⸚e** suggestion, tip
rauben (w) to rob
recht right, straight
    — **haben** to be right
das **Recht, -es, -e** right, law
rechnen (w) to count; to consider; to rank
rechts to the right (*adv.*)
der **Rechtsanwalt, -s, ⸚e** lawyer
die **Rechtswissenschaft, -en** science of law
rechtzeitig on time
reden (w) to speak, make a speech
die **Reformation, -en** Reformation
der **Regen, -s, -** rain
der **Regenbogen, -s, -** rainbow
regieren (w) (*p. p.* **regiert**) to reign, govern
die **Regierung, -en** government, regime
die **Regierungsform, -en** form of government
regnen (w) to rain
reich rich
das **Reich, -es, -e** empire
die **Reichsteilung, -en** division of the empire

der **Reifen, -s, -** circle, hoop, tire (*automobile*)
die **Reifenpanne, -n** blowout (*of a tire*)
die **Reihe, -n** series, row
rein clean, pure
die **Reise, -n** voyage, trip
reisen (w) to travel
reißen (ei, i, i) to tear, jerk
reiten (ei, ritt, geritten) to ride (*horseback*)
die **Religion, -en** religion
die **Reparatur, -en** repair
reparieren (w) (*p. p.* **repariert**) to repair
das **Resultat, -es, -e** result
retten (w) to save, rescue
die **Rettung, -en** salvation, deliverance
der **Rhein, -es** Rhine
das **Rheinland, -es, ⸚er** Rhineland
richten (w) to judge
der **Richter, -s, -** judge
richtig right, real, true
der **Ring, -es, -e** ring
ringen (i, a, u) to wrestle
der **Ritter, -s, -** knight
der **Rivale, -n, -n** rival
die **Rivalin, -nen** rival (*fem.*)
der **Rock, -es, ⸚e** skirt, coat
die **Rolle, -n** role
römisch Roman
rot red
die **Rückkehr** return
rufen (u, ie, u) to call
die **Ruhe** rest, quiet
der **Ruhestand, -es** retirement

ruhig quiet, restful, calm
der Ruhm, -es glory, fame

der Rum, -s rum

S

die Sache, -n object, thing, matter
Sachsen Saxony
sächsisch Saxon
sacht soft, gentle, easy
die Sage, -n saga tale, legend
sagen (w) to say, tell
sammeln (w) to collect, gather
die Sammlung, -en collection
der Samstag, -es Saturday
sanft gentle, soft
die Sanftmut gentleness
der Sarazene, -n, -n Saracen
sarazenisch Saracen
der Satz, -es, ⁿe sentence
sauber clean
die Schachtel, -n box
schade too bad, pity!
schaffen (a, schuf, a) create, work
die Schale, -n bowl, cup
die Scham shame
sich schämen (w) to be ashamed
der Schatz, -es, ⁿe treasure
schauen (w) to look at, behold
der Schauplatz, -es, ⁿe scene
der Schauspieler, -s, - actor
die Schauspielerin, -nen actress
der Scheck, -s, -e check
scheinbar apparent(ly)
scheinen (ei, ie, ie) to appear, seem, shine
scheitern (w) to be wrecked, be frustrated, to fail
schenken (w) to give, present
schicken (w) to send
das Schicksal, -s, -e destiny, fate
schießen (ie, o, o) to shoot
das Schiff, -es, -e ship
schildern (w) to describe
die Schlacht, -en battle
das Schlachtfeld, -es, -er field of battle
der Schlaf, -es sleep
schlafen (ä, ie, a) to sleep
schlagen (ä, u, a) to beat

Schlesien Silesia
schleudern (w) to throw, toss
schließlich finally
schlimm bad, naughty, awful
der Schlüssel, -s, - key
der Schmerz, -es, -en pain
der Schmuck, -es ornament, jewelry
schmücken (w) to decorate, embellish, adorn
der Schmutz, -es dirt
schmutzig dirty
schneien (w) to snow
schnell fast
schön beautiful
die Schönheit, -en beauty
die Schöpfung, -en creation
schrecklich terrible, dreadful
schreiben (ei, ie, ie) to write
die Schrift, -en writing
die Schriftsprache, -n written language
der Schriftsteller, -s, - writer, author
schriftstellerisch literary
der Schuh, -es, -e shoe
die Schularbeit, -en classwork
die Schuld, -en fault, debt, blame
schuldig guilty
die Schule, -n school
der Schüler, -s, - pupil
die Schülerin, -nen pupil (*fem.*)
der Schulleiter, -s, - director of a school
die Schulter, -n shoulder
der Schuß, -sses, ⁿsse shot
die Schüssel, -n plate, bowl
der Schutz, -es protection
schwach weak
schwächen (w) to weaken
schwarz black
Schweden Sweden
schwedisch Swedish
die Schweiz Switzerland
schwellen (i, o, o) to swell
schwer difficult, heavy, hard

die **Schwester, -n** sister
die **Schwiegermutter,** ⁓ mother-in-law
der **Schwiegervater, -s,** ⁓ father-in-law
die **Schwierigkeit, -en** difficulty
schwimmen (i, a, o) to swim, float
schwören (ö, u, o) to swear (*an oath*)
der **See, -s, -n** lake
die **See** ocean, sea
die **Seele, -n** soul
sehen (siehst, sah, gesehen) to see
sehnen to long for, yearn
sich — (nach) to long for
sehr very (*adv.*)
sein (ich bin, du bist, er ist, war, gewesen) to be
seit since (*prep.; subord. conj.*)
—dem ever since (*adv.*)
die **Seite, -n** page, side
selbst self, even
der **Selbstmord, -es, -e** suicide
selbständig independent
selten seldom, rare
das **Seminar, -s, -e** seminary; symposium (*at a university*)
der **September, -s** September
der **Sessel, -s, -** easy chair
setzen (w) to put, place, set
sicher certain; secure, safe, sure
die **Sicherheit, -en** security, safety
sicherlich certainly, surely (*adv.*)
sichern (w) to secure, put gun on safety
die **Sicht, -en** view, sight
der **Siedler, -s, -** settler
der **Sieg, -es, -e** victory
der **Sieger, -s, -** victor
siegreich victorious
der **Sinn, -es, -e** sense, meaning, intellect
sinnig sensible, meaningful
sinnlich sensuous
die **Sitte, -n** moral, custom, habit
sitzen (sitzt, saß, gesessen) to sit
SITZENbleiben to repeat a class
Skandinavien Scandinavia
das **Skilaufen, -s** skiing
die **Sklaverei** slavery
schmutzig dirty
so thus, so (*adv.*)
sobald as soon as (*subord. conj.*)

soeben just, a short while ago (*adv.*)
sofort right away, at once (*adv.*)
sogar even (*adv.*)
sogenannt so-called
der **Sohn, -es,** ⁓e son
solange such a long time (*adv.*); as long as (*subord. conj.*)
solch (er, e, es) such
sollen (sollst, soll, sollte, gesollt) to be supposed to, have to
sondern but (*coord. conj.*)
die **Sonne, -n** sun
der **Sonntag, -es** Sunday
sonst otherwise (*adv.*)
die **Sorge, -n** care, worry, sorrow
sorgfältig careful(ly)
sowjetrussisch Soviet Russian
sowohl . . . als auch just as . . .
spalten (w) to split
sparen (w) to save (*money*)
der **Spaß, -es,** ⁓e joke
spät late
der **Spaziergang, -es,** ⁓e walk
spazierengehen to go for a walk, take a walk
der **Speer, -es, -e** spear
die **Speise, -n** food
speziell special
der **Spiegel, -s -** mirror
spiegeln (w) to mirror, reflect
das **Spiel, -es, -e** game, gamble, match
spielen (w) to play
das **Spital, -s,** ⁓er hospital
der **Sport, -es** (*pl.* **Sportarten**) sport
der **Sportler, -s, -** sportsman, athlete
die **Sprache, -n** language
die **Sprachfamilie, -n** language group
sprechen (i, a, o) speak
der **Spruch, -es,** ⁓e sentence, saying
der **Staat, -es, -en** state
die **Stadt,** ⁓e town, city
der **Stamm, -es,** ⁓e tribe; tree trunk
stammen (w) to originate, stem from
der **Standpunkt, -es, -e** point of view
stark strong, intense
statt instead (*prep.*)
der **Statthalter, -s, -** governor
STATTfinden to take place
die **Stange, -n** pole, perch, rod
stehen (eh, a, a) to stand
der **Stein, -es, -e** stone, rock

das **Stelldichein, -s, -e** rendezvous, date
die **Stelle, -n** place, position
    stellen (w) to put (*with objects, in an upright position*)
    eine Frage — to ask a question
der **Stellvertreter, -s, -** deputy
    sterben (i, a, o) to die
der **Stern, -es, -e** star
    sticken (w) to embroider
die **Stiefmutter, ⸗** stepmother
der **Stiefvater, -s, ⸗** stepfather
die **Stimme, -n** voice
der **Stoff, -es, -e** material
der **Stolz, -es** pride
    stoßen (ö, ie, o) to push
    strafen (w) to punish
die **Straße, -n** street
die **Straßenbahn, -en** streetcar, trolley
    streben (w) to strive, struggle
der **Streich, -es, -e** prank
    einen — spielen to play a trick
der **Streit, -es, -e** strife, contention, fight
    streiten (ei, stritt, gestritten) to struggle
    sich — to disagree, quarrel

der **Strom, -es, ⸗e** stream
die **Strömung, -en** current
das **Stück, -es, -e** piece, play (*theater*)
der **Student, -en, -en** student
das **Studentenleben, -s, -** student life
    studieren (w) (*p. p.* **studiert**) to study
das **Studierzimmer, -s, -** study (*room*)
das **Studium, -s, Studien** study
der **Stuhl, -s, ⸗e** chair
    stumm dumb, silent
die **Stunde, -n** lesson, class hour
    eine — haben to have class
der **Stürmer, -s, -** assailant, forward (*soccer*)
    stützen (w) to sustain, support
    sich — to rely upon
die **Suche** search
    suchen (w) to look for, search for
der **Süden, -s** South
    südlich southern
die **Sühne, -n** expiation, atonement
die **Sünde, -n** sin
das **Symbol, -s, -e** symbol
    symbolisch symbolic
die **Szene, -n** scene

T

der **Tag, -es, -e** day
    tadeln (w) to scold, find fault
die **Tafel, -n** (black) board, table
die **Tafelrunde, -n** Round Table
das **Talent, -s, -e** talent
die **Tante, -n** aunt
    tapfer courageous, brave
    tarnen (w) to conceal, disguise, camouflage
die **Tarnkappe, -n** cloak of invisibility
die **Tasche, -n** pocket, handbag
die **Tasse, -n,** cap
die **Tat, -en** deed, act
    tätig busy, occupied
die **Tätigkeit, -en** occupation, activity
die **Tatsache, -n** fact
    taub deaf
der **Tee, -s** tea

der **Teilnehmer, -s, -** participant
der **Teil, -es, -e** part
    teilen (w) to divide
    TEILnehmen to take part, participate
die **Teilung, -en** division
    teilweise partial(ly)
das **Telefon, -s, -e** telephone
der **Teufel, -s, -** devil
das **Theater, -s, -** theater
    theatralisch theatrical
die **Theologie, -n** theology
der **Thron, -es, -e** throne
    tief deep
    tiefbewegt deeply moved
der **Tiger, -s, -** tiger
der **Tisch, -es, -e** table
der **Tod, -es, -e** death
das **Todesjahr, -es, -e** year of death
die **Toleranz** toleration

die **Tollheit, -en** rage, madness
der **Tor, -en, -en** fool
das **Tor, -es, -e** gate, portal
  tot dead
der **Tote, -n, -n** dead person
  töten (w) to kill
  tragen (ä, u, a) to carry, wear
  tragisch tragic
  trainieren (w) (*p. p.* **trainiert**) to train, practice
das **Training, -s** training, practice
die **Träne, -n** tear
der **Trank, -es, ⁀e** drink
das **Trauerspiel, -s, -e** tragedy (*drama*)
der **Traum, -es, ⁀e** dream
  träumen (w) to dream
  treffen (i, a, o) to meet, hit

  treiben (ei, ie, ie) to drive, put or push into motion
  trennen (w) to separate, divide
  treu faithful, loyal
die **Treue** faithfulness, loyalty
der **Trieb, -es, -e** drive (*instinct*)
die **Trilogie, -n** trilogy
  trotz in spite of (*prep.*)
  trotzdem nevertheless, despite (*adv.*)
die **Tschechoslowakei** Czechoslovakia
die **Tuberkulose, -n** tuberculosis
  tüchtig capable, thorough
  tun (tust, tut, tat, getan) to do
die **Tür, -en** door
  typisch typical(ly)
die **Tyrannei, en** tyranny

U

  über above; about, over (*prep.*)
  überall everywhere
  überhaupt at all, anyway, generally (*adv.*)
  überlassen (*see* **lassen**) to leave to
  überleben (w) to survive
  übernehmen (*see* **nehmen**) to take over
  überreden (w) to persuade
  übersetzen (w) to translate
die **Übersetzung, -en** translation
  überzeugen (w) to persuade, convince
die **Uhr, -en** watch
  wieviel — . . .? what time . . .?
die **Umarbeitung, -en** recasting, remodeling, rewriting
  UMfallen to fall over, tumble
  UMtauschen (w) to exchange
  unabhängig independent
die **Unabhängigkeit** independence
  unbestochen unbribed; unbiased
  und and (*conj.*)
  und so weiter (usw.) and so on (etc.)
  uneinig disunited, at variance
der **Unfall, -s, ⁀e** accident
  ungarisch Hungarian

  Ungarn Hungary
  ungefähr approximate(ly)
  ungern unwillingly, regretfully (*adv.*)
die **Ungewißheit** uncertainty
das **Unglück, -es, -e** misfortune
  unglücklich unhappy
die **Universität, -en** university
  unnatürlich unnatural
das **Unrecht, -es** wrong
  unrecht haben to be wrong
die **Unschuld** innocence
  unschuldig innocent
  unsichtbar invisible
der **Unsinn, -s** nonsense
  unsinnig nonsensical
  unten below, downstairs, at the bottom
  unterdrücken (w) to suppress
der **Untergang, -es, ⁀e** fall, ruin, destruction, decline
  UNTERgehen to perish, go down; to set (*sun*)
  unterhalten (ä, ie, a) to maintain, keep up; entertain
  sich — to amuse oneself; to converse
der **Unterricht, -s** instruction

unterrichten (w) to teach, instruct
unterscheiden (ei, ie, ie) to distinguish, differentiate
der Unterschied, -es, -e distinction, difference
untersuchen (w) to examine, investigate
unvermeidlich unavoidable
unverwundbar invulnerable

die Unwissenheit ignorance
unzufrieden dissatisfied
die Unzufriedenheit, -en dissatisfaction
der Urquell, -s original source, origin
die Ursache, -n cause
der Ursprung, -es, ⁻e origin
ursprünglich original(ly)
das Urteil, -s, -e judgment, decision, sentence

V

der Vandale, -n, -n Vandal
der Vater, -s, ⁻ father
das Vaterland, -es, ⁻er fatherland
die Verabredung, -en appointment
verändern to change
die Veränderung, -en change, transformation
veranlassen (see lassen) to cause
verbannen (w) to exile
die Verbannung, -en banishment, exile
verbessern to correct
sich verbeugen (w) to bow
verbieten (ie, a, o) to prohibit
verbinden (i, a, u) to bind, unite; to bandage
die Verbindung, -en alliance, confederation, fraternity
das Verbrechen, -s, - crime
der Verbrecher, -s, - criminal
verbrennen (brennst, brennt, brannte, gebrannt) to burn
verbringen (bringst, brachte, verbracht) to spend (time), pass
das Verbum, -s, Verben verb
verdächtig suspicious(ly)
verdanken (w) to owe, be obliged to
verderben (i, a, o) to spoil
das Verderben, -s, - ruin
verdienen (w) to merit, deserve, earn
das Verdienst, -es, -e merit
der Verdienst, -es, -e income, earnings
der Verein, -s, -e association, club
vereinigen (w) to unite

die Vereinigten Staaten (pl.) United States
der Verfasser, -s, - author, composer
die Verfassung, -en constitution
verführen (w) to seduce
die Verführung, -en seduction
der Verführungsplan, -s, ⁻e plan of seduction
die Vergangenheit past
vergebens in vain (adv.)
vergeblich useless, in vain
vergehen (see gehen) to pass (time)
vergessen (i, a, e) forget
der Vergleich, -s, -e comparison
vergleichen (ei, i, i) to compare
das Vergnügen, -s, - pleasure, amusement
vergrößern (w) to magnify, enlarge
die Vergrößerung, -en magnification, enlargement
verhaften (w) to arrest
verhältnismäßig relative(ly)
verhelfen (i, a, o) to help, aid
verhindern (w) to avoid, prevent
verjüngen (w) make younger, rejuvenate
verkaufen (w) to sell
der Verkehr, -s traffic
verkehren (w) to frequent, be a frequent visitor
verkleiden (w) to disguise
sich — to disguise oneself
die Verkleidung, -en disguise
der Verlag, -es, -e publishing house

verlassen (ä, ie, a) to leave behind, abandon
sich — auf to rely upon
verletzen (w) to injure
sich verlieben (w) to fall in love
verlieren (ie, o, o) to lose
verloben (w) to engage
sich — to become engaged
vermischen (w) to mix
vermissen (w) to miss
vernichten (w) to destroy, annihilate
veröffentlichen (w) to publish
die Veröffentlichung, -en publication
verpassen (w) to miss (*travel connections*)
verpflichten (w) to obligate
verraten (ä, ie, a) to betrary
versammeln (w) to assemble
die Versammlung, -en assembly, meeting
versäumen (w) to miss, be absent from
verschieben (ie, o, o) to postpone
verschieden different
versenken (w) to sink
versichern (w) to insure, assure
versprechen (i, a, o) to promise
verstehen (verstehst, verstand, verstanden) to understand, comprehend
verstoßen (ö, ie, o) to push away, banish
versuchen (w) to try
verteidigen (w) to defend
der Vertrag, -es, ⁼e treaty
die Verträglichkeit conciliatory spirit
vertrauen (w) to trust
vertreten (trittst, trat, vertreten) represent
der Vetreter, -s, - representative
verüben (w) to commit (*a crime, etc.*)
verurteilen (w) to condemn, sentence
verwandeln (w) to change, transform
verwandt related
die Verwandtschaft, -en relationship
verwechseln (w) to mix up, confuse

die Verwechslung, -en confusion
verwenden (w) to use, employ
verwirklichen (w) to realize, make real
verwirren (w) to confuse
verwundbar vulnerable
verwunden (w) to wound
die Verwüstung, -en devastation
die Verzweiflung desperation
viel much
vielmals many times, often (*adv.*)
vielmehr rather (*adv.*)
vielleicht perhaps, may be (*adv.*)
der Vokal, -s, -e vowel
das Volk, -es, ⁼er people
die Völkerwanderung, -en migration
völkisch national(istic)
volkstümlich popular
voll full
vollbringen (*see* bringen) to carry out, complete
vollkommen perfect, complete
vollziehen (*see* ziehen) to execute
völlig complete(ly), fully
von from (*prep.*)
vor before (*prep.*)
— allem above all (*adv.*)
VORbereiten (w) to prepare
das Vorbild, -es, -er example, model
VORdringen (i, a, u) to advance
der Vorgang, -es, ⁼e event
VORgeben to pretend
VORgehen to happen, occur
VORhaben to intend, have in mind
die Vorherrschaft, -en (pre)dominance, domination
VORlesen to read (aloud)
die Vorlesung, -en lecture
VORschlagen (ä, u, a) to propose, suggest
vorschnell hasty
das Vorspiel, -es, -e prelude
VORstellen (w) to imagine (*with dat.*); to introduce
die Vorstellung, -en presentation, performance
das Vorurteil, -s, -e prejudice
VORwerfen (i, a, o) to reproach
VORziehen to prefer

W

der **Wächter, -s, -** guard
der **Wagen, -s, -** wagon, coach, car
die **Wahl, -en** choice, election
    wählen (w) to choose, elect; dial
        (*a telephone*)
die **Walpurgisnacht,** ⁼**e** Walpurgis
        night
der **Wahnsinn, -s** insanity
    wahnsinnig insane
die **Wahrheit, -en** truth
    während during (*prep.*)
die **Wand,** ⁼**e** wall
die **Wange, -n** cheek
    warnen (w) to warn
    warten (w) to wait, await
    warum why
sich **waschen (ä, u, a)** to wash
das **Wasser, -s -** water
    wecken (w) to awaken, wake up
    weder ... noch neither ... nor
der **Weg, -es, -e** way
    wegen because of, on account of
        (*prep.*)
    wehren (w) to defend
das **Weib, -es, -er** wench, woman
    weiblich feminine, female
    weigern to refuse, deny
    sich — to refuse
    weil because (*subord. conj.*)
der **Wein, -es, -e** wine
    weinen (w) to weep, cry
    weise wise
die **Weise, -n** way, manner
der **Weise, -en -en** wise man, sage
    weisen (ei, ie, ie) to show, indi-
        cate
die **Weisheit, -en** wisdom
    weit wide
    weiter further
    welch (er, e, es) which
die **Welt, -en** world
der **Weltkrieg, -es, -e** world war
    weltlich worldly
die **Weltliteratur** world literature
die **Weltwirtschaftskrise, -n** world-
        wide economic depression
    wenden (w) to turn
    wenig little
    wenigstens at least
    wer (wessen, *etc.*) who

    werden (wirst, wird, wurde, ge-
        worden) to become
    werfen (i, a, o) to throw
das **Werk, -es, -e** work
der **Wert, -es, -e** value, worth
der **Westen, -s** West
    westlich western
die **Wette, -n** bet, wager
    wetten (w) to bet, wager
das **Wetter, -s, -** weather
die **Wettervorhersage, -n** weather
        forecast
    wichtig important
die **Wichtigkeit** importance
    widmen (w) to dedicate
    widersetzen (w) to oppose
    sich — to disobey, rebel
    widerspiegeln (w) to reflect
der **Widerstand, -es** resistance
die **Widerstandskraft,** ⁼**e** power of
        resistance
    wie how, as
    wieder again (*adv.*)
der **Wiederaufbau, -s, -e** reconstruc-
        tion
    wiederHERstellen (w) to restore
    wiederholen (w) to repeat
    WIEDERholen (w) to get (fetch)
        again
    WIEDERsehen (*see* **sehen**) to see
        again
    auf — good-bye, so long
    wieso why
    wieviel how much
    wirken (w) to create, work
    wirklich real
die **Wirklichkeit, -en** reality
die **Wirtschaft** economy
    wirtschaftlich economic(al), effi-
        cient
die **Wirtschaftskrise, -n** economic
        depression
    wissen (weißt, weiß, wußte, ge-
        wußt) to know
das **Wissen, -s** knowledge
die **Wissenschaft, -en** science
der **Wissenschaftler, -s, -** scientist
die **Witwe, -n** widow
der **Witwer, -s, -** widower

der **Witz, -es, -e** joke
wo where
die **Woche, -n** week
das **Wochenende, -s, -n** weekend
wohin where (to)
wohlan all right then
das **Wohltun, -s** charity
wohnen (w) to live, dwell, reside
der **Wohnort, -es, -e** residence
die **Wohnung, -en** apartment

die **Wolke, -n** cloud
**wollen (willst, will, wollte, ge-
wollt)** want, wish
das **Wort, -es -e** word
die **Wunde, -n** wound
das **Wunder, -s, -** miracle, wonder
wunderbar marvelous, wonderful
der **Wunsch, -es, ⁾e** desire
die **Wut** wrath, anger
wütend angry

Z

der **Zahn, -es, ⁾e** tooth
der **Zahnarzt, -es, ⁾e** dentist
die **Zahnschmerzen** (*pl.*) toothache
der **Zauber, -s** charm, enchantment
der **Zauberer, -s, -** magician, sorcerer
das **Zeichen, -s, -** sign
zeigen (w) to show
die **Zeile, -n** line
die **Zeit, -en** time, age
das **Zeitalter, -s, -** period, epoch
die **Zeitschrift, -en** periodical, jour-
nal
die **Zeitung, -en** newspaper
das **Zeitwort, -es, ⁾er,** verb
die **Zensur, -en** mark, grade
das **Zentrum, -s, Zentren** center
zerbrechen (i, a, o) to break to
pieces
zerfallen (see fallen) to fall apart
zerreißen (ei, i, i) to tear to
pieces
die **Zerrissenheit, -en** disruption;
distraction (of the mind)
zerstören (w) to destroy
zertrümmern (w) to shatter
ziehen (ie, zog, gezogen) to
draw, pull; travel, move about
das **Ziel, -es, -e** goal, aim, destina-
tion
zieren (w) to decorate
die **Zigarette, -n** cigarette
das **Zimmer, -s, -** room
der **Zivilist, -en, -en** civilian
zögern (w) to hesitate
der **Zoll, -es, ⁾e** duty, customs
der **Zollverein, -s, -e** customs union

der **Zorn, -es** wrath, anger
der **Zucker, -s** sugar
zuerst first (of all)
der **Zufall, -s, ⁾e** accident, chance
zufällig accidental(ly)
zufrieden satisfied
ZUgeben to admit
ZUhören (w) to listen
die **Zukunft** future
zukünftig future
zum (zu + dem) to the
zumindest at least
zurück back (*adv.*)
ZURÜCKdrängen (w) to push
back
ZURÜCKfahren to drive back
ZURÜCKfliehen to flee back,
withdraw
ZURÜCKführen (w) to lead
back
ZURÜCKkehren (w) to return
ZURÜCKreichen (w) to go back
to, hand back, reach back
ZURÜCKziehen to pull out,
withdraw
ZUsagen (w) to agree, admit,
promise
zusammen together (*adv.*)
ZUSAMMENbrechen to collapse, break down
der **Zusammenbruch, -es, ⁾e** collapse,
breakdown
ZUSAMMENfallen to coincide;
to collapse, cave in
ZUSAMMENfassen (w) to com-
prise; to summarize, recapi-
tulate

der **Zusammenhang, -es,** ⁼e connection

ZUSAMMENhalten to hold together

ZUSAMMENkommen to get together

ZUSAMMENrufen to call together

das **Zusammentreffen, -s** coincidence; gathering, meeting

der **Zustand, -es,** ⁼e state (of affairs), condition

ZUstimmen (w) to consent

die **Zustimmung, -en** consent

zuwenden (w) to turn (toward)

sich **ZUziehen** to get, catch

der **Zweifel, -s, -** doubt

der **Zweikampf, -es,** ⁼e duel, single combat

zwingen (i, a, u) to force, constrain

zwischen between (*prep.*)